William Trevor

Die Kinder von Dynmouth

Roman

Aus dem Englischen
von Thomas Gunkel

Rotbuch Verlag

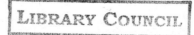

Die Übersetzung wurde gefördert durch Ireland Literature
Exchange/Idirmhalartán Litríocht Éireann, Dublin, Irland.

Umschlagmotiv mit freundlicher Genehmigung von Penguin U.K.

Die Deutsche Bibliothek - CIP-Einheitsaufnahme

Trevor, William:
Die Kinder von Dynmouth : Roman / William Trevor.
[Aus dem Engl. von Thomas Gunkel.] –
Hamburg : Rotbuch Verlag 1997
Einheitssacht.: Children of Dynmouth <dt.>
ISBN 3-88022-504-4

1. Auflage 1997
© 1997 by Rotbuch Verlag, Hamburg
Originaltitel: The Children of Dynmouth
© William Trevor 1976
Umschlaggestaltung: Groothuis+Malsy, Bremen
Herstellung: Das Herstellungsbüro, Hamburg
Satz: KELLS Text- und Verlagsbüro, Marburg
Druck und Bindung: Clausen & Bosse, Leck
Printed in Germany
Alle Rechte vorbehalten
ISBN 3-88022-504-4

1

Dynmouth schmiegte sich an die Küste von Dorset. Sein kleiner Fischereihafen war einmal die einzige Quelle des Wohlstands gewesen. Im frühen achtzehnten Jahrhundert war der Ort für seine Spitzen und seinen Steinbutt berühmt und hatte sich später zu einem hübschen Seebad entwickelt. Nach wie vor klein, galt Dynmouth als nahezu unberührt, als ein Seebad mit begrenztem Unterhaltungsangebot, dessen bogenförmige Promenade und bescheidener Pier stilvoll von dekorativen, grün gestrichenen Laternenpfählen gesäumt waren. Am Fuß graubrauner Klippen machte ein Streifen Kieselstrand dem Sand Platz, auf dem Generationen von Kindern aus Dynmouth herumgelaufen waren, gespielt und Burgen mit Wassergräben und Fahnenmasten gebaut hatten.

Vorsichtig war die Stadt das Tal des Dyn entlang weiter landeinwärts gewachsen. Wo einmal Schafe an den abfallenden Hügeln geweidet hatten, stand jetzt eine Sandpapierfabrik und ihr gegenüber, auf der anderen Seite des Flusses, eine Ziegelei. Am östlichen Ende der Promenade, in der Nähe des Parkplatzes und der öffentlichen Toiletten, gab es einen Fischverpackungsbetrieb. Auf einem Gelände, das einst unter dem Namen Long Dog's Field bekannt war, sollten bald Plastiklampenschirme hergestellt werden, und es ging das Gerücht – vom Stadtrat stets dementiert –, daß Singer Nähmaschinen sich vor kurzem die Stadt im Hinblick darauf angesehen hatte, dort ein Werk zu errichten. Es gab drei Banken in Dynmouth: Lloyd's, Barclay's und die National Westminster. Neben dem Jugendzentrum befanden sich städtische Tennisplätze, und es gab je eine Baptisten- und Methodisten-Kapelle, die anglikanische Kirche St. Simon and St. Jude sowie die katholische Queen of Heaven. Es gab neun Hotels und neunzehn Pensionen, elf Gaststätten und einen Fish-and-

Chip-Laden, Phyl's Phries, direkt neben der Dampfwäscherei an der Straße zum Bahnhof von Dynmouth. Es gab die Bingo- und Whistturnierhalle in der East Street und das altmodische Essoldo Kino in abblätterndem Rosa, das im Innern schummrig und höhlenartig war. Der städtische Sir-Walter-Raleigh-Park, der von einem dekorativen Zaun umgeben war, der zu den Laternenpfählen an der Promenade paßte, wurde während der Sommersaison immer von Ring's Vergnügungspark gepachtet. Von den Klippen zog sich ein Golfplatz landeinwärts, der 1936 angelegt worden war.

Sommers wie winters marschierte jeden Sonntagnachmittag die Kapelle der Heilsarmee von Badstoneleigh und Dynmouth durch die Stadt. Etwa zweimal pro Woche randalierten nachts die Dynmouth Hards, eine Motorradgang in fransenbesetzter schwarzer Lederkluft, mit ihren schwarzbefransten Freundinnen hinter sich auf dem Soziussitz. 1969 war es zu einem Streik in der Sandpapierfabrik gekommen. 1970 hatte ein Koch im Queen Victoria Hotel, der mit seinen Arbeitsbedingungen unzufrieden war, versucht, das Gebäude niederzubrennen, nachdem er Vorhänge und Bettzeug in Paraffin getaucht hatte. Über dieses Ereignis hatte ein Bericht im Innenteil des *Daily Telegraph* gestanden. Der Mann, ein Sizilianer, war von Dr. Greenslade für verrückt erklärt worden.

Dynmouth ähnelte von der Anlage her anderen Kleinstädten. Auf die Häuser der Begüterten, die abgeschieden inmitten großzügiger Gärten lagen, folgten in einer ihrer Wertschätzung entsprechenden Reihenfolge Doppelhausvillen, die wie Zwillingspaare an den Alleen und halbkreisförmigen Straßen von Dynmouth standen. Danach kamen Wohnhäuser, denen man eine gewisse Sparsamkeit ansah, Spiegel der Belastung durch Miete oder Hypothek. Weit entfernt von Strandpromenade und Stadtzentrum breiteten sich die städtischen Siedlungen und die sandgelben

Blocks mit Sozialwohnungen aus. In den Straßen nahe am Fluß standen schmale Reihenhäuser, in denen vorübergehend die Leute wohnten, die darauf warteten, daß ihr Name auf der Wohnungsliste nach oben rückte. Die Hütten in der Bough's Lane, die die Leute als Schandfleck bezeichneten, lagen so nah am Fluß, daß sie regelmäßig überflutet wurden. Das schönste Wohnhaus von Dynmouth war Sea House, hoch oben auf den Klippen neben dem Golfplatz, berühmt für die Azaleen in seinem Garten.

Von den 4139 Einwohnern der Stadt war die Hälfte Kinder. Es gab drei Kindergärten: den Ring-o-Roses, den von Lavinia Featherston im Pfarrhaus und die Spielgruppe des Women's Royal Voluntary Service. Es gab die Grundschule, die Gesamtschule und die Loretto-Klosterschule. Jenseits des Elektrizitätswerks befand sich, aus rotem Backstein und kasernenartig, das Down-Manor-Waisenhaus, und eine Meile außerhalb der Stadt die Gärtnerei von Dynmouth. Das Jugendzentrum wurde von John und Ted geleitet.

Die Kinder von Dynmouth waren so, wie Kinder überall sind. Sie führten ein Doppelleben; sie reisten regelmäßiger als die älteren Leute, ohne sich aus dem Zimmer zu begeben. Sie sahen eine andere Welt: Für sie sah die Sonne anders aus, ebenso wie die Bäume, das Gras und der Sand von Dynmouth. Hunde tauchten in einer anderen Höhe vor ihnen auf, Auge in Auge. Katzen machten einen Tigerbuckel, und die Vögel in den Käfigen in Moult's Haushaltswaren- und Zoohandlung blickten mit wachsamen Augen herab und schienen Botschaften zu übermitteln. Nonnen aus dem Loretto-Kloster, die auf der Promenade paarweise frische Luft schöpften, blickten ebenfalls herab und nickten ganz in Schwarz, und dabei baumelte der Leichnam eines Gekreuzigten zwischen ihren schwarzen Perlen. Ring's Vergnügungspark war das Paradies von Dynmouth.

Wenn sie keine Kinder mehr waren, fanden einige von ihnen Arbeit in einem Büro; andere fingen im Supermarkt an, in einer Werkstatt, einem Hotel, bei der Spitzenfabrik *Dynmouth Lace Ltd.*, in der Druckerei der *Badstoneleigh and Dynmouth News*, in der Wäscherei. Seit der Zeit von Queen Victoria – die die Stadt einmal besucht hatte – gehörten Teestuben zum Stadtbild: Gegenwärtig gab es zwölf davon, in denen den Mädchen, die flink zu Fuß waren, durchschnittliche Löhne geboten wurden. Ein paar Jungs wurden Trawlerfischer, aber im Fischverpackungsbetrieb, in der Sandpapierfabrik und in der Ziegelei war das Leben leichter, und die Arbeit warf mehr ab. Manche machten, wenn es soweit war, außerhalb der Stadt Karriere, obwohl Dynmouth ihre Heimatstadt blieb, an die sie stets voll Zuneigung dachten. Manche konnten die Stadt nicht ausstehen und träumten schon als Kinder davon, ein anderer Mensch an einem anderen Ort zu sein.

Lavinia Featherston, die selbst in Dynmouth aufgewachsen war, erinnerte sich an die Zeit, als die dekorativen grünen Laternenpfähle plötzlich nicht mehr riesig gewesen waren, die graubraunen Klippen auf ein normales Maß zurückgestutzt zu sein schienen und die Spinning-Wheel-Teestube beinahe schäbig gewirkt hatte. Das Pfarrhaus, in dem sie jetzt wohnte, ein efeubewachsenes Gebäude, das inmitten von ausgefransten Rasenflächen stand, war für sie als Kind ein rätselhaftes und bedrohliches Haus gewesen, auf halber Höhe eines Berges, der Once Hill hieß, durch eine Steinmauer und eine Reihe von Zypressen dem Blick von der Straße her teilweise entzogen. Es hatte sich nicht verändert, und doch war es nicht mehr dasselbe. Wenn sie ihren Kindergarten im Pfarrhaus inspizierte, dann stimmte es Lavinia manchmal traurig, daß für diese Kinder alles immer alltäglicher wurde, während sie aufwuchsen, daß die Vögel in Moult's Haushaltswaren- und Zoohandlung nur zu bald aufhören würden, Botschaften zu übermitteln. Sie leitete den Kindergarten, weil sie gern in Gesellschaft von Kindern war, obwohl sie sie auch manchmal anstrengend fand.

So ging es ihr an einem Mittwochnachmittag Anfang April, dem Tag des heiligen Pankratius von Sizilien, wie ihr Mann beim Frühstück bemerkt hatte. Draußen war es stürmisch und kalt. Leichter Regen fiel auf die Fensterscheiben des Pfarrhauses. Das Feuer im Wohnzimmer wollte nicht angehen.

»Ich bin wirklich böse«, sagte Lavinia zu ihren Zwillingen, die vier Jahre alt waren. Sie sah die beiden Mädchen vom Kamin her streng an, außer Atem, weil sie auf die angesengten Ränder einer Zeitung gepustet hatte. Den ganzen Tag lang, rief sie ihnen ins Gedächtnis, seien sie ihr nur zur Last gefallen, hätten sich im Kindergarten die Hände angemalt, seien bei Lipton's hin und her gelaufen, obwohl sie ihnen gesagt habe, daß sie beim Hundefutter stehenbleiben sollten, und hätten jetzt anscheinend Marmelade ans Küchenfenster geworfen.

»Ich nicht«, sagte Susannah.

»Ist gefallen.« Deborah nickte wiederholt und verlieh dieser Erklärung dadurch Gewicht. »Ist gefallen, wirklich gefallen.«

Lavinia Featherston, eine hübsche, blonde Frau von fünfunddreißig Jahren, sagte ihren Töchtern, sie sollten aufhören, Unsinn zu erzählen. Marmelade falle nicht vom Himmel. Marmelade sei kein Regen. Marmelade müsse man aus einem Topf nehmen und werfen. Viele Leute auf der Welt würden verhungern: Es sei unrecht, Marmelade durch die Küche zu werfen, nur weil man sich langweile.

»Sie ist aus dem Topf gefallen«, sagte Deborah. »Weiß der Himmel, wie sie ans Fenster gekommen ist, Mami.«

»Weiß der Himmel, Mami.«

Lavinia sah sie immer noch streng an. Auch sie hatten blonde Haare; sie hatten Sommersprossen auf der Nase.

Hätte ein Junge genauso ausgesehen? Das hatte sie sich oft gefragt und fragte es sich jetzt erst recht.

Das war im Augenblick Lavinias Problem. Sie erholte sich gerade von einer Fehlgeburt und war nervös und gereizt. Bis vor vierzehn Tagen war alles tadellos gelaufen, und dann hatte Dr. Greenslade sie, nachdem sie das Kind verloren hatte, daran erinnert, daß er sie vor dem Versuch gewarnt hatte, es zu bekommen. Aus der Warnung wurde eine Anordnung: Unter keinen Umständen dürfe sie versuchen, noch ein Kind zu bekommen.

Dieser Verlauf der Dinge hatte Lavinia mehr mitgenommen, als sie für möglich gehalten hätte. Sie und Quentin hatten sich so sehr einen Sohn gewünscht, doch Dr. Greenslade blieb unerschütterlich. Diese noch frische Enttäuschung war nur schwer abzuschütteln.

»Ihr wißt doch, was mit Kindern passiert, die Lügen erzählen«, ermahnte sie ihre Töchter verärgert. »Es wird höchste Zeit, daß sich bei euch das Blatt mal wendet.«

Es klingelte an der Hintertür. Ein Scheit im Feuer fing halbherzig an zu brennen. Langsam kam Lavinia auf die Füße. Das konnte sonstwer sein, denn das Pfarrhaus war ein offenes Haus. Es stand auch Mrs. Slewy offen, der größten Rabenmutter von Dynmouth, einer unförmigen Frau, die nach Armut und Zigaretten roch und mit ihren fünf verdorbenen Kindern in einer abbruchreifen Hütte in der Bough's Lane wohnte. Und der ältlichen Miss Trimm, die in der Stadt als Lehrerin gearbeitet hatte und jetzt geistesgestört war. Kinder kamen Jahre, nachdem sie den Kindergarten verlassen hatten, zum Konfirmandenunterricht zurück, Erwachsene kamen zu Gemeinschaftsabenden. Mrs. Keble, die Organistin, kam, um über Kirchenlieder und Pfarrer Madden, um über die Ökumene zu sprechen. Mrs. Stead-Carter kam aus Wichtigtuerei, Miss Portaway auf ein Schwätzchen.

Heute jedoch war es niemand von diesen Leuten: Es

war eine Gestalt, die in Dynmouth nur als Old Ape bekannt und für ihre allwöchentlichen Essensreste einen Tag zu früh gekommen war. Die Essensreste waren für die Hühner bestimmt, die er hielt, aber in Dynmouth wußte jeder, daß er keine Hühner besaß und die Essensreste selbst aß. Wenn er zum Pfarrhaus kam, erhielt er auch einen Teller mit Fleisch und Gemüse, vorausgesetzt, er kam um sechs Uhr am festgesetzten Tag, dem Donnerstag. »Ich hol die Essensreste«, sagte Lavinia an der Hintertür. »Kommen Sie morgen wegen Ihres Abendessens wieder.« Sich mit Old Ape zu verständigen, war schwierig. Es hieß, er könne sprechen, wolle aber nicht. Ob er taub war, war nicht bekannt.

Im Wohnzimmer hockten die Zwillinge auf dem Kaminvorleger vor dem vor Feuchtigkeit flackernden Feuer und spielten mit den Teilen eines Puzzles. Wenn man die Teile des Puzzles zusammensteckte, ergab sich das Bild eines Esels, aber sie hatten den Esel schon so oft gesehen, daß es nicht noch einmal der Mühe wert zu sein schien. Auf dem Deckel der Puzzleschachtel schichteten sie die Teile zu einem Scheiterhaufen auf.

»Drachen kommen«, sagte Susannah.

»Was für Drachen, Susannah?«

»Sie kommen, wenn du Lügen erzählst. Sie sind feuerspeiende Wesen. Sie sind voller Flammen.«

Aber Deborah dachte gerade an etwas anderes. Sie stellte sich vor, sie wäre im Garten und würde überall im Gras suchen, und dann in den Blumenbeeten und auf dem Kies bei der Garage und an den Wegrändern entlang, bis sie ein Blatt fände. Sie schloß die Augen und sah, wie sie sich am Wegrand bückte, um zu sehen, wie das Blatt sich wendete und wie es auf der anderen Seite aussah.

In der Küche kochte ihre Mutter eine Tasse Tee, und in den Straßen von Dynmouth radelte ihr Vater, der Pfarrer von St. Simon and St. Jude, auf einem Rudge von 1937, das ihm ein Gemeindemitglied hinterlassen hatte, durch Wind und Regen. Er war auf seinem Fahrrad eine imposante Gestalt, ziemlich schlaksig, das Haar vorzeitig ergraut, das Gesicht scheinbar asketisch, bis es von einem Lächeln aufgeheitert wurde, was immer dann passierte, wenn er jemanden grüßte. Während er, wie jeden Mittwoch, der gewohnten Aufgabe nachkam, die kranken Mitglieder seiner Gemeinde zu besuchen, hoffte er, daß Lavinia, an diesem feuchten Nachmittag ans Haus gebunden, es mit den Zwillingen nicht zu schwer hatte. Er dachte an seine Frau, während er mit der alten, geistesgestörten Miss Trimm plauderte, die eine Erkältung hatte, und mit der kleinen Sharon Lines, die an eine künstliche Niere angeschlossen war. Sie hatten fast neun Jahre auf die Geburt der Zwillinge gewartet: Es gab viel, wofür sie dankbar sein mußten, aber es war schwer, eine Frau zu trösten, die ein Kind verloren hatte und kein anderes mehr bekommen konnte. Lavinias Augenblicke der Verzweiflung waren irrational, wie sie selbst sagte, und doch wurde sie immer wieder davon heimgesucht. Sie machten sie zu einem völlig anderen Menschen.

Er fuhr die Fore Street entlang, wo Urlauber, die die vorösterlichen Tarife ausgenutzt hatten, im Regen dahinschlenderten und so aussahen, als würden sie es bereuen. Einige flüchteten sich in Ladeneingänge und aßen Süßigkeiten oder Nüsse. Andere lasen die Programmvorschau vor dem Essoldo Kino, wo zur Zeit *Luftschlacht um England* lief. Im Sir-Walter-Raleigh-Park neben der Promenade bereitete man sich bei Ring's Vergnügungspark auf die Saisoneröffnung in zehn Tagen, am Ostersamstag, vor. Man ölte und reparierte die Maschinen, stellte Personal ein, überlegte, wie man die gesetzlich vorgeschriebenen Sicherheitsvorkehrungen umgehen konnte. Der »Saal der tausend Spiegel«, die »Gondel der Liebe« und »Alfonsos und Annabellas Todeskurve« wurden gerade aufgebaut.

Die Männer, die damit beschäftigt waren, waren muskulös und wettergegerbt, mit ausgeblichenen Halstüchern, einige mit Messingringen an den Fingern. Genau wie ihre knallig bunten Wohnwagen, ihre Flipperautomaten und die dunkelhäutigen Frauen, die ihnen zur Hand gingen, schienen sie einer vergangenen Zeit anzugehören. Durch den Regen schrien sie einander etwas zu und benutzten dabei Wörter, die altmodisch klangen.

Die Promenade war nahezu menschenleer. Commander Abigail stolzierte auf die Stufen zu, die zum Strand führten, seine Badehose in ein Handtuch gerollt. Die zierliche, sorgfältig gekleidete Gestalt von Miss Lavant ging langsam in die entgegengesetzte Richtung. Ihr roter Regenschirm wurde hin und wieder von einer Bö erfaßt. Der Wind brauste um sie herum und fegte über den Beton der Promenade und den kurzen Pier rauf und runter. Er rüttelte an den Abfalleimern, die an den dekorativen Laternenpfählen hingen, und an den zerbrochenen Scheiben der Wartehäuschen. Er spielte mit Zigarettenschachteln und den Verpackungen von Schokolade und Kartoffelchips. Er wehte Papiertüten in Ecken und ließ sie durchnäßt und unbrauchbar dort liegen.

Das Meer war so weit draußen, daß man es kaum sehen konnte. Möwen standen da wie kleine Felsbrocken, verwachsen mit dem geglätteten Sand. Der Himmel war grau in grau mit dunklen Schatten.

»Hallo, Sir«, rief eine Stimme, und Quentin Featherston wandte den Kopf und sah Timothy Gedge am Rand des Bürgersteigs stehen, anscheinend in der Hoffnung, kurz mit ihm sprechen zu können. Vorsichtig betätigte er die Bremsen des Rudge.

Timothy Gedge war ein Junge von fünfzehn Jahren, ungelenk wegen der Pubertät, ein Junge mit scharf geschnittenen Gesichtszügen und breiten, dünnen Schultern; sein kurzes Haar war fast weiß. Seine Augen wirkten hungrig und verliehen ihm etwas Raubtierhaftes; seine Wangen sahen eingefallen aus. Er hatte immer die gleichen Kleider an: blaßgelbe Jeans, eine gelbe Jacke mit Reißverschluß und ein T-Shirt, das meistens ebenfalls gelb war. Mit seiner Mutter und seiner Schwester Rose-Ann wohnte er in einer Sozialwohnung in den Cornerway-Blocks; er besuchte die Gesamtschule in Dynmouth, wo er keinerlei Auszeichnungen erhielt. Er war ein Junge, der die Angewohnheit hatte, Witze zu reißen, wodurch er manchmal etwas sonderbar wirkte. Oft lächelte oder grinste er.

»Hi, Mr. Feather«, sagte er.

»Hallo, Timothy.«

»Schöner Tag, Mr. Feather.«

»Na, ich weiß nicht so recht ...«

»Ich hab gemeint, für Enten, Sir.« Er lachte. Seine Kleider waren naß. Sein kurzes weißliches Haar klebte ihm am Kopf.

»Wolltest du mir etwas sagen, Timothy?« Er wünschte sich, der Junge würde ihn mit seinem richtigen Namen anreden. Er hatte ihn darum gebeten, aber der Junge hatte so getan, als verstünde er nicht: Es sollte ein Witz sein.

»Ich hab mir Gedanken über das Fest am Ostersamstag gemacht, Mr. Feather. Wußten Sie schon, daß Ring's am selben Nachmittag aufmacht?«

»Ring's fängt immer am Ostersamstag an.«

»Das sag ich Ihnen ja gerade, Mr. Feather. Werden die Leute da nicht zu Ring's gehen?«

»Ach, das glaube ich nicht. Das haben sie in den vergangenen Jahren auch nicht getan.«

»Ich würde sagen, daß das nicht stimmt, Mr. Feather.«

»Nun, das müssen wir abwarten. Danke, daß du daran gedacht hast, Timothy.«

»Ich hab mir Gedanken über den Talentwettbewerb gemacht, Mr. Feather.«

»Wir veranstalten den Talentwettbewerb um halb drei. Mr. und Mrs. Dass sind wieder dafür verantwortlich.«

Vor mehr als einem Monat war der Junge eines Abends im Pfarrhaus aufgetaucht, es war schon ziemlich spät gewesen, nach neun Uhr, und hatte gefragt, ob beim diesjährigen Fest am Ostersamstag ein Talentwettbewerb stattfinden werde, weil er eine Komiknummer aufführen wolle. Quentin hatte ihm gesagt, er glaube ja, und wie üblich seien Mr. und Mrs. Dass dafür verantwortlich. Später hatte er von den Dasses erfahren, daß Timothy Gedge sie aufgesucht habe und sie seinen Namen aufgeschrieben hätten, die erste Anmeldung.

Er war ein eigenartiger Junge, der nie wußte, was er mit sich anfangen sollte. Seine Mutter war eine gutaussehende Frau mit messingfarbenem Haar, die in einem Laden namens Cha-Cha-Fashions Damenbekleidung verkaufte, seine Schwester war sechs oder sieben Jahre älter als Timothy, sah ebenfalls gut aus und arbeitete bei der Smiling Service Filling Station als Tankwart: Quentin kannte sie beide vom Sehen. Seit der Junge in der Pubertät war, fiel er den Leuten leider zunehmend lästig, immer freundlich und lächelnd, begierig, sich zu unterhalten. Er war, was Lavinia ein Schlüsselkind nannte, kam von der Gesamtschule in die leere Wohnung in Cornerways zurück und war dort während der Schulferien den ganzen Tag allein. Alleinsein schien irgendwie ein Teil von ihm geworden zu sein.

»Sie ist eine komische Frau, diese Mrs. Dass. Er ist auch komisch, mit seiner Pfeife.«

»Oh, das finde ich nicht. Ich muß jetzt leider los, Timothy.«

»Findet es wieder in dem Festzelt statt, Sir?«

»Ich denke schon.«

»Kennen Sie die Abigails, Mr. Feather? Den Commander und seine Frau? Wissen Sie, ich erledige kleine Arbeiten für die Abigails. Jeden Mittwochabend; da werd ich heute abend sein. Komische Leute.«

Quentin schüttelte den Kopf. Er kenne die Abigails, sagte er; sie kämen ihm nicht komisch vor. Sein rechter Fuß stand auf dem Pedal, aber er konnte das Fahrrad nicht bewegen, weil der Junge etwas im Weg stand und sein Knie die Speichen des Vorderrades berührte.

»Der Commander badet gerade. Das nenn ich komisch. Im April im Meer, Mr. Feather.« Er hielt inne und lächelte. »Ich sehe, Miss Lavant macht gerade ihren Spaziergang.«

»Ja, ich weiß ...«

»Draußen, um einen Blick auf Dr. Greenslade zu werfen.«

Der Junge lachte, und es gelang Quentin, das Vorderrad seines Fahrrads an dem vorstehenden Knie vorbeizubekommen. Sie würden ein anderes Mal plaudern, versprach er.

»Ich denke, ich schau noch mal bei Dass vorbei«, sagte Timothy Gedge, »um zu sehen, wie er vorankommt.«

»Ach, da würde ich mir keine Sorgen machen.«

»Ich glaube aber, das sollte ich besser tun, Sir.«

Quentin fuhr davon, mit dem Gefühl, daß er länger hätte bei dem Jungen bleiben sollen, und sei es nur, um ihm zu erklären, warum es nicht nötig war, die Dasses zu belästigen. Es hatte eine Zeit gegeben, als er jeden Samstagmorgen ins Pfarrhaus gekommen war, manchmal schon um Viertel vor neun. Er habe so das Gefühl, so hatte er Quentin erklärt, daß er, wenn er einmal groß sei, gern Pfarrer werden würde. Aber als Quentin schließlich versucht hatte, ihn davon zu überzeugen, am Konfirmandenunterricht teilzunehmen, hatte er gesagt, er habe kein Interesse daran und habe den Gedanken an eine geistliche Laufbahn aufgegeben. Er lungerte jetzt in der Nähe der Kirche herum und am Friedhof, sobald dort ein Trauergottesdienst stattfand. Insbesondere machte Quentin sich

Sorgen darüber, daß er immer da war, wenn jemand beerdigt wurde.

Timothy beobachtete, wie die dunkle Gestalt des Pfarrers davonradelte, und dachte bei sich, daß der Pfarrer genaugenommen ziemlich dumm war, so wie er sich ausnutzen ließ. Alle Arten von Tricks ließen sich die Leute bei dem Mann einfallen, Pfarrer mußte schon ein sonderbarer Beruf sein. Er schüttelte den Kopf über die Verrücktheit der Welt, dann vergaß er es und warf einen Blick über die Promenade. Miss Lavant war verschwunden, Promenade und Pier lagen verlassen da. In der Ferne lief Commander Abigail, ein kleiner Punkt am Strand unterhalb der Klippen, aufs Meer zu. Timothy Gedge lachte und schüttelte auch über diese Verrücktheit den Kopf.

Er ging die Promenade entlang und nahm sich dabei Zeit, weil kein besonderer Grund zur Eile bestand. Der Regen machte ihm nichts aus, er hatte es ganz gern, wenn er naß wurde. Er ging an dem kleinen Hafen und einer Reihe von Booten vorbei, die kieloben auf dem Kieselstrand lagen. Er schlenderte auf den Hof des Fischverpackungsbetriebs, zu dem Schuppen, wo frisch gefangener Fisch an alle Leute verkauft wurde, die welchen haben wollten. *Scharben* stand auf einer Schiefertafel an einer Seite der Tür. *Französische Seezunge, Makrele, Scholle*. Wenn irgend jemand dort gewesen wäre, um Fisch zu kaufen, dann hätte er noch etwas herumgetrödelt, um bei dem Handel zuzuhören, aber es war niemand da. Er ging in die öffentliche Toilette auf dem Parkplatz, aber auch dort war niemand. Er bog in die East Street und begab sich in die Gegend, wo die Dasses wohnten.

»Hallo«, sagte er zu einem Rentnerpärchen, das gemeinsam dahinwankte und sich auf dem glitschigen Bürgersteig aneinanderklammerte, aber sie erwiderten nichts. Er blieb neben drei Nonnen stehen, die ein Schaufenster voller Gartengeräte betrachteten, während sie auf den Bus warteten. Er lächelte sie an, deutete auf eine Gartenschere und sagte, die sehe preisgünstig aus. Sie wollten gerade etwas erwidern, als der Bus kam. »Das ist der freundliche Junge, von dem Schwester Agnes erzählt hat«, hörte er eine von ihnen sagen, und alle drei winkten ihm aus dem Innern des Busses zu.

Die Dasses wohnten in einer Doppelhaushälfte, die Sweetlea hieß. Mr. Dass war Direktor der Geschäftsstelle der Lloyd's Bank in Dynmouth gewesen und war jetzt pensioniert. Er trug eine Brille mit Drahtgestell, war großgewachsen und sehr dünn und hatte die Angewohnheit, sich in ungebügelte Tweedanzüge zu kleiden. Seine Frau war gebrechlich, und ihre blasse Haut sah eingefallen aus. Sie hatte einmal bei der inzwischen aufgelösten Laienschauspielgruppe von Dynmouth, den Dynmouth Strollers, mitgewirkt, und als Quentin Featherston beschlossen hatte, das erste Fest an Ostern zu veranstalten, um Geld für den verfallenden Turm von St. Simon and St. Jude zusammenzubringen, hatte Mrs. Stead-Carter einen Talentwettbewerb zur Diskussion gestellt und vorgeschlagen, daß man Mrs. Dass bitten solle, als Preisrichterin zu fungieren. Der Talentwettbewerb war zu einer alljährlichen Veranstaltung geworden. Mrs. Dass hatte weiterhin die Bürde der Preisrichterin auf sich genommen, und Mr. Dass' Beitrag bestand darin, daß er sich um Aufbau und Beleuchtung einer Bühne in dem Festzelt kümmerte, das die Stead-Carters, die Beziehungen zur Zeltbranche hatten, jedes Jahr ausliehen. Die Bühne selbst, von bescheidenen Ausmaßen, bestand aus einer Anzahl von Holzbrettern, die auf Betonblöcken lagen. Es gab ein Holzgerüst, das von Mr. Peniket, dem Küster, rasch aufgebaut wurde und eine auf eine Preßspanplatte gemalte Schweizer Alpenlandschaft und die Bühnenvorhänge trug. Die Vorhänge lieh man sich jedes Jahr von der Bühne des Jugendzentrums, und Mrs. Dass, die auch auf diesem Gebiet künstlerisch veranlagt war, kümmerte sich um die für jeden Zweck verwendbaren Kulissen. Aus Liebe zu seiner Frau und weil er mehr über ihre Gebrechlichkeit wußte als sonst jemand, freute sich Mr. Dass, daß der österliche Talentwettbewerb inzwischen zu einer festen Veranstaltung geworden war: Das brachte sie auf andere Gedanken.

»Es ist bloß, daß ich gerade vorbeigekommen bin«, sagte Timothy Gedge, als er schon ins Wohnzimmer der Dasses vorgedrungen war. »Ich hab mich gefragt, wie die Dinge so laufen, Sir.«

Mrs. Dass ruhte in einem Sonnenstuhl im Erkerfenster und las ein Buch von Dennis Wheatley: *Zum Teufel, eine Tochter*. Ihr Mann stand ohne Jacke an der Tür und bereute, den Jungen hereingelassen zu haben. Er hatte auf seinem Bett geschlafen, als es geklingelt hatte, und war vom Klingeln nicht sofort aufgewacht. Es war zunächst in einem Traum über seine frühe Kindheit vorgekommen und war dann noch mehrmals wiederholt worden, bevor er nach unten gelangte. Es hatte wichtig geklungen.

»Die Dinge?« fragte er.

»Der Talentwettbewerb, Sir.«

»Oh, ja.«

»Es ist bloß, daß ich mit Mr. Feather gesprochen habe, und er hat gesagt, ich sollte am besten mal in Sweetlea vorbeischauen.«

In ihrem Sonnenstuhl im Erkerfenster legte Mrs. Dass *Zum Teufel, eine Tochter* beiseite. Sie sah einen Augenblick lang den Spatzen hinten in dem kleinen Garten zu und schloß dann die Augen. Sie hatte kurz gelächelt, als ihr Mann Timothy Gedge ins Zimmer geführt hatte, aber sie hatte nichts gesagt.

»Alles läuft bestens«, sagte Mr. Dass. Er hatte noch nicht über Bühne oder Beleuchtung nachgedacht. Die

Bühne befinde sich dort, wo Mr. Peniket und er sie letztes Jahr hingebracht hätten, in dem Keller unter der Kirche, wo der Koks liege. Die Lampen lägen in drei Pappkartons unter seinem Bett.

»Wir haben ziemlich viele Anmeldungen«, berichtete er. Die füllige Mrs. Muller, eine Österreicherin, die das Gardenia Café führte, nahm jedes Jahr an dem Wettbewerb teil und sang in ihrer Nationaltracht österreichische Lieder, von ihrem Mann, ebenfalls in Nationaltracht, auf dem Akkordeon begleitet. Eine Gruppe, die Dynmouth-Night-Lifers hieß, klimperte auf elektrischen Gitarren und sang dazu. Der Direktor der Ziegelei spielte Melodien auf seiner Mundharmonika. Mr. Swayles, der bei einem Zeitungshändler angestellt war, führte Zauberkunststücke vor. Miss Wilkinson, die in der Gesamtschule Englisch unterrichtete, war als Lady Macbeth und Miss Havisham aufgetreten und wollte dieses Jahr »The Lady of Shalott« vortragen. Die Jahrmarktskönigin vom letzten Jahr, eine junge Frau, die im Fischverpackungsbetrieb beschäftigt war, hatte noch nie an dem Talentwettbewerb teilgenommen. Sie sollte in ihrem weißen Königinnenkleid, das mit Spitze aus Dynmouth besetzt war, und mit ihrer Krone auf dem Kopf »Tie a Yellow Ribbon round the Old Oak Tree« singen.

»Mrs. Dass geht's gut, Sir, oder?« erkundigte sich Timothy Gedge, blickte sie quer durchs Zimmer an und fand, daß sie wie eine Leiche aussah.

Mr. Dass nickte. Sie lag oft ganz gern mit geschlossenen Augen da. Er selbst war durchs Zimmer gegangen und stand jetzt mit dem Rücken zu einem kleinen Kamin. Aus der Hosentasche zog er seine Pfeife und stopfte Tabak aus einer Blechdose hinein. Er wünschte sich, der Junge würde gehen.

»Es ist bloß, daß es bis zum Fest nicht mehr lange ist, Sir.«

Zu Mr. Dass' Entsetzen setzte der Junge sich hin. Er zog den Reißverschluß seiner feuchten gelben Jacke auf und machte es sich auf dem Sofa bequem.

»Ich hab zu Mr. Feather gesagt, daß Ring's sich schon wieder bereitmacht. Sie werden am Ostersamstag aufmachen.«

»Ja, das stimmt.«

»Am selben Tag wie unser Fest, Mr. Dass.«

»Ja.«

»Ich hab bloß zu Mr. Feather gesagt, daß die Leute dann dorthin gehen werden.«

Mr. Dass schüttelte den Kopf. Die Leute gingen von einer Attraktion zur nächsten, erklärte er. Die Eröffnung von Ring's Vergnügungspark am Ostersamstag bringe Leute von außerhalb nach Dynmouth: Das Fest profitiere sogar davon.

»Da bin ich anderer Meinung, Sir«, sagte Timothy.

Mr. Dass entgegnete nichts.

»Wir haben schlechtes Wetter, Sir.«

Mr. Dass sagte, das stimme, und fragte dann, ob er ihm irgendwie helfen könne.

»Was will er denn?« wollte Mrs. Dass plötzlich wissen und schlug die Augen auf.

»Tag, Mrs. Dass«, sagte Timothy. Seltsam, daß sie einem keine Tasse Tee anboten. Seltsam, wie der Mann in Hemdsärmeln dastand. Er lächelte Mrs. Dass an. »Wir haben über den Talentwettbewerb gesprochen«, sagte er.

Sie lächelte den Jungen ebenfalls an. Er begann, von einer Nähmaschine zu sprechen.

»Nähmaschine?« fragte sie.

»Um Vorhänge zu machen, Mrs. Dass. Es ist bloß so, daß die Vorhänge des Jugendzentrums im Dezember angesengt worden sind. Ich will bloß sagen, daß neue Vorhänge benötigt werden.«

»Was meint er denn?« fragte sie ihren Mann.

21

»Die Vorhänge des Jugendzentrums stehen für das Fest an Ostern anscheinend nicht zur Verfügung, Liebes. Ich weiß nicht, warum er deswegen zu uns gekommen ist.«

Mr. Dass zündete sich die Pfeife an. Er hatte den Jungen hereingelassen, weil er gesagt hatte, er habe eine dringende Nachricht. Bis jetzt hatte er noch keine Nachricht überbracht.

»Meine Frau ist leider nicht in der Lage, Vorhänge zu nähen«, sagte er.

»Dann müssen wir welche kaufen, Mr. Dass. Es geht nicht, daß die Bühne keine Vorhänge hat.«

»Oh, ich denke, das werden wir schon irgendwie hinkriegen.«

»Für meine Nummer brauche ich mit Sicherheit Vorhänge, Sir.«

»Mrs. Dass wird keine Vorhänge nähen.« Mr. Dass' Stimme hatte einen scharfen Unterton angenommen. Als Direktor der Geschäftsstelle der Lloyd's Bank in Dynmouth hatte er regelmäßig Gelegenheit gehabt, von diesem energischen Tonfall Gebrauch zu machen, wenn er einen Kreditantrag abgelehnt hatte. »Um die Wahrheit zu sagen«, setzte er hinzu, während er die Pfeife aus dem Mund nahm und den glimmenden Tabak mit dem Daumen festdrückte, »wir sind heute nachmittag äußerst beschäftigt.«

»Ich mach mir Sorgen wegen der Vorhänge, Sir.«

»Weißt du, das ist eigentlich Mr. Featherstons Bier.«

»Mr. Feather hat gesagt, Sie würden neue Vorhänge beschaffen, Sir.«

»Mr. Featherston? Oh, ich bin mir sicher, daß das nicht stimmt.«

»Er hat gesagt, daß Sie bestimmt welche stiften würden, Sir.«

»Vorhänge stiften? Also, hör mal zu ...«

»Ich denke, das ist so was wie ein Scherz«, sagte Mrs.

Dass. Sie lächelte Timothy Gedge schwach an. »Wir haben leider keinen Sinn für Humor.«

Mr. Dass setzte sich von seinem Platz am Kaminfeuer in Bewegung. Er beugte sich über Timothy auf dem Sofa. Er sprach im Flüsterton und erklärte, daß seine Frau sich nachmittags gern ausruhe. Es war ihm peinlich, daß er all das einem Schuljungen sagen mußte, aber er hatte das Gefühl, daß ihm nichts anderes übrig blieb. »Ich bring dich zur Tür«, sagte er.

»Es geht ihr doch gut, oder?« fragte Timothy erneut, obwohl ihm das gleichgültig war: Er war der Meinung, daß Mrs. Dass nichts taugte, so wie sie sich anstellte und wie eine tote weiße Schnecke dalag, obwohl ihr gar nichts fehlte.

Mr. Dass machte die Haustür von Sweetlea auf und wartete, während Timothy den Reißverschluß seiner Jacke wieder zuzog.

»Es stört Sie doch nicht, daß ich mich nach ihr erkundige, Sir? Sie hat bloß ein bißchen blaß im Gesicht ausgesehen.«

»Meine Frau ist nicht gesund.«

»Sie vermißt Wie-war-noch-gleich-sein-Name?«

»Wenn du unseren Sohn meinst, ja, das stimmt.«

»Er ist schon lange nicht mehr dagewesen, Mr. Dass.«

»Nein. Also, mach's gut.«

Timothy nickte, ohne das Haus zu verlassen. Er habe ihren Sohn gut gekannt, sagte er. Er erkundigte sich danach, als was er jetzt arbeite, und Mr. Dass gab eine ausweichende Antwort, da er keine Lust hatte, mit einem Fremden über seinen Sohn zu sprechen, besonders, da sein Sohn im Mittelpunkt einer familiären Tragödie gestanden hatte. Die Dasses hatten zwei Töchter, die inzwischen beide verheiratet waren und in London lebten. Ihr Sohn Nevil, den Mrs. Dass mit zweiundvierzig zur Welt gebracht hatte, war eine Überraschung für sie gewesen und war infolgedessen in seiner Kindheit verhätschelt worden, ein Umstand, den die Dasses jetzt bitter bereuten. Vor drei Jahren, als Nevil neunzehn war, hatte er sich aus heiterem Himmel äußerst schroff von ihnen abgewandt und war seitdem nicht wieder in Dynmouth aufgetaucht. Er war vor allem der Liebling seiner Mutter gewesen: Der Umstand, daß er sie zurückgewiesen hatte, hatte bewirkt, daß sie allmählich so gebrechlich geworden war. Die Ärzte in Dynmouth hatten erklärt, ihre Beschwerden seien nervlich bedingt, aber dadurch waren sie nicht weniger echt, wie ihr Mann in seiner Zuneigung zu ihr begriff. Die ganze unglückselige Angelegenheit kam jetzt nie mehr zur Sprache, nicht einmal innerhalb der Familie, nicht einmal, wenn die beiden Töchter zu Weihnachten mit ihren Kindern und Ehemännern kamen. Jedes Jahr legte man zu diesem festlichen Anlaß ein Gedeck für Nevil auf, was kaum mehr als eine Geste war.

»Er war sehr gern im Queen Victoria Hotel, Sir. Ich werde immer in Erinnerung behalten, wie er reingegangen und rausgekommen ist, Sir.«

»Ja, also ...«

»Er hat einem immer die Uhrzeit gesagt.«

»Hör mal, ich möchte lieber nicht über meinen Sohn sprechen. Wenn es sonst noch etwas gibt ...«

»Ich brauch eine spezielle Beleuchtung für meine Nummer, Mr. Dass. Auf der Bühne muß zunächst Dunkelheit herrschen, und dann muß die Beleuchtung angehen. Das brauch ich viermal, Mr. Dass, Dunkelheit und dann Licht: Ich werde Ihnen heimlich einen Wink geben. Zweimal müssen die Vorhänge zugezogen werden. Deshalb mach ich mir Sorgen darüber.«

»Ja, ich bin sicher, daß wir das irgendwie hinkriegen.«

»Sie sind mit einer Blondine aus, Mr. Dass, und sehen Ihre Frau kommen?«

Mr. Dass runzelte die Stirn und dachte, er habe nicht

richtig gehört. Es war kalt, da sie bei offener Tür in der Diele standen. »Wie bitte?« fragte er.

»Was tun Sie, wenn Sie Ihre Frau kommen sehen, Sir?«

»Also, hör mal ...«

»Sie laufen die Meile in vier Minuten, Sir!«

Mr. Dass sagte, er habe zu tun. Er sagte, er wäre Timothy dankbar, wenn er jetzt ginge.

»Ich erledige kleine Arbeiten für die Abigails, Mr. Dass, da werd ich heute abend hingehen. Wenn es hier irgendwas gibt, was ...«

»Danke, hier ist alles in Ordnung.«

»Ich mache die Linoleumumrandung für Mrs. Abigail sauber und verrichte Gartenarbeiten für den Commander. Ich würde Ihnen die Stiefel saubermachen, Sir. Die von Mrs. Dass auch.«

»Wir brauchen im Haus keine Hilfe. Ich muß dich jetzt wirklich bitten zu gehen.«

»Es macht Ihnen doch nichts aus, daß ich gefragt habe? Ich schau mal wieder rein, wenn ich vorbeikomme, Sir. Ich werd mit Mr. Feather über die Vorhänge sprechen.«

»Es ist nicht erforderlich, daß du hier vorbeischaust«, sagte Mr. Dass rasch. »Weder wegen der Vorhänge noch wegen sonst irgendwas.«

»Ich freu mich wirklich auf den Talentwettbewerb, Sir.«

Die Tür schlug hinter ihm zu. Er ging den kurzen, mit Platten ausgelegten Weg entlang und ließ das Gartentor offen. Es war noch zu früh, um zu den Abigails zu gehen. Vor sechs Uhr wurde er nicht im Bungalow der Abigails in der High Park Avenue erwartet, obwohl es keine Rolle spielte, wenn er zu früh kam, aber jetzt war es erst fünf nach vier. Er dachte daran, zum Jugendzentrum zu gehen, aber dort hielten sich bestimmt nur Leute auf, die Ping-Pong spielten, rauchten und sich über Sex unterhielten.

Langsam schlenderte er wieder durch Dynmouth, betrachtete die Auslagen der Schaufenster und sah sich ein Golfturnier an, das auf mehreren Fernsehschirmen lief. Er kaufte sich eine Rolle Rowntrees Fruchtgummis. Er dachte an die Nummer, die er sich für den Talentwettbewerb ausgedacht hatte. Dann machte er sich auf den Weg nach Cornerways, wo er sich mit den Sachen seiner Schwester verkleiden wollte.

An der Gesamtschule von Dynmouth fand Timothy Gedge keines der Fächer interessant. Als ihn der Rektor, ein gewisser Mr. Stringer, vor ein paar Jahren ausgefragt hatte, hatte er das eingestanden, und Mr. Stringer hatte seinen Kaffee umgerührt und gesagt, das sei eine schlimme Sache. Er hatte Timothy gefragt, was er außerhalb der Schule interessant finde, und Timothy hatte gesagt, Fernsehshows. Als Mr. Stringer ihn weiter ausgefragt hatte, hatte er gestanden, daß er, sobald er nach der Schule die leere Wohnung betrete, den Fernseher einschalte, und daß es ihm eine Freude sei, sich alles anzusehen, was gerade laufe. Dann sitze er bei zugezogenen Vorhängen im Zimmer und mache sich einen schönen Tag mit Krankenhausserien und dem Leben im Crossroads Motel, mit Pferderennen und Kochvorführungen. In den Ferien kämen noch die Sendungen vom Vormittag hinzu: Bagpuss, Camp Runamuck, *Nai Zindagi Naya Jeevan*, Funky Phantom, Randall and Hopkirk (verstorben), Junior Police Five, Car Body Maintenance, Solids, Liquids and Gases, Play a Tune mit Ulf Goran, Sheep Production. Mr. Stringer hatte gesagt, es sei nicht gut, so viel fernzusehen. »Du willst wohl einmal in die Sandpapierfabrik gehen?« hatte er gefragt, und Timothy hatte erwidert, das sei wohl das Beste. Am Schwarzen Brett in der Schule zeigte ein Schild die anhaltende Nachfrage nach neuen Leuten bei verschiedenen Abteilungen in der Sandpapierfabrik. Er war elf oder zwölf gewesen, als er zum ersten Mal davon ausgegangen war, daß dort seine Zukunft lag.

Aber dann, nicht lange nach dem Gespräch mit Mr. Stringer, war etwas Seltsames passiert. Ein Referendar namens O'Hennessy war an die Gesamtschule gekommen und hatte seinen Schülern von einer Leere erzählt, obwohl er laut Stundenplan Englischunterricht geben sollte. »Die Leere kann ausgefüllt werden«, hatte er gesagt.

Niemand schenkte O'Hennessy viel Beachtung, der sich gern mit dem Vornamen Brehon anreden ließ. Niemand verstand ein Wort von dem, was er sagte. »Die Landschaft ist die Leere«, sagte er. »Entflieht der eintönigen Landschaft. Füllt die Leere mit Schönheit aus.« Während des ganzen Englischunterrichts sprach Brehon O'Hennessy von der Leere, der eintönigen Landschaft und von Schönheit. In jedem Kind, so behauptete er und schaute dabei von einem Gesicht zum nächsten, sei der Weg zu einem erfüllteren Leben angelegt. Er trug einen kurzen, wilden Bart und verfilztes schwarzes Haar. Er hatte so eine Art, mit der rechten Hand in die Luft zu deuten, auf die Fenster des Klassenzimmers. »Da«, sagte er, wenn er das tat. »Da draußen. Die Seelen der Erwachsenen sind verwelkt: Sie sehen so aus, als würde der Rhabarber vom letzten Jahr durch die Straßen gehen. Nur die Leere ist noch da. Morgens aufstehen, essen, an die Arbeit gehen, essen, arbeiten, heimgehen, essen, fernsehen, ins Bett gehen, Geschlechtsverkehr, einschlafen, aufstehen.« Hin und wieder rauchte er während des Unterrichts Zigaretten, die das Rauschgift Cannabis enthielten, und es störte ihn nicht, wenn seine Schüler ebenfalls rauchten, Cannabis oder Tabak, wen kümmerte das schon? »Eure Seele gehört euch«, sagte er.

Timothy Gedge hatte, genau wie alle anderen, O'Hennessy für übergeschnappt gehalten, aber dann hatte O'Hennessy etwas gesagt, was ihn in seinem Urteil schwanken ließ. Jeder könne irgend etwas, hatte er gesagt, es gebe niemanden, der völlig unbegabt sei: Es gehe nur darum, sich selbst zu entdecken. O'Hennessy war nur ein Vierteljahr an der Gesamtschule gewesen und dann durch Miss Wilkinson ersetzt worden.

Es kam Timothy so vor, als könne er gar nichts, aber er begann, sich auch immer mehr zu fragen, ob er Lust darauf hatte, sein ganzes Leben mit der Herstellung von Sandpapier zuzubringen. Er dachte über sich nach, wie Brehon O'Hennessy es ihm nahegelegt hatte. Er schloß die Augen und sah sich selbst vor sich, womit er erneut Brehon O'Hennessys Anordnung folgte. Er sah sich als Erwachsenen, der morgens aufstand, frühstückte und sich dann im Schneideraum der Sandpapierfabrik einfand. In dem Versuch, etwas zu entdecken, was ihn brennend interessierte und vielleicht sogar der Weg zu einem erfüllteren Leben wurde, kaufte er sich den Bastelsatz für ein Modellflugzeug, aber leider fiel ihm das Zusammenbauen schwer. Das Balsaholz brach ständig, und der empfohlene Leim schien die Teile nicht richtig zusammenzuhalten. Einige Teile gingen ihm verloren, und nach ein paar Tagen gab er die ganze Sache auf. Das war eine große Enttäuschung für ihn. Er hatte sich vorgestellt, den Motor anzuwerfen, das raffinierte kleine Flugzeug am Strand fliegen zu lassen und den Leuten zu zeigen, wie es gemacht wurde. Er hatte sich vorgestellt, andere Flugzeuge zu basteln, sich eine richtige Sammlung aufzubauen, Imprägnierlack zu verwenden, wie es in der Anleitung stand, und die Tragflächen mit Seidenpapier zu überziehen. All das hätte Stunden gedauert, und er hätte bei eingeschaltetem Radio zufrieden in der Küche gesessen, während seine Mutter und seine Schwester abends, wie gewöhnlich, ausgegangen wären. Aber es hatte nicht sein sollen.

Dann war letztes Jahr, am Nachmittag des 4. Dezember, noch etwas passiert: Miss Wilkinson hatte angeordnet, daß die beiden Wäschekörbe mit dem Kostümfun-

dus der Schule ins Klassenzimmer gebracht werden sollten, und alle Schüler der 3A mußten sich verkleiden, so
daß sie Szenen aus der Geschichte darstellen konnten.
Sie bezeichnete es als Spiel. »Das Scharade-Spiel«, sagte
sie. »*Charrada*. Aus dem Spanischen, das Geplapper des
Clowns.« Sie teilte die 3A in fünf Gruppen ein und
nannte jeder eine historische Begebenheit, die sie darstellen sollte. Die anderen mußten raten, worum es sich
handelte. Niemand hatte zugehört, als sie gesagt hatte,
daß das Wort aus dem Spanischen stammte und Geplapper eines Clowns bedeutete; innerhalb von fünf Minuten
ging es in der Klasse zu wie in einem Tollhaus. Die acht
Kinder in Timothy Gedges Gruppe brüllten vor Lachen,
als er sich als Queen Elizabeth I. verkleidete, mit einer
roten Perücke und einem Kleid mit einer engen weißen
Halskrause. Timothy mußte selbst lachen, als er in einem
Spiegel sah, wie komisch er aussah, mit einer Strumpfhose, die man ihm als Busen ins Kleid gestopft hatte. Es
gefiel ihm, über sich zu lachen und daß die anderen über
ihn lachten. Es gefiel ihm, wie die Perücke sich auf
seinem Kopf anfühlte und was für ein ungewöhnliches
Gefühl er in dem langen, wallenden Kleid hatte, das ihn
in einen anderen Menschen verwandelte. Das war der
einzige Augenblick, den er an der Gesamtschule von
Dynmouth jemals genossen hatte, und er wurde noch
von der Entdeckung gekrönt, daß er ohne jede Schwie-
rigkeit in eine Fistelstimme verfallen konnte. In jener
Nacht hatte er wach im Bett gelegen und sich eine Zukunft ausgemalt, die sich in jeder Hinsicht von einer
Zukunft in der Sandpapierfabrik unterschied. »*Charrada*«, wiederholte Miss Wilkinson in seinem Traum. »Das
Geplapper des Clowns.«
    Vorher war er sich während der Pubertät ziellos vorge-
kommen. Nach dem Reinfall mit dem Bastelsatz für das
Modellflugzeug hatte er damit angefangen, den Leuten

überallhin nachzugehen, nur um zu sehen, wo sie hingingen, und in die Fenster ihrer Häuser zu spähen. Ihm wurde bewußt, daß er regelmäßig zu Beerdigungen ging, weil es ihm aus irgendeinem Grund Spaß machte, auf dem Friedhof der Kirche St. Simon and St. Jude oder auf dem Friedhof der Baptisten-, der Methodisten- oder der katholischen Gemeinde zu stehen, während eine feierliche Rede gehalten wurde und die Trauernden dem Toten die letzte Ehre erwiesen. Er ging den Leuten weiterhin nach, spähte in ihre Fenster und ging zu Beerdigungen, aber er hatte auch beschlossen, mit einer Komiknummer an dem Talentwettbewerb am Ostersamstag teilzunehmen, und er verbrachte jetzt einen beträchtlichen Teil seiner Freizeit damit, die Nummer auszuarbeiten. Instinktiv hatte er das Gefühl, daß es dabei irgendwie um den Todesgedanken gehen sollte, daß die *Charrada*, die er sich ausdachte, etwas Makabres haben sollte.

Er dachte nachts im Bett darüber nach und auch während des Geographie- und des langweiligen Mathematikunterrichts und starrte dabei so vor sich hin, daß die Lehrer sich über seinen stieren Blick ins Leere beklagten. Er lächelte, wenn man ihn auf diese Weise kränkte, und hörte einen Augenblick lang der monotonen Stimme zu, die Informationen über die Verteilung der Heringsbänke vor der Küste der Britischen Inseln vermittelte oder ein unverständliches Französisch sprach. Dann kam er wieder auf die eher persönliche Frage zurück, wie Tod und Komik bei einem Bühnenauftritt in Einklang zu bringen waren. Er fragte sich, ob er sich als trauernde Frau präsentieren sollte, die frech über den Tod plapperte, in einem schwarzen Kleid, das ihm bis zu den Füßen reichte, und einem schwarzen Hut mit Schleier. Aber irgendwie kam ihm das nicht vollkommen oder auch nur richtig vor. Dann war Mr. Stringer vor einem Monat mit vierzig Schülern nach London gefahren und hatte einen Besuch bei Madame Tussaud ins Reiseprogramm aufgenommen. An jenem Vormittag um halb zwölf hatte Timothy Gedge die Lösung, nach der er gesucht hatte, gefunden: Er beschloß, bei seiner Komiknummer auf den Tod von Miss Munday, Mrs. Burnham und Miss Lofty, den Bräuten in der Badewanne, den Opfern von George Joseph Smith, zurückzugreifen. Während der ganzen Rückfahrt nach Dynmouth hatte er sich im Bus die Nummer ausgemalt. Unter Applaus und Gelächter erhob er sich in dem Festzelt aus einer alten Blechbadewanne, während der Scheinwerfer auf das Hochzeitskleid gerichtet war, das er trug, und sein Geplapper einsetzte. Er hatte in seinem Leben noch nie gesehen, daß Benny Hill oder sonst jemand versuchte, eine Nummer in einem langen weißen Hochzeitskleid aufzuführen und drei verstorbene Frauen zu spielen. Er mußte im Bus so sehr darüber lachen, daß Mr. Stringer ihn fragte, ob ihm übel sei.

Der Regen war stärker geworden, als er in Cornerways ankam. Er tropfte ihm von Gesicht und Haaren. An Rücken und Bauch konnte er feuchte Stellen spüren. Seine Arme und Beine waren völlig durchnäßt. In der Wohnung zog er einige der nassen Kleidungsstücke aus, um seine Nummer einzuüben. Er ließ den Fernseher aus, weil er es in der Wohnung gern ruhig hatte, wenn er übte.

Im Schlafzimmer seiner Schwester stieg er behutsam in eine schwarze Strumpfhose. Ein eingerissener Zehennagel verfing sich in dem feinmaschigen Stoff und riß sofort ein Loch hinein. Das gleiche war ihm schon einmal passiert, und dann hatte er gespürt, wie noch etwas kaputtgegangen war, sobald er sich hingesetzt hatte. Rose-Ann hatte ziemlich lange auf dem Schaden herumgeritten und hatte die Strumpfhose schließlich in den Laden zurückgebracht, wo man sie unfreundlich behandelt hatte.

Er betrachtete sich in dem großen Spiegel von Woolworth, den Rose-Anns Freund Len für sie an der Innenseite ihrer Schranktür angebracht hatte. Er trug immer noch sein gelbes T-Shirt; die Strumpfhose spannte an Waden und Oberschenkeln. Das Loch, das sein Zehennagel gerissen hatte, war irgendwo hinten. Das war gut so, weil Rose-Ann es vielleicht nicht einmal bemerkte. Er nahm einen geblümten Büstenhalter, hielt ihn sich einen Augenblick lang vor die Brust und betrachtete das Resultat im Spiegel. Er hatte seine Vorgehensweise bei den Büstenhaltern seiner Schwester vervollkommnet, indem er zwei Gummiringe verwendete, um die Lücke am Rücken zu überbrücken.

Er zog sein Hemd aus, suchte sich ein Paar von Rose-Anns Socken aus, knotete die Gummiringe zusammen und befestigte sie an den Haken des Büstenhalters. Dann streifte er sich das Kleidungsstück über den Kopf, schlängelte sich hinein und stopfte eine Socke in jedes Körbchen. Er zog ein Kleid an, das Rose-Ann von einer Freundin geschenkt bekommen hatte und das ihr zu groß war. Ihm war es nicht zu groß. Es war weinrot und hatte kleine schwarze Knöpfe.

Er verließ das Zimmer seiner Schwester und ging über den schmalen Flur in sein eigenes. Er stellte sich auf einen Stuhl und nahm einen kleinen Pappkoffer, in dem er seine Habseligkeiten aufbewahrte, vom Schrank. Der Koffer selbst, den er am Strand gefunden hatte, war stark beschädigt. Die braune Pappe war hier und da eingerissen, der Griff war durch eine Schnur ersetzt, und nur eins von den Scharnieren war noch intakt. Er klappte ihn auf seinem Bett auf und überflog mißtrauisch die Sachen, die sich darin befanden, so als befürchtete er, es sei etwas gestohlen worden. Er bewahrte sein Geld in dem Koffer auf, in einem Umschlag: neunundzwanzig Pfund und vier Pence. Einiges davon hatte er sich bei seinen Besuchen im Bungalow der Abigails aneignen können, und es war ihm auch gelungen, etwas Kleingeld aus der Handtasche seiner

Mutter zu stibitzen. Einmal hatte er ein Portemonnaie aufgehoben, das, wie er bemerkt hatte, einer älteren Frau auf der Straße heruntergefallen war und in dem sich, wie sich herausgestellt hatte, sechs Pfund und neunundfünfzig Pence befunden hatten. Rose-Ann hatte an irgendeinem Freitag abend ihre Lohntüte auf der Anrichte liegenlassen, und hatte, als sie festgestellt hatte, daß sie verschwunden war, angenommen, sie habe sie auf dem Heimweg von der Tankstelle verloren.

Neben dem Geld war noch ein Gasbrenner im Koffer – ein kleines, rauchgeschwärztes Gerät und eine blaue Stahlflasche mit der Aufschrift »Gaz« –, den er am Strand mitgenommen hatte, als die Leute, denen er gehörte, im Meer badeten. Es war ein blaugrünes Glaspferd darin, das Rose-Ann von Len zu ihrem einundzwanzigsten Geburtstag geschenkt bekommen hatte, und eine Sparbüchse aus Holz in Form eines Kruges, die, genaugenommen, seiner Mutter gehörte. *Fluchbüchse* war darin eingebrannt, mit einem Gedicht, das mit den Worten begann: *Fluchen ist nicht allzu fein, Freunde bringt es dir nicht ein* ... Weiter waren ein Leibchen, ein Messer und eine Gabel in dem Koffer, die Mrs. Abigail gehörten, eine Blechbüchse, in der sich einmal Hustenpastillen befunden hatten und in der jetzt eine Kameenbrosche von Mrs. Abigail war, sowie eine ihrer Halsketten aus unechten Perlen und ein Ring mit einer unechten Perle. Es war eine Plastikhand darin, die zu einer Schaufensterpuppe gehörte. Er hatte sie in einem Abfalleimer gefunden, der an einem der Laternenpfähle an der Promenade befestigt war. Außerdem war da der obere Teil eines Gebisses, den er am Strand aus einer Teetasse genommen hatte, während ein Mann im Meer badete. Es lag ein schmales Taschenbuch mit dem Titel *1000 Witze für Kinder aller Altersgruppen* darin, das er bei W. H. Smith's in der Fore Street rechtmäßig erworben hatte. Seine Perücke lag darin, die er aus einem der

Körbe mit dem Kostümfundus der Schule genommen hatte, und sein Make-up, das aus der gleichen Quelle stammte: Rouge, Puder, Cold Cream, Lippenstift und Lidschatten. Das falsche Haar der Perücke war orange und gekräuselt: Er hatte sie getragen, als er sich für Miss Wilkinsons Scharade verkleidet hatte, um seiner Darstellung Elizabeths I. Authentizität zu verleihen.

Als er sich die Perücke auf den Kopf gesetzt und sein Gesicht mittels Make-up umgestaltet hatte, ging er in der stillen Wohnung herum, wobei er leider seine eigenen Schuhe tragen mußte, da seine Füße für die Schuhe seiner Schwester zu groß waren. Er ging von seinem Schlafzimmer in die Küche und dann wieder in Rose-Anns Zimmer, in das seiner Mutter, ins Badezimmer und in das Zimmer, in dem der Fernseher stand und das Rose-Ann und seine Mutter als Wohnzimmer bezeichneten. Er ging mit den kurzen, schnellen Schritten, die er Benny Hill abgeschaut hatte, als der in seiner Fernsehshow einmal als Frau verkleidet gewesen war.

Er setzte sich an den Küchentisch, auf dem immer noch Frühstücksgeschirr stand, und schlug *1000 Witze für Kinder aller Altersgruppen* auf. Er las die Witze durch, die er mit Kugelschreiber unterstrichen hatte, und schloß die Augen, nachdem er sie sich kurz in Erinnerung gerufen hatte, um zu sehen, ob er sie sich merken konnte. Er lachte, während er sie in seiner Fistelstimme wiedergab, Witze über Überlebende auf einsamen Inseln, über Schwiegermütter, Betrunkene, Verrückte, kurzsichtige Männer, Frauen in den Sprechzimmern von Ärzten. »Herr Doktor, ich kann nicht schlafen. Letzte Nacht hab ich wieder kein Auge zugetan«, sagte er in seiner Fistelstimme. »Kein Wunder! Mit offenen Augen könnte ich auch nicht schlafen.« Seine Mutter kam bestimmt nicht vor sechs von Cha-Cha Fashions zurück. Rose-Ann arbeitete mittwochs länger an der Tankstelle. Vor vierzehn

Jahren war sein Vater mit einer Lastwagenladung Ziegel aus Dynmouth weggefahren und nie zurückgekehrt.

Er hatte sich an die leere Wohnung gewöhnt und daran, für sich selbst zu sorgen. Selbst als er mit fünf zunächst in die Grundschule gegangen war, war er zurückgekommen, in die Wohnung gegangen und hatte gewartet, bis Rose-Ann aus der Gesamtschule und seine Mutter von der Arbeit zurückgekehrt waren. Davor hatte er viel Zeit bei einer Tante verbracht, einer Schwester seiner Mutter, die Damenschneiderin und inzwischen nach Badstoneleigh gezogen war. Diese Frau war ihm gleichgültig gewesen. Eine seiner frühesten Erinnerungen war, daß es ihm auch gleichgültig gewesen war, in einer Ecke ihres Arbeitszimmers sitzen zu müssen, während sie etwas genäht oder zugeschnitten hatte. Den ganzen Tag lang hatte sie das Radio laufen, und wenn ihr Mann zum Mittagessen aus der Sandpapierfabrik nach Hause kam, sagte er immer dasselbe: »Mein Gott, ist der Junge schon wieder hier?« Es war besonders langweilig, daß er, wenn seine Mutter kam, um ihn abzuholen, noch eine Stunde im Zimmer sitzen und dabei zuhören mußte, wie die beiden sich unterhielten. Sonst hatte seine Mutter es immer eilig, lief morgens aus der Wohnung und abends wieder, um ein bißchen Abwechslung im Artilleryman's Friend oder beim Bingo zu suchen. Einmal hatte er, als er darauf gewartet hatte, daß sie und seine Tante ihre Unterhaltung beendeten, einen Teller zerbrochen. Er hatte so getan, als würde er ihn auf dem Sofa nicht bemerken, und sich darauf gesetzt, einen Teller, von dem Blackie, der Kater seiner Tante, abends gefressen hatte. Er war damals dreieinhalb gewesen, und er konnte sich immer noch an das angenehme Gefühl erinnern, als der Teller unter seinem Gewicht zerbrochen war. Sie waren beide wütend auf ihn gewesen.

Als er noch jünger war, hatte seine Mutter von Zeit zu

Zeit gesagt, sein Vater sei an allem schuld. Wenn sein Vater nicht abgehauen wäre, hätte sie nicht arbeiten gehen müssen, und alles wäre anders gekommen. Manchmal hatte sie auch gesagt, sie sei froh, daß er abgehauen sei. »Furchtbar, wie sie sich gestritten haben«, hatte Rose-Ann immer gesagt. »Er war unerträglich.« Aber wie sehr er sich auch bemühte, er konnte sich überhaupt nicht an den Mann erinnern. Als er zur Grundschule ging und Rose-Ann noch die Gesamtschule besuchte, hatte er sie oft nach ihm gefragt, weil man sich darüber an den Nachmittagen unterhalten konnte, aber Rose-Ann hatte gesagt, er solle nicht so neugierig sein, und sich in ihr Schlafzimmer eingeschlossen. Seine Mutter und Rose-Ann hatten ein freundschaftliches Verhältnis und sprachen über alle möglichen vertraulichen Dinge, fast so, wie seine Mutter und seine Tante. »Bei dreien ist einer zuviel«, war eine von Rose-Anns Redensarten gewesen, als sie noch jünger war.

Er hatte sich daran gewöhnt, daß bei dreien einer zuviel war, und war froh, die Tage wenigstens nicht mehr im Arbeitszimmer seiner Tante verbringen zu müssen. Seine Mutter fuhr jetzt jeden Sonntag nach Badstoneleigh, um ihre Schwester zu besuchen. Früher hatte Rose-Ann sie immer begleitet, aber das hatte sich geändert, als Rose-Anns Len auf der Bildfläche erschien. Timothy lehnte es ab, bei diesen Ausflügen mitzukommen, und seine Mutter war darüber offensichtlich erleichtert.

Im Lauf der Jahre hatte Timothy begonnen, seiner Mutter und auch seiner Schwester zu mißtrauen. In ihrer Gesellschaft redete er nicht viel und hatte sich daran gewöhnt, daß er von ihnen selten eine Antwort erhielt. Er werde noch einmal ihr Sargnagel sein, erwiderte seine Mutter immer, wenn er sie etwas fragte, obwohl er nie verstanden hatte, weshalb. »Du bist ein verdammter kleiner Trottel«, war eine von Rose-Anns Redensarten, wenn sie nicht gerade sagte, daß bei dreien einer zuviel sei oder daß er nicht so neugierig sein solle. Das wurde alles halb im Scherz gesagt, schnell und unvermittelt. Seine Mutter ließ ihr schrilles, abgehacktes Lachen hören, Rose-Ann lachte ebenfalls, und keine von beiden hörte ihm zu. Am Ende hatte er schließlich geglaubt, in der Wohnung liege die Andeutung in der Luft, daß man mehr Platz habe, wenn er nicht da sei, daß man dann ungestörter sei und sich erleichtert fühle. Gelegentlich hatte er das Gefühl, daß diese Andeutung ihm aus ihren Augen entgegenblickte, selbst wenn sie lächelten oder lachten und ihre Zigaretten rauchten. Er hörte ihnen zu, wenn sie sich darüber unterhielten, was im Bekleidungsgeschäft und an der Smiling Service Filling Station vorgefallen war, und einmal hatte er einen äußerst seltsamen Traum gehabt: daß er sich, während er dasaß und ihnen zuhörte, in seinen Vater verwandelt hatte. Das war der Grund dafür, so sagte er sich in dem Traum, daß sie ihm ständig Gabeln durch die Hände stießen. Sooft er konnte, blieb er morgens im Bett liegen, bis sie die Wohnung verlassen hatten.

In der Gesamtschule von Dynmouth setzte sich sein Mißtrauen fort. Er hatte nie viel von der Schule gehalten, auch nicht von den Lehrern und den Schülern. Er sah nicht ein, warum man die Haare bis auf den Rücken tragen mußte, was bei den Jungs in Mode war, und es kam ihm so vor, als hätten weder die Lehrer noch die Schüler Sinn für Humor. In der Pause hatte er einmal das Bein von einem Stuhl durchgesägt, auf dem normalerweise ein kräftig gebautes Mädchen namens Grace Rumblebow saß. Unglücklicherweise war Grace Rumblebow, als der Stuhl zusammengebrochen war, mit der Stirn gegen einen anderen Stuhl gestoßen, und die Wunde hatte mit sieben Stichen genäht werden müssen. Ein andermal hatte er die Bücher und Füller von allen völlig durcheinandergebracht, indem er die Sachen aus dem einen Pult mit denen aus einem anderen vertauscht hatte. Er hatte während des

Geschichtsunterrichts ein Stück Papier in Brand gesteckt. Er hatte eine Nadel mit Tesafilm am Ende seines Lineals befestigt und Grace Rumblebow damit gepiekst. Er hatte den Wecker seiner Mutter in Raymond Tylers Pult gelegt und ihn so eingestellt, daß er während des schlimmsten Unterrichts der Woche rappelte, einer Doppelstunde Physik. Er hatte die Berechnungen weggewischt, für deren Ausarbeitung an der Tafel Clapp, der Mathematiklehrer, zwanzig Minuten gebraucht hatte und die er nach der Pause in allen Einzelheiten hatte erklären wollen. Niemand hatte irgend etwas davon witzig gefunden, nicht einmal, daß Grace Rumblebow wie eine Katze gekreischt hatte, als die Nadel in ihre Haut gedrungen war. Niemand hatte gelacht oder auch nur gekichert, bis Miss Wilkinson angeordnet hatte, daß sie die Körbe mit den Kostümen in die 3A bringen sollten, bis er die Perücke aufgesetzt und die Kleider angezogen und entdeckt hatte, daß er über jene Stimme verfügte. Toll, hatten sie dann dauernd gesagt und ihn plötzlich zur Kenntnis genommen. Alle im Raum hatten innegehalten und sich umgedreht, um ihn anzuschauen. Besser als Morecambe und Wise, hatte Dave Griggs gesagt. Beverly Mack hatte gesagt, er sei ein Naturtalent. Später schienen sie das leider wieder zu vergessen.

Aber all das gehörte jetzt der Vergangenheit an. Im Augenblick war es wichtiger, daß er eine Badewanne, ein Hochzeitskleid und einen Anzug für George Joseph Smith brauchte und nicht vorhatte, diese Sachen zu kaufen. Bei dem Bauunternehmer Swines stand eine völlig verrostete Blechbadewanne auf dem Hof. Er hatte gefragt, ob sie gebraucht werde, und der Polier hatte nein gesagt. Es ging nur darum, jemanden dazu zu überreden, sie für ihn zu transportieren. Er wußte, wo es ein Hochzeitskleid gab: Es ging nur darum, wie er da herankommen konnte. Ein Anzug mit Fischgrätenmuster, bestens geeignet für sein Vorhaben, hing bei Commander Abigail im Kleiderschrank.

Seit er sich vorgenommen hatte, an dem Talentwettbewerb teilzunehmen, hatte sich ein angenehmer Tagtraum seiner bemächtigt. Nachdem er bei dem Wettbewerb erfolgreich gewesen war, nahm er bei *Opportunity Knocks* im Fernsehen teil. Manchmal, wenn er seine Gedanken schweifen ließ, kam es ihm so vor, als würde Hughie Green im Queen Victoria Hotel wohnen, um in Dynmouth Golf zu spielen, wäre, da er nichts Besseres zu tun hatte, zum Fest im Garten des Pfarrhauses geschlendert und hätte sich in den Talentwettbewerb verirrt. »Das ist wirklich gut!« rief er hocherfreut, begeistert von der Nummer, und als nächstes wurde sie im Studio von *Opportunity Knocks* aufgeführt.

Timothy ging wieder in der Wohnung herum, von einem Zimmer ins andere, und übte vor dem Badezimmerspiegel, erzählte in seiner Fistelstimme Witze und lächelte sich an. »Du bist echt Spitze, mein Junge«, schwärmte Hughie Green und legte ihm einen Arm um die Schulter. Der Applaus und das Gelächter verbreiteten Wärme, genau wie ein Ofen. Der Applausometer war kurz vorm Platzen und zeigte 98 an, ein neuer Rekord. »Du bist ein Bombenerfolg«, sagte Hughie Green.

2

An jenem Nachmittag, während Timothy Gedge seine Nummer einübte und die Featherston-Zwillinge sich weiter im Pfarrhaus langweilten, kehrten Stephen und Kate Fleming, beide zwölf Jahre alt, mit dem Zug von London nach Dynmouth zurück. Um elf Uhr an jenem Vormittag waren ihre Eltern – Stephens Vater und Kates Mutter – standesamtlich getraut worden und hatten die Kinder damit gewissermaßen zu Bruder und Schwester gemacht. Ihre Eltern waren jetzt auf dem Weg zum Londoner Flughafen, um die Flitterwochen in Cassis zu verbringen. Die nächsten zehn Tage würden die Kinder allein mit Mr. und Mrs. Blakey in Sea House sein.

»Laß uns Tee trinken«, sagte Kate und legte ein Buch über drei Kinder beiseite, die heimlich einen Truthahn als Haustier hielten.

Stephen las gerade das Kricket-Jahrbuch vom letzten Jahr. Er hatte einmal siebzehn Läufe in einem Over geschafft, gegen einen Werfer namens Philpott, A. J. Es war sein unausgesprochenes Ziel, einmal als Nummer 3 bei Somerset zu spielen. Er war Anhänger von Somerset, weil es direkt neben Dorset lag und weil es einmal danach ausgesehen hatte, als könnte Somerset die Meisterschaft gewinnen. Dazu war es zwar nicht gekommen, aber er war der Grafschaft dennoch treu geblieben und glaubte, das würde immer so bleiben. Obwohl er es nicht oft sagte, glaubte er auch, daß Close, der Kapitän von Somerset, der genialste Kricketspieler in ganz England war. Kricket interessierte ihn mehr als alles andere.

In dem leeren Speisewagen setzten sie sich an einen Tisch für zwei Personen. Sie trugen noch ihre Schuluniformen – die von Stephen war grau mit einer Spur Kastanienbraun, die von Kate braungrün –, denn man hatte die Trauung so gelegt, daß sie mit dem Ende des Ostertrimesters zusammenfiel. Stephen war an jenem Morgen von Ravenswood Court angereist und Kate von der St. Cecilia-Schule für Mädchen in Sussex, zwei Tage vor Ferienbeginn.

Kate hatte nicht so eine nüchterne Art wie Stephen. Ihre Gedanken schweiften oft ab und waren manchmal voller Tagträume. In St. Cecilia galt sie als faul und schludrig. Als romantisch hatte man sie nicht bezeichnet, obwohl sie im Grunde ihres Wesens genau das war. *Kates Phantasie ist leicht zu beflügeln* hatte einmal jemand mit schräger Handschrift in einem Zwischenzeugnis erklärt. Im Augenblick konnte sie »The Lord of Burleigh« auswendig, da sie es vor kurzem lernen mußte, als Strafe dafür, daß sie ihre *Phantasie selbst beflügelt* hatte: Zusammen mit den sieben anderen Bewohnerinnen des Madame-Curie-Schlafsaals war sie um Mitternacht von Miss Rist dabei erwischt worden, wie sie Rituale vollzogen, die sie in einer Fernsehdokumentation über Amazonasstämme aufgeschnappt hatten. Ihr Gesicht war rundlich, von braunem Haar eingerahmt, mit Augen, die wie Farbkleckse aussahen, wie blaue Sonnenblumen.

»Unterwegs in die Ferien?« erkundigte sich ein korpulenter Ober launig im Speisewagen. »Tee für zwei, Madam?«

»Ja, bitte.« Kate spürte, wie ihr die Wärme ins Gesicht stieg, als Folge davon, daß sie ohne Vorwarnung so unbekümmert angesprochen wurde.

»Ich hab ihn schon mal gesehen«, sagte Stephen, als der Mann gegangen war. »Er ist schon in Ordnung.« Stephen war nicht groß; er sah schwächlich aus, obwohl er das körperlich ganz und gar nicht war. Seine Augen waren dunkelbraun und immer ernst, auch wenn er lächelte. Sein glattes schwarzes Haar hatte er von seiner Mutter geerbt, die vor zwei Jahren gestorben war.

Kate nickte unsicher, als er sagte, daß der Ober in

Ordnung sei. Ihr war peinlich, daß sie so rot im Gesicht geworden war. Bei der Feier, die nach der standesamtlichen Zeremonie stattgefunden hatte, war sie mehrmals errötet, besonders wenn Leute sich spaßeshalber erkundigt hatten, ob sie die Hochzeit gutheiße. Die Feier, die im Salon eines Hotels stattgefunden hatte, war ausgesprochen langweilig gewesen. Sie hatte auch das Gefühl, daß die Feier unnötig gewesen war: Nach der Zeremonie hätten sie sofort zurück nach Dynmouth reisen sollen, zu dem Haus, den Hunden und Mr. und Mrs. Blakey. Seit den Ferien in der Mitte des Trimesters, als sie zum ersten Mal von den Hochzeitsvorbereitungen erfahren hatte, hatte sie sich unheimlich darauf gefreut, allein mit Stephen in Sea House zu sein, wo sich nur Mr. und Mrs. Blakey um sie kümmern würden. Im Madame-Curie-Schlafsaal war ihr das wie ein Geschenk des Himmels erschienen, und das war auch jetzt noch so. Keine andere Freundschaft bedeutete ihr so viel wie die, die sie für Stephen empfand. Sie glaubte insgeheim, daß sie Stephen genauso liebte, wie Leute sich in Filmen liebten. Wenn sie in Dynmouth am Strand entланggingen, wollte sie ihn immer an der Hand fassen, doch sie hatte es noch nie getan. Oft stellte sie sich vor, daß er krank wäre und sie sich um ihn kümmerte. Sie hatte einmal geträumt, daß er seine Beine nicht mehr gebrauchen konnte und im Rollstuhl saß, aber in ihrem Traum hatte sie ihn deswegen noch mehr geliebt als vorher. In ihren Träumen waren sie sich einig, daß sie einmal heiraten würden.

Auch Stephen bedeutete die Freundschaft viel, jedoch auf eine andere Art. Seit dem Tod seiner Mutter verflog seine ihm eigene Zurückhaltung bei niemandem so leicht wie bei Kate. In der Schule war es ihm nie leichtgefallen, Freundschaften zu schließen, und oft wollte er es auch gar nicht. Er stand immer am Rand oder sogar im Schatten, nicht unbeliebt bei den anderen Jungs und nicht unnahbar, doch mit einer Schüchternheit geschlagen, die es in der Beziehung zu seiner Mutter nicht gegeben hatte und auch Kate gegenüber nicht gab. Genau wie bei seiner Mutter fiel es ihm mit Kate leicht, sich von einem Gesprächsthema zum nächsten treiben zu lassen. Er brauchte sich nicht anzustrengen oder auf der Hut zu sein.

Im Speisewagen setzten sich andere Leute vereinzelt an die freien Tische. Der korpulente Ober trug ein Tablett mit metallenen Teekannen herum. Die Kinder unterhielten sich über das Trimester, das sie in Ravenswood Court und St. Cecilia verbracht hatten, und über die Leute an diesen beiden ähnlichen Internaten. Der Schulleiter von Ravenswood Court, C. R. Deccles, wurde »der Kropf« genannt, und seine Frau »Mrs. Kropf«; Miss Scuse war die Schulleiterin von St. Cecilia. In Ravenswood Court gab es einen Lehrer, den alle »Ruhe-Jetzt Simpson« nannten und der sich gegenüber den Kindern nicht durchsetzen konnte, und einen Lehrer namens Dymoke – Erdkunde und Religion –, der »Stinker Dymoke« genannt wurde, weil er einmal gestanden hatte, er habe sich in seinem ganzen Leben noch nie die Haare gewaschen. Ruhe-Jetzt Simpson hatte außerdem Plattfüße.

In St. Cecilia unterrichtete die kleine Miss Malabedeely, die vierundfünfzig Jahre alt war, Geschichte und wurde immer von Miss Shaw und Miss Rist schikaniert. Miss Shaw hatte einen Schnurrbart, eine herabhängende Kinnlade, und sie schien nur aus Zähnen und Zahnfleisch zu bestehen; Miss Rist strickte ständig braune Jacken. Sie waren eifersüchtig, weil Miss Malabedeely einmal mit einem afrikanischen Bischof verlobt gewesen war. Sie sprachen oft geringschätzig von Afrika, und wenn sie von etwas anderem sprachen, dann hielten sie unvermittelt inne, sobald Miss Malabedeely den Raum betrat. »Wir reden nachher weiter darüber«, sagte Miss Rist dann und seufzte, während sie Miss Malabedeely anblickte. Es gab noch andere Lehrerinnen in St. Cecilia und noch andere Lehrer in Ravenswood, aber die waren kein so interessantes Gesprächsthema.

Im Speisewagen stellte sich Kate, wie schon oft zuvor, Ruhe-Jetzt Simpsons Plattfüße und Stinker Dymoke vor. Und Stephen sah die innere Stärke im Gesicht der kleinen, pflaumenwangigen Miss Malabedeely lebhaft vor sich, die von einem afrikanischen Bischof sitzengelassen worden war, sowie Miss Shaws Gesichtslandschaft aus Zähnen und Zahnfleisch und Miss Rist, die ständig Jacken strickte. Er stellte sich vor, wie die beiden Frauen Miss Malabedeely schikanierten, wie sie ihre Unterhaltung abbrachen, sobald sie den Raum betrat. In diesem Trimester, sagte er, habe ein Junge namens Absom Ruhe-Jetzt Simpson und Mrs. Kropf allein in einer Gartenlaube erspäht, wie sie nahe beieinander saßen.

»Gieß du den Tee ein«, sagte er.

Sie unterhielten sich weiter über die Schule, und dann sprachen sie über die Feier an diesem Vormittag im Salon des Hotels, bei der es Champagner, Huhn in Aspik, Frischkäse in aufgeschnittenen Selleriestangen und Räucherlachs auf Schwarzbrot gegeben hatte.

»Teegebäck, Madam?« fragte der korpulente Ober.

»Ja, bitte.«

Mit dem Gespräch über Schule und Hochzeitsfeier überbrückten sie die Zeit und gingen einem für Kate wichtigeren Gesprächsthema aus dem Wege: War Stephen über die Hochzeit ihrer Eltern genauso glücklich wie sie? Für Stephen war es eine größere Umstellung, da er mit seinem Vater nach Sea House umziehen mußte, wo sie und ihre Mutter schon immer gewohnt hatten. Während sie ihr Teegebäck aßen, kam ihr der Gedanke, daß Stephen das Thema vielleicht gar nicht ansprechen würde, daß ein Gespräch darüber ihnen Probleme bereiten könnte. Seine Mutter war tot: Hatte er etwas dagegen, daß jemand anders ihren Platz einnahm? Hatte er etwas dagegen, plötzlich eine Schwester zu haben? Befreundet zu sein war eine Sache; all das hier war etwas ganz anderes.

Sie verteilten Himbeermarmelade auf ihrem mit Butter bestrichenen Schwarzbrot. Sie schauten zu, wie in einem starken Platzregen ein Bahnhof trübe vorbeizog. Auf einen Besen gestützt, blickte ihnen ein nasser Gepäckträger vom Bahnsteig entgegen. *Gravieren von Maschinen* stand auf einem Plakat, *Archer Signs Ltd.*

»Glaubst du, daß es dir gefällt, in Sea House zu wohnen, Stephen?«

Er schaute immer noch aus dem Fenster. »Ich weiß nicht«, sagte er, ohne den Kopf zu drehen.

»Es wird sicher gut.«

»Ja.«

Sein Vater hatte Primrose Cottage bereits verkauft, und ihre Möbel hatte man bereits nach Sea House gebracht. Dort hinzuziehen war anscheinend die beste Lösung, das hatte zumindest sein Vater erklärt, als er ihm von der bevorstehenden Hochzeit erzählt hatte. Kates Mutter war dort nämlich zur Welt gekommen, und Kate ebenfalls. Das Haus war viel größer als Primrose Cottage und auch in anderer Hinsicht besser für sie geeignet. Aber Primrose Cottage, eine Meile außerhalb von Dynmouth an der Straße nach Badstoneleigh, war für Stephen immer noch sein Zuhause, mit seinen Hängen voller Primeln, dem Sommerflieder voller Schmetterlinge in dem kleinen, nach hinten gelegenen Garten und der Erinnerung an seine Mutter.

»Es wird dir gefallen, Stephen. Die Blakeys sind nett.«

»Ich weiß, daß die Blakeys nett sind.« Er lächelte wieder, doch sein Blick blieb düster, obwohl er das gar nicht beabsichtigte. »Ich bin mir sicher, daß es gut wird.«

Der Zug brauste durch den trüben Nachmittag, und das Schweigen zwischen ihnen hatte etwas Angespanntes. Stephen war oft schweigsam, aber sie wußte, daß er jetzt an die Hochzeit ihrer Eltern dachte und sich Gedanken darüber machte. Zwei Umstände hatten die Hochzeit ermöglicht: die Scheidung ihrer eigenen Eltern und der Tod seiner Mutter. Die Scheidung lag so lange zurück, daß sie und Stephen sich nicht daran erinnern konnten. Hin und wieder kam ihr Vater nach Dynmouth zurück oder besuchte sie in St. Cecilia, aber das machte sie nur unglücklich, weil seine Anwesenheit sie altes Leid und alten Schmerz spüren ließ. Sie mochte ihn einfach nicht und spürte auch, daß er gefühllos gewesen war und ihre Mutter wegen der Frau verlassen hatte, mit der er jetzt verheiratet war.

Der Ober brachte Sandwiches und mehr heißes Wasser und dann ein Tablett voller Kuchenstücke – Englischen Kuchen und Biskuitrolle –, die in Zellophan verpackt waren. Kate nahm ein Stück Biskuitrolle, und der Ober sagte, sie solle noch eins nehmen, da die Stücke klein seien. Stephen nahm ein Stück Englischen Kuchen. Er entfernte das Zellophan und erinnerte sich vorsichtig und gezielt an früher, weil es an diesem speziellen Tag von Bedeutung war: Die Einzelheiten wurden in einem Winkel seines Gedächtnisses bewahrt und waren stets abrufbar. Er würde nie vergessen, daß es Herbst war, und er würde nie die leichte Vorahnung vergessen, die er gehabt hatte, als er zum Schulleiter zitiert wurde. Miss Tomm, die Aufsicht, war in den Schlafsaal gekommen und hatte ihn gebeten, sie ins Arbeitszimmer zu begleiten. Es hatte gerade halb neun geläutet. In einer Viertelstunde würde das Licht ausgeschaltet. »He, was hat Fleming denn angestellt?« hatte Cartwright gerufen, der in einem karierten Bademantel, mit einem Handtuch in der Hand, neben seinem Bett stand. Er hatte mit dem Handtuch nach Stephen geschlagen, und Miss Tomm hatte ihm in scharfem Ton gesagt, er solle aufhören.

Sein Vater war im Arbeitszimmer und saß in dem Sessel vor dem Schreibtisch des Kropfes, dem Sessel, in dem der Kropf einen sitzen ließ, wenn er einem die Leviten lesen wollte. Sein Vater hatte weder Schal noch Mantel abgelegt.

»Ah«, sagte der Kropf, als Stephen eintrat.

Der Kropf holte einen weiteren Sessel und zog ihn an den Schreibtisch. Er forderte Stephen auf, sich zu setzen, mit einer Stimme, die weniger kratzig als sonst war. Sein Blick schoß im Zimmer hin und her. Seine Finger trommelten unruhig auf den Schreibtisch vor ihm.

»Soll ich?« schlug er vor und sah Stephens Vater mit hochgezogenen grauen Augenbrauen an. »Oder wollen ...?«

»Lassen Sie es mich bitte tun.«

Auch sein Vater verhielt sich anders. Seine Wangen waren blaß, was in dem grellen elektrischen Licht des Zimmers ziemlich ins Auge fiel. Stephen dachte, er sei krank. In der Verwirrung darüber, daß er so unvermittelt aus dem Schlafsaal gerufen worden war und dann seinen Vater im Arbeitszimmer angetroffen hatte, fiel ihm kein besserer Grund für die Anwesenheit seines Vaters ein, als daß er nach Ravenswood Court gekommen sein mußte, um ihm zu sagen, daß er krank sei.

»Mama«, sagte sein Vater mit einer seltsamen, stammelnden Stimme, die ganz anders klang als sonst. »Mama, Stephen. Mama ...«

Er sprach nicht weiter. Er blickte Stephen nicht an. Er blickte auf seinen offenen Mantel hinab, auf die Knöpfe und das Braun und Grün des Tweedstoffs.

»Ist Mama krank?«

Sein Vater fand die Beherrschung wieder. Als er sprach, stammelte er nicht mehr. Er sagte: »Nicht krank, Stephen.«

Das Blut stieg Stephen in Hals und Gesicht. Er konnte die Wärme spüren, und dann spürte er, wie es abfloß.

»Mama ist gestorben, Stephen.«

Die Uhr auf dem Kaminsims tickte unermüdlich. Der Kropf schob ein Blatt Papier auf dem Schreibtisch zurecht. Es klopfte an der Tür, aber der Kropf reagierte nicht darauf.

»Gestorben?«

»Leider ja, Stephen.«

»Du mußt jetzt tapfer sein, mein Junge«, sagte der Kropf, und seine Stimme nahm wieder ihren kratzigen Klang an.

Es klopfte erneut an der Tür. »Jetzt nicht«, rief der Kropf.

»Es wäre besser, wenn du nicht nach Hause kämst. Es wäre besser, wenn du in der Schule bleiben könntest, Stephen. Ich hab zuerst gedacht, du solltest nach Hause kommen.«

»Am besten, du bleibst in der Schule, Stephen«, sagte der Kropf.

»Gestorben?« fragte Stephen erneut. »*Gestorben?*«

Seine Lippen begannen zu zucken. Er spürte, daß seine Schultern zitterten und er nichts dagegen tun konnte. Er konnte seinen eigenen Atem hören, ein lautes Keuchen, gegen das er ebenfalls machtlos war.

»Gestorben?« flüsterte er.

Sein Vater stand neben ihm und hielt ihn im Arm.

»Ist ja gut, Stephen«, sagte er, aber es war nicht gut, und das wußten die beiden anderen im Zimmer auch. Es war unfaßbar, es konnte einfach nicht wahr sein. Er spürte die Tränen auf seinem Gesicht, die zuerst feucht und warm waren und dann eisig kalt wurden. Er wand sich, wie er es oft in Alpträumen tat, wenn er versuchte, an die Oberfläche zu gelangen, und sich bemühte, aus dem Schrecken zu erwachen.

»Du mußt jetzt tapfer sein, mein Junge«, sagte der Kropf erneut.

Sie konnte einen gut trösten, hielt einen anders im Arm, als sein Vater es jetzt tat. Da waren die Zartheit ihrer Hände, ihr schwarzes Haar und ein schwacher Parfümduft. »Eau de Cologne«, sagte sie. Sie lächelte ihn an, der Blick versunken hinter ihrer Sonnenbrille.

Der Kropf war nicht mehr im Zimmer. Sein Vater hielt ein Taschentuch in der Hand. Stephen weinte wieder und schloß die Augen. Er spürte das Taschentuch auf seinem Gesicht, wie die Tränen damit abgewischt wurden. Sein Vater murmelte irgend etwas, aber er hörte nicht, was er sagte.

Er konnte nicht verhindern, daß er sie vor sich sah. Sie stand am Strand, einen rostfarbenen Kordmantel fest um sich gezogen; er konnte ihren Atem in der eisigen Luft sehen. Er sah ihr dabei zu, wie sie in der Küche von Primrose Cottage Scones formte.

Mrs. Kropf kam mit einer Tasse Kakao herein, den Kropf direkt hinter sich, der ein Tablett mit Teegeschirr trug. Sie sagten kein Wort. Der Kropf stellte das Tablett auf den Schreibtisch, und Mrs. Kropf goß seinem Vater eine Tasse Tee ein. Dann gingen beide wieder.

»Versuch, deinen Kakao zu trinken«, sagte sein Vater.

Obendrauf hatte sich schon Haut gebildet. »Eklig!« rief er immer, wenn sie ihm Kakao ans Bett brachte, und dann lachte sie, weil es ein Witz war und er nur so tat, als ob er schlechte Laune hätte.

Er trank den Kakao. Sein Vater sagte noch einmal, daß es für ihn besser wäre, in der Schule zu bleiben als nach Primrose Cottage zurückzukehren. »Es tut mir leid, daß ich dir keine größere Hilfe bin«, sagte sein Vater.

Als er den Kakao ausgetrunken hatte, kamen der Kropf und seine Frau zurück. Mrs. Kropf sagte: »Wir bringen dich heute nacht auf der Krankenstation unter. In Miss Tomms Zimmer.«

Dann herrschte betretenes Schweigen, aber das sah er

erst später so, im Rückblick; damals nahm er nichts davon wahr. Sein Vater legte erneut die Arme um ihn, und dann kam Miss Tomm mit seinen Kleidern und Schuhen für den nächsten Morgen ins Arbeitszimmer und mit seinem Kulturbeutel. Der Kulturbeutel baumelte an einem ihrer Finger, gelb, blau und rot. »Hier ist ein schöner«, hatte er bei Boots in Dynmouth gesagt, als sie ihn gekauft hatten. »Der hier.«

Er ging mit Miss Tomm über den viereckigen Innenhof und dann den Weg an den Sportplätzen entlang zur Krankenstation. Blätter platschten unter ihren Füßen, es war windig und nieselte leicht. Er konnte nicht umhin zu zittern, obwohl es ihm falsch vorkam, daß die Kälte ihm etwas ausmachte.

Es kam ihm falsch vor einzuschlafen, aber er schlief dennoch ein. Er lag auf einem Feldbett neben Miss Tomms Bett, und als er aufwachte, wußte er nicht, wo er war. Dann fiel es ihm wieder ein, und er lag schluchzend im Dunkeln und hörte zu, wie Miss Tomm atmete. Ein- oder zweimal redete sie im Schlaf, wobei sie einmal etwas über Löffel sagte und einmal, daß sie jemanden liebe. Der Duft von Puder hing im Zimmer, ein Duft, der dem von Eau de Cologne nicht glich und ihn dennoch daran erinnerte. Bei Einbruch der Dämmerung konnte er die Silhouette von Miss Tomm im Bett sehen, und als das Licht besser war, sah er ihren offenen Mund, die Nadeln in ihrem Haar und ihre Kleider auf einem Stuhl ganz in seiner Nähe.

Um halb acht rappelte ein Wecker, und er beobachtete, wie Miss Tomm aufwachte und überrascht war, als sie bemerkte, daß er da war. Er beobachtete, wie sie die Stirn runzelte und ihn anstarrte.

»Meine Mutter ist gestorben«, sagte er.

Er würde nicht weinen. Er würde nicht wieder so zittern. Wenn er weinte, dann wieder mitten in der Nacht, still und heimlich. Er fühlte eine Leere im Bauch, wenn er daran dachte, wirkliche Schmerzen, die kamen und gingen. Aber er wollte nicht weinen.

Er ging mit Miss Tomm zur Schule zurück und hatte seinen Schlafanzug, seinen Bademantel und seine Hausschuhe bei sich. Wir kommen zu spät zum Frühstück, sagte er, weil die Glocke vor mehr als einer Minute zu läuten aufgehört hatte. Mr. Deccles habe versichert, daß das keine Rolle spiele, sagte Miss Tomm, und als sie zusammen in den Speisesaal gingen, wußte er, daß der Kropf schon der ganzen Schule erzählt hatte, was geschehen war. Als sie den Speisesaal betraten, herrschte Schweigen, und es dauerte an, während Miss Tomm zur Anrichte ging, an der die Corn-flakes ausgeteilt wurden, und er sich auf seinen Platz schob.

Die Jungs an seinem Tisch sahen ihn an, und obwohl man sich an den anderen Tischen wieder unterhielt, blieben die Jungs an seinem still. Ruhe-Jetzt Simpson, der am Kopfende des Tisches saß, wußte nicht, was er sagen sollte.

Später, im Laufe des Tages, sprachen die Jungs ihm ihr Beileid aus. Und viel später erzählte man ihm, daß der Kropf, als er die Schule informiert hatte, gesagt hatte, es sei besser, wenn die Jungs die Angelegenheit nicht erwähnten. »Seid einfach nett zu Fleming«, hatte er sie anscheinend ermahnt.

Er suchte den Kropf auf und sagte, er wolle zur Beerdigung seiner Mutter fahren. Er wolle danach nicht zu Hause bleiben oder jetzt auf der Stelle nach Hause fahren. Er wolle allein zur Beerdigung nach Dynmouth zurückkehren.

Der Schulleiter schüttelte den Kopf, und einen Augenblick lang dachte Stephen, daß er sagen würde, diesen Wunsch könne er ihm unmöglich erfüllen.

»Dein Vater«, sagte der Kropf statt dessen. »Ich frage mich bloß, was dein Vater ...«

»Könnten Sie meinen Vater anrufen, Sir? Bitte, Sir.«

»Tja. Also gut.«

Er rief auf der Stelle an. Ungeduldig klopften die Finger des Schulleiters gleich Trommelschlegeln auf die Schreibtischplatte, während er darauf wartete, verbunden zu werden. Es war klar, daß er lieber nicht telefoniert hätte. Es war klar, daß er es für Unfug hielt, daß ein Junge zu einer Beerdigung fahren mußte, daß besondere Vorbereitungen zu treffen waren.

»Ah, Mr. Fleming. Deccles hier.« Seine Stimme wurde durch einen Schuß Traurigkeit sanfter, klang nicht mehr so kratzig wie noch einen Augenblick vorher. Er gab den Wunsch, der geäußert worden war, weiter. Er hörte einen Augenblick lang zu. Dann nickte er und sagte, während er Stephen den Hörer reichte:

»Dein Vater würde gern mit dir sprechen.«

Stephen nahm ihm den Hörer ab, ohne vermeiden zu können, daß er mit den Fingern in Berührung kam, die schon Generationen von Jungs vor ihm nur ungern berührt hatten.

»Bist du dir wirklich sicher, Stephen? Mama hätte nicht ...«

»Ich möchte kommen.«

Miss Tomm setzte ihn in den Zug, und sein Vater holte ihn am Bahnhof von Dynmouth ab und fuhr mit ihm nach Primrose Cottage. Später fuhren sie von dort nach Dynmouth, zur Kirche St. Simon and St. Jude, wo Mr. Featherston den Gottesdienst hielt. Der Pfarrer hielt eine Ansprache und nannte darin den Todesfall eine Tragödie. »Nachdem es dem Allmächtigen Gott in Seiner großen Barmherzigkeit gefallen hat«, sagte er leise, »die Seele unserer lieben Schwester zu sich zu nehmen, übergeben wir ihren Leib der Erde.«

Auf dem Friedhof war es sonnig. Überall lagen gelbbraune Blätter verstreut. Es war unfaßbar, daß sie in dem

glänzenden Sarg lag, den vier Männer an Seilen hinablie-
ßen. Es war unfaßbar, daß ihr Körper verfaulen würde,
daß er sie nie wieder sehen oder hören würde, daß sie ihn
nie wieder küssen würde. Er konnte nicht verhindern, daß
er weinte. Je mehr er alles zurückhielt, um so schlimmer
wurde es. Er wollte laut schreien, zum Sarg laufen und
ihn umklammern, mit ihr reden, obwohl sie tot war.

»Komm jetzt, Stephen«, sagte sein Vater, und die Leute,
die herumstanden – Verwandte und Freunde, einige von
ihnen Fremde –, wandten sich vom Grab ab.

Der Pfarrer legte Stephen die Hand auf die Schulter.
»Du bist ein tapferer kleiner Junge«, sagte er.

Sein Vater fuhr ihn die ganze Strecke nach Ravenswood
Court zurück, und das Schweigen während der Fahrt ließ
ihn erkennen, warum sein Vater nicht gewollt hatte, daß
er zu der Beerdigung nach Hause kam. »Ich hab ein paar
Süßigkeiten«, flüsterte Miss Tomm in der Eingangshalle
von Ravenswood. »Limonen- und Zitronenbrause. Du
magst doch Brause, Stephen?«

Die Landschaft war Meile um Meile vorbeigezogen, das
Schweigen im Speisewagen hatte lange gedauert. Der korpulente Ober brach es mit der Frage, ob alles in Ordnung
gewesen sei. Er blätterte den Block, den er hielt, eine Seite
weiter und stellte ihnen schnell einen gelben Rechnungs-
zettel aus. »Bin Ihnen sehr verbunden, Sir«, sagte er und
gab ihn Stephen.

Sie legten beide Geld auf den Tisch, der Ober sammelte
es ein und bedankte sich bei ihnen. Nach den beiden
Schicksalsschlägen, der Scheidung und dem Todesfall,
kam es Kate nur gerecht vor, daß es zu diesem Happy-
End kommen sollte. Ihre Mutter war verlassen worden.
Stephens Vater hatte eine schreckliche Tragödie getrof-
fen. Sie liebte ihre Mutter, und sie mochte Stephens Vater
mehr als ihren eigenen. Sie mochte ihn, weil er ruhig und

freundlich war. Ihr gefiel sein Lächeln, und er war klug: ein Ornithologe mit einer Passion für die Vögel, über die er Bücher schrieb. Zusammen mit Stephen hatte sie dabei zugesehen, wie er die Federn der Möwen von Öl gesäubert hatte. Er hatte ihnen gezeigt, wie man den gebrochenen Flügel eines Schwarzkehlchens einrichtet.

Alle vier würden sie ein Haus miteinander teilen; das wäre ein Happy-End, wie sie es verdient hätten: ein Idyll, hatte Kate sich gesagt, seit sie von der geplanten Hochzeit wußte, und das Wort immer wieder ausgesprochen, weil sie seinen Klang liebte. Der ganze Schmerz, der ihnen bereitet worden war, würde gelindert werden. Das war der Grund dafür, daß es Idyllen gab.

Sea House war von zwei Seiten zu erreichen, erstens über die Straße, die steil von Dynmouth aufstieg und zum Golfplatz und dann weiter nach Badstoneleigh führte, und zweitens vom Strand her, über einen Pfad, der noch steiler anstieg und sich scharf um die Konturen des Kliffs herumschlängelte. Der Pfad kam am elften Grün heraus und lief am Rand des Rasens weiter, bis dieser einer hohen Mauer aus verwittertem Backstein Platz machte, an der hier und da wilder Wein emporrankte. Diese umgrenzte einen Garten von einzigartiger Fruchtbarkeit, einen Flecken sauren Bodens im umliegenden Kalk, eine Laune der Natur, die man sich seit Generationen in Sea House zunutze gemacht hatte. In einen Torbogen in der Mauer hatte man ein weißgestrichenes schmiedeeisernes Tor eingesetzt, das zu einem Weg durch die Azaleensträucher führte, für die der Garten bekannt war, die aber im April nur ein Meer von Grün waren. Magnolien und Malvenbüsche standen starr und mit tropfenden Blättern da; Rhododendrenbüsche voller Knospen glitzerten. Weiter vorn stieg der Garten an und erstreckte sich weit über drei Ebenen, mit Stufen und Hängen voll Heidekraut, die die einzelnen Flächen voneinander trennten. Zur Zeit blühten nur Osterglocken und Krokusse sowie Frühlingsheide und etwas Winterjasmin. In einiger Entfernung, links vom Haus und dahinter, lehnten Gewächshäuser an der hohen Backsteinmauer, mit Gemüsebeeten rundherum; etwas näher lag ein mit Platten ausgelegter Kräutergarten mit penibel geschnittenen Hecken und einer Sonnenuhr. Es gab Rosenbeete und eine weiße Gartenlaube. Eine Schuppentanne stand allein auf einer großen Rasenfläche.

Sea House war ein langes, niedriges georgianisches Herrenhaus, zwei Stockwerke aus altem Backstein. Eine Reihe von sechs Verandatüren, über denen sich im oberen Stockwerk doppelt so viele Fenster befanden, führte direkt auf den Rasen. Die Fensterrahmen waren weiß.

Zwei gefleckte englische Setter schnüffelten an diesem feuchten Mittwoch nachmittag im Garten herum; ihre riesigen zerfransten Schwänze schlugen hin und her, ihr grauweißes Fell war naß, und in ihren Mäulern zeigten sich ansehnliche Fangzähne und lange rosafarbene Zungen. Sie rannten und schnüffelten abwechselnd in dem langen Gras unter den Malven auf der Suche nach Fröschen. Wie Löwen legten sie sich eine Weile neben die Gartenlaube und betrachteten einander. Dann erhoben sie sich, streckten sich und schnüffelten ums Haus herum und die kiesbedeckte Einfahrt entlang, die zwischen weiteren Rasenflächen hindurch einen Bogen zu dem eisernen Eingangstor beschrieb. Als sie zurückkamen, wedelten sie nicht mehr so heftig mit den Schwänzen, zufrieden, daß in ihrem Revier alles in Ordnung war. Vor der weißen Haustür legten sie sich zwischen zwei Säulen und Krügen mit Tulpen wieder hin.

Im Innern des Hauses machte Mrs. Blakey in der Küche einen Kuchen mit Stout und Rosinen. Ihr Mann war zum Bahnhof von Dynmouth gefahren, um die Kinder vom

18.40-Uhr-Zug abzuholen. Sie sind inzwischen schon auf dem Rückweg, dachte sie bei sich und blickte zur Uhr auf der Anrichte, und einen Augenblick lang stellte sie sich die beiden so unterschiedlichen Gesichter der Kinder vor, stellte sich vor, wie die Kinder im Fond des alten Wolseley saßen und wie ihr Mann schweigend fuhr, weil es seine Art war zu schweigen. Sie schüttete den braunen Kuchenteig in eine Backform und schabte den letzten Rest mit einem Holzlöffel aus der Schüssel. Sie stellte die Backform ins obere Fach des Aga und stellte die Zeituhr auf der Anrichte so ein, daß sie in einer Stunde ertönen würde.

Mrs. Blakey, mit regen Augen und glänzenden Wangen, hatte ein Wesen, das davon geprägt war, die Dinge positiv zu sehen. Wolken dienten dazu, den Silberstreif am Horizont zu bilden, und Verzweiflung war nur ein Wort. Die Küche von Sea House, wo sie den größten Teil des Tages verbrachte, schien damit völlig in Einklang zu stehen: der leise brennende Aga, die hohe, getäfelte Decke, die mit Blumenmuster verzierten Teller, die auf der Anrichte angeordnet waren, die geräumigen Wandschränke, der geschrubbte Holztisch. Die Küche war gemütlich und beruhigend, wie es auch Mrs. Blakey selbst in mancher Hinsicht war.

Die Blakeys wohnten seit 1953 in Sea House, dem Jahr, als ihre Tochter Winnie geheiratet hatte, und ein Jahr, nachdem ihr Sohn nach British Columbia ausgewandert war. Davor waren sie jeden Tag von Dynmouth heraufgekommen, um in Haus und Garten zu arbeiten. Inzwischen war die Arbeit ein Teil von ihnen, und sie waren ein Teil von Haus und Garten. Sie erinnerten sich noch an die Geburt von Kates Mutter. Kates Großeltern waren innerhalb von sechs Monaten beide gestorben. Obwohl er es nie aussprach, wußte Mrs. Blakey, daß ihr Mann manchmal das Gefühl hatte, der Garten gehöre ihm, weil er ihn so liebte. Er hatte darin mehr Erde umgegraben als irgend jemand sonst auf der Welt und hatte Jahr für Jahr mehr Astern wachsen sehen. Er hatte das Aussehen des Kräutergartens verändert; vor einundvierzig Jahren hatte er zwei neue Rasenflächen angelegt. Das Haus kannte er genausogut und liebte es auf ähnliche Weise. Er war es, der die Fenster putzte, von innen und außen, der im Frühling die Dachrinnen saubermachte und alle drei Jahre das weiße Gebälk und die Abflußrohre und -rinnen neu strich. Er ersetzte die Schieferplatten, wenn ein Sturm sie vom Dach geweht hatte. Er kannte sich mit den Rohr- und den elektrischen Leitungen genauestens aus. Vor fünf Jahren hatte er den Wohnzimmerfußboden neu mit Dielen ausgelegt.

Die Reifen des Wolseley knirschten auf dem Kies, ein Geräusch, das schwach an Mrs. Blakeys Ohr drang und dafür sorgte, daß ihr Gesicht vor Freude lauter Lachfältchen bekam. Sie verließ die Küche und ging durch einen Flur mit federndem grünen Linoleum und grünen Wänden. Sie ging durch eine Tür, vor der zum Flur hin ein Vorhang in demselben grünen Farbton hing. In der Eingangshalle konnte sie hören, wie Kate zu den Hunden sagte, sie sollten nicht an ihr hochspringen. Sie machte die Haustür auf und stieg die drei schmalen Stufen hinab, um die Kinder zu begrüßen.

3

»Hallo, Mrs. Abigail«, sagte Timothy Gedge und betrat den Bungalow der Abigails in der High Park Avenue. »Es hat wieder angefangen zu regnen.«

Sie machte viel Wirbel darum, daß der Regen seine Jacke völlig durchnäßt habe. Sie ließ ihn die Jacke ausziehen und hängte sie über einen Stuhl vor dem elektrischen Kamin im Wohnzimmer, in dem zwei Heizelemente über einem Haufen unechter Kohle glühten. Sie sorgte dafür, daß er sich vor den Kamin stellte, um seine Jeans zu trocknen.

Mrs. Abigail war eine zierliche Frau mit seidigem grauen Haar. Ihre Hände waren klein, und sie hatte schwach ausgeprägte Gesichtszüge; ihre Augen machten einen gütigen Eindruck. Sie hatte Timothy Gedge einmal zu Weihnachten ein Paar gerippte Socken gestrickt, weil es ihr leid tat, daß er in der Pubertät so linkisch geworden war. Daß Menschen ihr leid taten, war bei Mrs. Abigail normal. Aufgrund ihres Mitgefühls grämte sie sich über Zeitungsberichte und erfundene Episoden im Kino oder Fernsehen oder über Fremde auf der Straße, denen sie ihre Verzweiflung ansah. Als sie Timothy Gedge kennengelernt hatte, war er ein Kind von ungewöhnlich gewinnendem Wesen gewesen, und sie fand es traurig, daß dies nicht mehr so war. Er war eine Woche, nachdem sie und ihr Mann eingezogen waren, bei dem Bungalow vorbeigekommen, das lag jetzt schon fast drei Jahre zurück, und hatte gefragt, ob irgendwelche Arbeiten zu erledigen seien. »Pfadfinder, was?« hatte der Commander sich erkundigt. »Ein Shilling pro Aufgabe?« Und Timothy hatte liebenswürdig erwidert, er sei eigentlich kein Pfadfinder, er versuche nur, sich etwas Taschengeld zu verdienen. Er war ihr auf eine einnehmende Art verschroben vorgekommen, einsam trotz seines Gequassels und seines Lächelns, anders als andere

Kinder. Jenen ersten Morgen hatte er, vergnügt wie ein Rotkehlchen, damit zugebracht, beim Auslegen des Teppichbodens im Eßzimmer zu helfen.

Mrs. Abigail hatte ihn in jeder Hinsicht als einen reizenden kleinen Jungen empfunden, und es kam ihr manchmal so vor, als sei in der Veränderung, die sich seitdem vollzogen hatte, ein Mensch verlorengegangen. Das Einzelgängertum, das ihm früher Persönlichkeit verliehen hatte, stellte sie jetzt vor die Frage, woran es lag, daß er keine Freunde hatte; sein verschrobenes Gequassel kam jetzt anders bei ihr an. Aber Mittwoch abends kam er immer noch, um kleine Arbeiten zu erledigen, oder eigentlich, um bei den Abigails zu Abend zu essen. Unter der Aufsicht des Commanders arbeitete er in dem kleinen Vorgarten und auch in dem hinterm Haus. Vorletzten Winter hatte er dabei geholfen, die Speisekammer zu streichen. Mrs. Abigail glaubte, daß er das, was ihm verlorengegangen war, möglicherweise irgendwie wiedererlangen könnte.

»Der Commander ist immer noch beim Schwimmen, oder, Mrs. Abigail?«

»Ja, das stimmt.« Sie wollte sagen, es sei dumm von ihrem Mann, bei jedem Wetter draußen zu sein, es sei dumm, zu dieser Jahreszeit gleich baden zu gehen, aber das konnte sie natürlich nicht, nicht gegenüber einem Kind, gegenüber niemandem. Sie lächelte Timothy Gedge an. »Er wird bald da sein.«

Er lachte und sagte: »Gutes Wetter für Enten, Mrs. Abigail.«

Von seinen gelben Jeans stieg Feuchtigkeit auf. Bald würde er sich rasieren müssen. Bald hätte er jenes derbe Äußere, das manche Jugendliche so leicht annahmen.

»Wie wär's mit einem Fruchtgummi?« Er hielt ihr die Rolle Rowntrees hin, aber sie wollte keins haben. Er nahm sich selbst eins und steckte es in den Mund. »Ich hab gesehen, daß Ring's im Park alles aufbaut«, sagte er.

»Ja, das ist mir heute morgen auch aufgefallen.«

»Ich glaube kaum, daß Sie und der Commander an dem Vergnügungspark Gefallen finden würden, Mrs. Abigail. Spielautomaten, Autoskooter und so was?«

»Also, nein ...«

»Wirklich derbe Sachen.«

»Ich glaube, das ist mehr was für junge Leute.«

»Spielautomaten bringen's nicht.«

Er lachte erneut und versuchte, sich einen Augenblick lang vorzustellen, wie Mrs. Abigail und der Commander an einem Spielautomaten ihr Glück versuchten oder Autoskooter fuhren und von den Dynmouth Hards, die auf der Autoskooterbahn berüchtigt waren, überall herumgestoßen wurden. Er brachte die Sprache darauf, und sie lachte kurz auf. Er begann, über das Fest an Ostern zu sprechen, und sagte, es sei schade, daß Ring's Vergnügungspark erstmals bereits am Nachmittag des Ostersamstag aufmache, um die gleiche Zeit, zu der das Fest stattfinde. Da würden die Leute alle dort hingehen, sagte er. »Ich hab das schon Pfarrer Feather und Dass gesagt. Die haben sich überhaupt nicht drum gekümmert.«

Sie nickte, dachte aber an etwas anderes. Wenn Gordon vom Schwimmen zurückkehrte, würde er dem Jungen Sherry anbieten. Das hatte er schon öfter getan, an den letzten drei Mittwochabenden. Sie hatte gesagt, sie halte das für keine gute Idee. Sie hatte gesagt, es helfe dem Jungen nicht durch seine schwierige Pubertät, gläserweise Sherry zu süffeln, aber Gordon hatte erwidert, sie solle Vernunft annehmen.

Timothy redete weiter über das Fest, weil er nicht wollte, daß sie ihm zu verstehen gab, es sei an der Zeit, mit der Arbeit anzufangen. An einem Mittwoch war es ihm gelungen, so lange weiterzureden, bis er die Arbeiten überhaupt nicht mehr erledigen konnte, und sie hatte das vergessen, als die Zeit zum Bezahlen gekommen war. Er sagte, er freue sich richtig auf den Talentwettbewerb, aber sie schien ihn nicht zu hören. Er war enttäuscht, als sie kurz darauf sagte, sie wolle, daß er diese Woche den Backofen des Elektroherds saubermache und einen Kochtopf scheuere, in dem sich noch Reste von Tapioka befanden. Er verrichtete viel lieber Arbeiten in ihrem Schlafzimmer, weil er dort verschiedene Schubladen durchsuchen konnte.

»Wenn der Commander dir welchen anbietet, sag einfach nein, Timothy.« Das sagte sie in der Küche, während er den Backofen mit einem Reinigungsmittel einsprühte, das Force hieß. »Sag einfach, daß deine Mutter das nicht so gern hätte.«

»Was meinen Sie denn, Mrs. Abigail?«

»Wenn der Commander dir den Sherry anbietet. Du bist noch minderjährig, Timothy.«

Er nickte, den Kopf teilweise im Backofen. Er sagte, er wisse, daß er noch minderjährig sei, aber das Gesetz beziehe sich nur darauf, daß Minderjährige in Gaststätten oder Spirituosenläden keinen Alkohol bekommen sollten. Er finde nichts dabei, wenn er mal ein Glas Sherry trinke.

»Es gibt eine Sache, von der ich die Finger lasse, Mrs. Abigail, und das sind Drogen.«

»O nein. Nimm bloß nie Drogen. Nie, versprich mir das, Timothy.«

»Von Drogen laß ich die Finger, Mrs. Abigail, weil ich gar nicht weiß, wie man da rankommt.« Er lachte.

Sie schaute ihn an, wie er da auf einem *Daily Telegraph* vor dem Herd kniete. Seine Jacke trocknete immer noch im Wohnzimmer vor dem Kamin. An einem Handgelenk hatte er einen Fleck, da hatte er die klebrig gewordene Soße im Backofen gestreift. Durch sein Lachen hatte sich die Haut über seinen eingefallenen Wangen gestrafft. Das Gelächter verhallte. Um seinen Mund spielte immer noch ein Lächeln.

»Tu es mir zuliebe«, flüsterte sie, bückte sich und lächelte ihn ebenfalls an. »Nimm den Sherry nicht an, Timmy.«

Er roch ihren Duft. Es war ein herrlicher Duft, wie in einem Rosengarten. An ihrem Hals verschmolz das Taubenblau ihres Chiffontuchs mit dem dunkleren Blau ihres Kleides.

»Bitte«, sagte sie, und er dachte einen Augenblick lang, daß sie ihn vielleicht küssen würde. Dann war der Hausschlüssel des Commanders im Türschloß zu hören.

»Denk dran«, flüsterte sie, richtete sich auf und zog sich von ihm zurück. »Timothy ist da, Gordon«, rief sie ihrem Mann zu.

»Oh, bravo«, sagte der Commander in der Diele.

Commander Abigail, der während des Zweiten Weltkriegs diesen Rang bei der Marine fünf Monate lang bekleidet hatte, war ein hagerer, kleiner Mann, kahlköpfig bis auf den kupferroten Flaum am Hinterkopf und um die Ohren herum. Über einem schmalen Mund wuchs ein schmaler kupferroter Schnurrbart; er hatte einen stieren Blick. Er war fünfundsechzig und humpelte bei feuchtem Wetter aufgrund eines linksseitigen Gelenkschadens. Als er aus seiner Stellung bei einer Londoner Reederei ausgeschieden war, hatte er beschlossen, sich wegen seiner Liebe zur See in Dynmouth niederzulassen. Außerdem hatte er gehofft, die Luft wäre salzig und belebend, eher kalt als feucht. Seine Frau hatte darauf hingewiesen, daß dort mit die meisten Niederschläge in ganz England fielen, aber er hatte sich mit ihr darüber gestritten und kategorisch behauptet, daß sie da etwas falsch verstanden habe. Als ein Grundstücksmakler ihm den Bungalow in der High Park Avenue angeboten hatte, hatte er verkündet, das sei genau das, wonach sie suchten, obwohl er in der Zwischenzeit herausgefunden hatte, daß sie mit ihrer Behauptung, die Gegend um Dynmouth sei eine der nassesten in England, recht hatte. Eine Niederlage darf man nie eingestehen, lautete einer von Commander Abigails wichtigsten Grundsätzen: Man darf nicht nachgeben, selbst wenn einen linksseitig die Gelenke plagen. Nicht nachzugeben hatte England zu dem gemacht, was es einmal gewesen war. Heutzutage glich es eher einer Müllhalde.

»Hallo, Commander«, sagte Timothy, als der Commander mit seiner Badehose, seinem Handtuch und seinem durchnäßten braunen Mantel über einem Kleiderbügel in die Küche kam.

»Guten Tag, Timothy.«

Der Commander hakte die Seile einer Rolle los und ließ ein hölzernes Trockengestell von der Decke. Er hängte den Kleiderbügel, die Badehose und das Handtuch darüber. Dann brachte er das Gestell in die Ausgangsposition auf halber Höhe zurück. Der Mantel begann zu tropfen.

Mrs. Abigail verließ die Küche. Eine Wasserlache würde sich über die ganzen Fußbodenfliesen ausbreiten. Gordon würde durchlaufen, und Timothy würde durchlaufen, und wenn es aufgehört hätte zu tropfen, vermutlich in etwa anderthalb Stunden, würde sie alles aufwischen und Zeitungen hinlegen müssen.

»Und wie geht's Master Timothy?«

»Gut, Commander. Danke, gut.«

»Bravo, mein Junge.«

Timothy wusch den Frotteelappen, den er benutzte, und wrang ihn in der Schüssel mit dem schmutzigen Wasser aus. Er wischte den Backofen innen aus, stellte fest, daß er immer noch ziemlich schmutzig war, und machte die Tür zu. Er stand auf und trug die Schüssel und den Frotteelappen zum Spülbecken. Er dachte darüber nach, wie er sich das Hochzeitskleid, die Badewanne und den Anzug des Commanders aneignen könnte. Überhaupt kein Problem, sagte er sich immer wieder und bemühte sich dann, nicht laut aufzulachen, als er vor sich sah, wie

er sich als Miss Munday aus der Badewanne erhob, obwohl sie doch schon mausetot sein mußte.

»Sherry, wenn du fertig bist«, sagte der Commander
und stellte Gläser und eine Karaffe auf ein kleines blaues
Tablett. »Im Wohnzimmer, alter Junge.«

Timothy kratzte mit den Fingernägeln an der angebrannten Tapioka im Kochtopf, die man für ihn darin
gelassen hatte. »Erst fünfzehn Jahre alt!« rief die Stimme
von Hughie Green begeistert.

Er griff nach einem Scheuerlappen auf der Leine über
dem Spülbecken. Er scheuerte damit an der Tapioka herum, aber nichts passierte. Er kratzte erneut mit den Fingernägeln daran und scheuerte mit einem Brillo-Topfrei-
niger. Dann füllte er den Kochtopf mit Wasser und stellte
ihn auf die Abtropffläche, damit er aus dem Weg war. Er
würde Mrs. Abigail erklären, er müsse seiner Meinung
nach noch ein oder zwei Tage eingeweicht werden.

»Großer Applaus!« rief Hughie Green. »Großer Applaus für Timothy Gedge, Freunde!«

Stephen war in Sea House nichts fremd. Er kam schon,
solange er sich erinnern konnte, in dieses Haus, um mit
Kate zu spielen. Der braune Haarkranz von Mr. Blakey
war ihm vertraut, ebenso, daß er sich langsam bewegte und
wenig sagte. Das gleiche galt für die Hunde, den Garten,
das Haus selbst und für Mrs. Blakey, die ihn anlächelte.

Er schaute zu, wie Mr. Blakey die Seile losband, mit
denen ihre beiden Koffer im offenen Kofferraum des Wagens gesichert waren. Es regnete nicht mehr, aber die Wolken waren dunkel und hingen niedrig, was darauf hindeutete, daß es sich nur um eine Unterbrechung handelte. Die
Luft war feucht, ein angenehmes Gefühl, das die Sehn-
sucht nach einem leichten Schauder in einem weckte und
danach, sich im Haus aufzuhalten, neben einem Kaminfeuer. Das hatte seine Mutter immer über kalte Tage im

Frühling und im Sommer gesagt, daß es eine andere Kälte als im Winter sei, angenehm, weil nicht so streng.

In der Eingangshalle brannte ein Feuer. Es war das einzige Haus, das er kannte, in dem es in der Eingangshalle einen Kamin gab. Kate sagte, die Eingangshalle sei ihr Lieblingsplatz im Haus, der weiße Marmor des Kaminsimses, das Kamingitter aus Messing, das so hoch war, daß es eine Sitzgelegenheit aus gepolstertem roten Leder bildete, ägyptische Teppiche in Braun- und Blautönen, die über Steinplatten ausgebreitet waren. Auf der purpurroten Stofftapete an den Wänden hing eine Reihe von Aquarellen in Messingrahmen: Darstellungen von Theatergestalten aus dem achtzehnten Jahrhundert. Niemand von ihnen wußte, aus welchen Stücken sie stammten, aber die Bilder waren wirklich schön. Das galt auch für die breite Mahagonitreppe, die sanft vom anderen Ende der Eingangshalle emporstieg und sich an einem Fenster, das fast bis zur Täfelung reichte, in einem Bogen dem Blick entzog. Er fragte sich, ob die Eingangshalle mit der Zeit auch sein Lieblingsplatz im Haus werden würde.

Mrs. Blakey blieb stehen, bevor sie durch die Tür zu dem Flur mit dem grünen Linoleum ging, und rief ihnen zu, das Abendessen sei in fünfzehn Minuten fertig. Stephen beobachtete, wie die Tür sich hinter ihr schloß, und einen Augenblick lang kam es ihm falsch vor, hier zu sein und in diesem Haus zu stehen, jetzt, da seine Mutter tot war. Aber der Augenblick ging vorüber.

Im Pfarrhaus saßen die Zwillinge mit ihren Eltern bei Tisch, und alle aßen pochierte Eier.

»Schrecklich«, sagte Susannah.

»Ich hab schrecklich gesagt«, sagte Deborah. »Ich hab schrecklich gesagt, als Mama.«

»Ich hab schrecklich gesagt, als Mama.«

»Ich hab mich umgeschaut und Mama gesehen. Sobald

Mama im Zimmer war, hab ich schrecklich gesagt. Du hast nicht mal hingeschaut, Deborah.«

»Als Mama die Eier gebringt hat, hab ich schrecklich gesagt, Susannah.«

»Mama, hinter Deborah werden Drachen her sein.«

»Drachen und Drachen und Drachen und Drachen und ...«

»Iß dein Ei auf, Susannah.«

»Zu müde, Mama.«

»Na, na«, sagte Quentin und aß sein eigenes Ei auf.

»Zu müde, Papa. Mund zu müde, Papa. Furchtbar, furchtbar müde. Furchtbar, furchtbar, furchtbar.« Susannah schloß die Augen und kniff die Lider fest zusammen. Deborah schloß ebenfalls die Augen. Sie begannen zu kichern.

Lavinia fühlte sich müde. Sie fauchte ihre Töchter an und sagte ihnen, sie sollten ihr nicht auf die Nerven gehen.

»Abendessen«, verkündete Mrs. Abigail in der High Park Avenue Nummer 11, trat ins Wohnzimmer und stellte fest, daß Timothy ihrer Bitte bezüglich des Sherry keinerlei Beachtung geschenkt hatte. Er hatte seine Jacke mit dem Reißverschluß wieder angezogen und saß auf einer Seite des elektrischen Kamins auf dem Sofa. Gordon saß, wie gewöhnlich, in seinem Sessel auf der anderen Seite. Die Vorhänge waren zugezogen, der Kamin verbreitete eine starke Hitze. Es brannte nur eine Tischlampe, deren schwache Birne der Aufgabe, das Zimmer vollständig zu beleuchten, nicht gewachsen war. Dieses Halbdunkel schuf eine gemütliche Atmosphäre.

»Oh, Zeit, noch einen zu trinken.« Commander Abigail lachte kurz auf, richtete die Sherrykaraffe geschickt auf Timothys Glas und sprach währenddessen zu seiner Frau. »Sherry, meine Liebe? Warum nimmst du nicht Platz?«

Sie stand an der Tür, einen Fuß in der Diele, den anderen auf dem gemusterten Wohnzimmerteppich. »Ich hoffe, Sie haben nichts dagegen, wenn ich noch einen trinke, Sir«, hörte sie Timothy sagen, nachdem Gordon sein Glas wieder gefüllt hatte, so als hätte er völlig vergessen, um was sie ihn gebeten hatte. Er lächelte sie sogar durch das Dunkel hindurch an. »Ja, nehmen Sie doch Platz, Mrs. Abigail«, sagte er sogar, und aus seinem Munde klangen die Worte dumm. Er bot einen lächerlichen Anblick, ein Kind mit einem Glas zypriotischem Sherry in der Hand, das es unbeholfen am Stiel hielt.

»Es ist bloß so, daß dann alles verkocht ist«, sagte sie leise, und ihr Mann erwiderte – das hatte sie schon im voraus gewußt –, sie seien in fünf Minuten soweit. Sie wußte auch, daß es ihm Spaß gemacht hatte, sie auf diese beiläufige Art zu bitten, Platz zu nehmen, obwohl alles zum Essen bereitstand. Er gab dem Kind Sherry, um sie zu ärgern. Es war schade, daß er so war, aber es ließ sich nicht ändern.

Sie machte die Tür zu und ging in die Küche zurück. Sie stellte das Radio an und wusch etwas Geschirr ab. Es war das Stimmengeplauder während eines Ratespiels zu hören. Das Publikum lachte lauthals über das, was gesagt wurde, aber Mrs. Abigail fand nichts davon komisch. Er hatte ihr ziemlich oft während ihrer Ehe unterstellt, sie habe keinen Sinn für Humor.

Mrs. Abigail hatte ihren Mann geheiratet, weil er sie gebraucht hatte und weil sie, in ihrem Mitgefühl und Verständnis, Zuneigung für ihn empfunden hatte. In ihrer Ehe herrschte eine Leere, aber darüber dachte sie nie nach. Sechsunddreißig Jahre lang war er der Mittelpunkt ihres Lebens gewesen. Sie hatte in Freud und Leid zu ihm gestanden: Sie erlaubte sich in keiner Weise zu glauben, daß sie unglücklich war.

Sie schaufelte Hähnchenteile und Gemüse auf drei Teller und stellte sie in den Backofen. Im Radio ging das Ratespiel zu Ende, und ein Hörspiel begann. Als sie die Erbsen abgegossen und den Kartoffelbrei aus dem Kochtopf in eine Schüssel gefüllt hatte, hörte sie, wie die Stimme ihres Mannes in der Diele über Stolz sprach.

»Ein gewisser Stolz«, wiederholte er, als er sich an den Eßzimmertisch setzte. Er strich sich den kupferroten kleinen Schnurrbart mit Daumen und Zeigefinger seiner rechten Hand glatt. »Es hat einmal eine Zeit gegeben, da war man stolz darauf, Engländer zu sein, Timothy.«

»Kirschlimonade?« fragte sie und hielt die Flasche über Timothys Glas.

»Wie wär's mit einem Glas Bier?« schlug der Commander vor. »Was hältst du von einem Watney's Pale, alter Junge?«

Sie dachte zuerst, sie hätte nicht richtig gehört, wußte aber, daß das nicht stimmte. Er hatte noch nie Bier im Haus gehabt. Er behauptete, kein Bier zu mögen. Weihnachten hatte er bei Tesco's eine Flasche ungarischen Wein gekauft. Stierblut hatte er den genannt.

»Nichts ist so gut wie ein Schluck Bier.« Er machte die Tür der Anrichte auf; nahm zwei große Flaschen mit der Aufschrift »Watney's Red, Pale Ale« heraus und öffnete die Verschlüsse. »Hättest du auch gern ein bißchen, Liebes?«

Sie schüttelte den Kopf. An der Größe konnte sie erkennen, daß es sich um Halbliterflaschen handelte. Bei dieser Menge Bier nach zwei Gläsern Sherry war kaum zu erwarten, daß das Kind nüchtern blieb. Sie brachte diese Befürchtung zum Ausdruck, wohlwissend, daß das unklug war.

»Oh, nein, nein, Liebes.« Er lachte auf seine gewisse Art. Timothy füllte sein Glas und lachte ebenfalls.

»Frieden«, sagte der Commander und setzte sich wieder hin. »In Kleinstädten wie Dynmouth verspürte man in jenen weit zurückliegenden Tagen so etwas wie Frieden. Sonntags gingen die Menschen noch in die Kirche.«

Timothy hörte zu, denn ihm war klar, daß am Tisch die Dinge ihren gewohnten Lauf nahmen. Sie waren ein sonderbares Paar. Sonderbar auch, daß Pfarrer Feather gesagt hatte, sie seien keine komischen Leute. Meschugge, die beiden.

»Wenn man damals einen Shilling in der Tasche hatte, Timothy, dann war das genug, um ins Kino zu gehen. *Feuer über England, Goodbye, Mr. Chips*. Erstklassige Kost. Man bezahlte davon den Eintritt und hatte dann noch genug für eine Tüte Fish and Chips übrig. Ein göttliches Essen, so wie es vor dem Krieg zubereitet wurde.«

»Davon hab ich gehört, Sir.« Er war höflich, weil er sie zufriedenstellen wollte. Der Mann hatte es gern, wenn man ihn so anredete, und sie hatte es gern, wenn man sie anlächelte. Im Augenblick war sie gereizt, aber sie hatte bestimmt bald wieder bessere Laune.

»Leckere Kartoffeln, Mrs. Abigail«, sagte er und lächelte sie breit an. »Die sind wirklich gut.«

Sie wollte gerade etwas sagen, aber der Commander schnitt ihr das Wort ab.

»Am Wochenende ging man wandern. Man nahm den Frühzug von London und war in einer halben Stunde mitten in Buckinghamshire. Immer eine Schachtel Woodbines in der Gesäßtasche, hat man sich die Kehle in einer schönen, alten Kneipe angefeuchtet. Man begegnete keiner Menschenseele, außer vielleicht einem steinalten Landarbeiter, der die Mütze vor einem zog. Einige dieser alten Burschen waren unheimlich interessant.«

»Davon hab ich gehört, Sir.« Er fühlte sich richtig gut. Er hatte das Gefühl, als ertönte im Zimmer wirklich ein leiser Applaus. Er schloß die Augen und kostete das Gefühl aus, etwas zu hören, was, wie er wußte, nicht wirklich da war. Er konzentrierte sich auf das Geräusch. Es strömte dahin, sanft und mild wie lauwarmes Meerwasser. In dem Dunkel hinter seinen Lidern blitzte ein angenehmes Licht auf. Er verspürte einen ganz leichten Druck auf der linken Schulter, so als hätte ihm jemand die Hand darauf gelegt, aller Wahrscheinlichkeit nach Hughie Green. Er war überrascht, als er die Stimme von Mrs. Abigail hörte, die von gekochtem Pudding sprach. Er schlug die Augen auf. Es schien mehr Zeit verstrichen zu sein, als er gedacht hatte.

»Feige, Timmy?« fragte sie gerade. »Gekochten Feigenpudding? Letztes Mal hat er dir geschmeckt.«

Sie hielt ein Messer über einen Klumpen braunes Zeug auf einem Teller und fragte ihn, wieviel er gern hätte.

»Weißt du, was ein York ist?« fragte der Commander.

»Timmy?«

»Lecker, Mrs. Abigail. Feigenpudding ist wirklich gut. Eine Stadt, Sir, oder?«

»Das ist ein Riemen, der gewöhnlich von einem Landarbeiter ums Hosenbein getragen wurde.«

»Vanillesoße?«

»Toll, Mrs. Abigail.«

Sie goß die Vanillesoße über seinen Pudding, da sie Angst hatte, er würde kleckern, wenn sie ihm den Krug gab. Er war nicht mehr nüchtern. Schon als er erst ein paar Schlucke von dem Bier getrunken hatte, war ihr aufgefallen, daß er seine Bewegungen nicht mehr richtig koordinieren konnte. Schweiß war ihm auf die Stirn getreten.

»Es gab Zeiten«, sagte der Commander, »da konnte man in ein Lebensmittelgeschäft gehen, und es gab einen Stuhl mit rundem Sitz neben dem Tresen, auf den sich der Kunde setzen konnte. Und was haben wir jetzt? Jetzt haben wir ein Mädchen in einem schmutzigen weißen Kittel, das sich in der Nase bohrt, während es im Supermarkt an der Kasse sitzt. Nein, mit mir nicht, meine Liebe.«

»Gut so, Timmy?« flüsterte sie.

»Prost, Mrs. Abigail.«

»Manche von diesen Mädchen drücken eine halbe Million Tasten pro Tag«, sagte der Commander.

Timothy trank noch etwas Bier und spülte damit einen Mundvoll Feigenpudding mit Vanillesoße hinunter. Er erinnerte sich an eine Zeit, als er etwa acht gewesen und auf der Promenadenmauer entlanggegangen war; Miss Lavant war gekommen und hatte gesagt, er solle das nicht tun, weil es gefährlich sei. Sie war eine schöne Frau, immer modisch gekleidet: Es wäre nichts dagegen einzuwenden, mit Miss Lavant verheiratet zu sein. Als er von der Mauer heruntergestiegen war, um ihr einen Gefallen zu tun, hatte sie ihm ein Bonbon geschenkt und ihm dabei eine Papiertüte hingehalten, so daß er sich eins aussuchen konnte, Mackintosh's Quality Street. Das Karamelbonbon mit Schokoladenüberzug, das er genommen hatte, war in grünes Silberpapier eingewickelt gewesen. Alles, was man tun mußte, war, die Frauen so anzulächeln, das gefiel ihnen, so wie es jetzt auch dieser Frau hier gefiel. Er bemühte sich, nicht zu lachen, und dachte an Miss Lavant in ihren teuren Kleidern, wie sie die Promenade auf und ab ging und den Leuten Bonbons schenkte. Aber er konnte sich das Lachen nicht verkneifen und mußte sich dafür entschuldigen.

Danach verlor er wieder jegliches Zeitgefühl. Er bemerkte, daß sie auf den Beinen war und die Puddingschälchen wegräumte und auf ein Tablett stellte, das sie immer benutzte, ein braunes Tablett aus Holzimitat. Sie stellte die Reste des gekochten Puddings und die Vanillesoße darauf. Sie sah immer noch gereizt aus und lächelte nicht, versuchte es nicht einmal. Miss Lavant verhielt sich manchmal genauso, weil sie trotz ihrer ganzen Schönheit schlechte Zähne hatte. Er fragte sich, ob Miss Lavant wohl ihre Schwester war. Sie waren beide von kleiner Statur, und keine von beiden hatte Kinder.

Timothy lehnte sich in seinem Stuhl zurück und trank sein Bier aus. Sie würde in ein paar Minuten mit Tassen, Untertassen und Teekanne, alles mit Blumenmuster, und einem Kuchen zurück sein. Sie würde sich hinsetzen und versuchen, nicht dabei zuzuhören, wie der Commander weiterhin Blödsinn erzählte. Sie würde ihm ein Stück McVitie's Englischen Kuchen anbieten, und es gab keinen Grund, warum er sie nicht danach fragen sollte, ob Miss Lavant ihre Schwester sei. So eine Frage würde ihr gefallen. Es würde ihr gefallen, wenn er ein paar Sachen aus *1000 Witze für Kinder aller Altersgruppen* zum besten gäbe. Er lachte und sah, daß der Commander ihn über den Tisch hinweg anschaute und selbst lachte, ein blechernes Geräusch, so als ob etwas mit ihm nicht stimmte. »Prost, Commander«, sagte er und schwenkte sein Glas. »Gibt's noch etwas Watney's Pale, Sir?«

»Aber natürlich, mein lieber Freund. Bravo, alter Junge.« Der Commander stand schnell auf und ging zur Anrichte hinüber, aus der er zwei weitere Halbliterflaschen nahm. Timothy nahm an, daß der Commander sich glücklich fühlte, weil sie sich darüber ärgern würde, beim Hereinkommen noch mehr Bier auf dem Tisch vorzufinden. »Verzeih mir, daß ich meine Gastgeberpflichten so vernachlässigt habe«, sagte der Commander.

»Lesen Sie ab und zu Bücher, Commander? *Peinliche Momente* von André S. Ufer?« Er lachte lauthals und wackelte mit dem Kopf. Er sagte sich, daß er da, wo man Witze zu schätzen wüßte, ewig so dasitzen und welche erzählen könnte. »André S. Ufer«, sagte er erneut. »Verstehen Sie, Sir? *Peinliche Momente* von André S. Ufer? Ein Mann in einem Café, Commander: ›Herr Ober, was macht die Fliege hier in meiner Suppe?‹ ›Sieht wie Brustschwimmen aus, Sir.‹ Verstehen Sie, Commander? Dieser Mann in dem Café ...«

»Ja, ja, Timothy. Sehr amüsant.«

»Eine Frau geht in die Küche und sagt zu ihrem Kind, daß die Goldfische frisches Wasser brauchen. ›Sie haben doch das alte noch gar nicht ausgetrunken!‹ sagt das Kind. Verstehen Sie, Commander? Das Kind glaubt ...«

»Ich verstehe, Timothy.«

»Kennen Sie Plant aus dem Artilleryman's Friend, Commander?«

»Ich kenne Mr. Plant nicht. Na ja, das heißt, ich kenne ihn vom Sehen. Ich habe ihn seinen Hund ausführen sehen ...«

»Ich war mal nachts auf dem Parkplatz des Artilleryman's, und da kommt Plant aus der Damentoilette. Zwei Minuten später kommt eine Frau raus. Das hab ich ein paarmal gesehen. Verstehen Sie, Commander?«

»Ja, schon ...«

»Ein andermal bin ich um zwei Uhr nachts aufgestanden, um auf die Toilette zu gehen, und da steht Plant im Hemd bei uns im Wohnzimmer. Zu Besuch bei meiner Mutter, mittendrin unterbrochen.« Erneut konnte er sich das Lachen nicht verkneifen und dachte daran, daß Plants Frau an die Decke gehen würde, wenn sie jemals etwas davon erführe. Sie war eine große, kräftig gebaute Waliserin mit dem Naturell einer Katze. Plants Beine und sein Gemächt waren zu sehen gewesen, er hatte ekelhaft ausgesehen.

Sie kam ins Wohnzimmer und stellte ein Tablett mit Teegeschirr und McVitie's Englischem Kuchen auf den Tisch. Er lachte und wackelte mit dem Kopf.

»Es ist grün und behaart und bewegt sich auf und ab, Mrs. Abigail?«

Sie verstand die Frage nicht. Sie runzelte die Stirn und schüttelte den Kopf. Sie wollte gerade sagen, daß sie sich frage, ob Timothy ein Stück Kuchen vertragen könne, als sie die frisch geöffneten Bierflaschen bemerkte.

»Gordon! Bist du noch ganz bei Trost?«

Sie konnte nicht anders. Sie wußte, es war falsch, sie wußte, es war lächerlich, so zu reden, wo er doch die beiden neuen Flaschen nur geöffnet hatte, um sie zu ärgern. Er lächelte borniert unter seinem schmalen Schnurrbart.

»Bei Trost?« fragte er.

»Er hat schon einen halben Liter Bier getrunken. Und Sherry. Gordon, er ist erst fünfzehn. Kinder sind das nicht gewohnt.«

»Der Junge hat gefragt, ob er noch etwas Bier bekommen kann, Edith.«

Timothy war ganz rot im Gesicht, seine Lippen glänzten feucht, und an seiner Oberlippe klebte stellenweise Schaum. Seine Augen sahen glasig aus.

»Eine Stachelbeere in einem Fahrstuhl«, sagte er.

»Ich hab dir doch gesagt, du sollst keinen Sherry annehmen«, rief sie plötzlich schrill.

Er lachte und wackelte mit dem Kopf. »Und, verstehen Sie? Auf und ab in einem Fahrstuhl. Eine Stachelbeere in einem Fahrstuhl.«

Sie bat ihn, er solle versuchen, vernünftig zu sein. Er sah albern aus, wie er so dasaß und mit dem Kopf wackelte.

»Gast zum Kellner: ›Bringen Sie mir ein Steak! Gut abgehangen, genau 240 Gramm, ohne Fett, innen nicht zu roh.‹ ›Und welche Blutgruppe soll das Rind haben?‹ Der Mann geht in das Restaurant, verstehen Sie, und sagt, er will ...«

»Ja, ja, natürlich, Timothy.«

»Lesen Sie ab und zu Bücher, Mrs. Abigail?«

Sie gab keine Antwort. Er konnte nicht sehen, ob sie lächelte oder nicht. Er konnte ihre Zähne nicht sehen, aber es war durchaus möglich, daß sie lächelte, ohne ihre Zähne zu zeigen. Ihre Schwester hatte ihre Zähne nicht einen Augenblick lang gezeigt, als sie ihn eins von den Quality-Street-Bonbons hatte aussuchen lassen. Wirklich eine komische Sache, daß eine Frau auf einer Promenade Bonbons verteilte, nur weil sie jemand anderem begegnete. »Ich bin dem Jungen begegnet«, hatte Plant in jener Nacht geflüstert, als er ins Schlafzimmer zurückgekehrt war, und dann hatte, noch bevor Plant die Schlafzimmertür zugemacht hatte, Gekicher eingesetzt. Plant war einer von diesen Typen, die ständig aus Toiletten kamen, der Damentoilette auf dem Parkplatz oder wo auch immer. Ein andermal waren Rose-Ann und Len gerade auf dem Kaminvorleger im Wohnzimmer zugange gewesen, als er aus dem Kino nach Hause gekommen war. Sie hatten sich gar nicht darum gekümmert.

Das Zimmer schwankte leicht. Der Commander rutschte auf der anderen Seite des Tisches hin und her, erst nach links, dann nach rechts, und die beiden Bewegungen überlagerten sich, so daß er mehr als zwei Augen und mehr als einen Schnurrbart hatte. »Du hast ihn betrunken gemacht«, sagte ihre Stimme, die weit entfernt klang, so als käme sie vom anderen Ende eines Telefons.

In dem Gefühl, ein weiterer Schluck Bier brächte sein Sehvermögen wieder in Ordnung, trank Timothy sein Glas aus. Er trank ausgesprochen gern Bier. Zum ersten Mal hatte er Bier probiert, als er eines Nachmittags allein im Jugendzentrum gewesen war und zwei Flaschen entdeckt hatte, die jemand hinter einem Schrank versteckt hatte. Dort durfte kein Bier getrunken werden, nur Cola oder Pepsi, aber oft wurde zu besonderen Anlässen welches eingeschmuggelt. Er hatte die beiden Flaschen auf die Toilette des Jugendzentrums mitgenommen und das Bier ausgetrunken, ohne damit zu rechnen, daß es ihm schmecken würde. Er hatte es nur getrunken, weil es ihm nicht gehörte. Er hatte die Flaschen im Toilettenbecken liegenlassen, in der Hoffnung, jemand würde die Toilette benutzen, bevor er sie dort liegen sah. Er war in den sonnigen Nachmittag hinausgetreten und hatte sich prima gefühlt. Seitdem trank er so viel Bier, wie er kriegen konnte.

Er goß sich jetzt noch mehr ein. Er bekam mit, daß sie ihn bat aufzuhören. Die Flüssigkeit erreichte den Rand des Glases und lief auf die Tischdecke, weil er versehentlich weiter eingeschenkt hatte, während er sie anlächelte.

»Immer langsam, alter Junge«, protestierte der Commander mit seinem blechernen Lachen.

»Ist Miss Lavant Ihre Schwester, Mrs. Abigail?«

Er spürte ihre Finger auf seinen eigenen, spürte, wie sie ihm die Flasche aus der Hand nahm. Er sagte, das sei schon in Ordnung, sie könne sie haben, wenn sie wolle, er wolle ihr den Alkohol nicht vorenthalten. Ihre Schwester sei wegen der Sache mit Dr. Greenslade immer modisch gekleidet. Ihre Schwester habe auch keine Kinder, rief er ihr in Erinnerung, und obwohl sie modisch gekleidet sei, zeige sie nicht gern ihre Zähne.

Der Commander amüsierte sich erneut. Er deutete mit dem Daumen auf seine Frau, nur daß der Daumen ständig hin und her glitt, so als handelte es sich um eine größere Anzahl von Daumen. Er schüttelte den Kopf und lachte.

»Ich habe keine Schwester«, sagte sie ruhig.

»Mein Vater hat sich aus dem Staub gemacht, Mrs. Abigail.«

»Ja, ich weiß, Timothy.«

»Er konnte es nicht aushalten, mit dem schreienden Baby in der Wohnung. Wenn sie Verhütungsmittel benutzt hätten, säße ich jetzt nicht hier.«

Er sah sie nicken und lächelte sie über den Tisch hinweg an.

»Eine Frau geht in die Küche, Mrs. Abigail, und da ist ihr Kind mit dem Goldfischglas ...«

»Ach, um Himmels willen, Timothy!«

Sie versuchte, ihm das Glas abzunehmen, aber er wollte es ihr nicht geben. Er hielt es fest und lächelte, ein Auge geschlossen, um richtig sehen zu können. Er hörte sie sagen, daß er lieber etwas heißen Tee trinken solle, aber sobald sie das Glas losgelassen hatte, führte er es zum Mund und trank einen weiteren Schluck Bier. Der Commander sagte etwas von einem jungen Mann, der im Begriff sei, erwachsen zu werden. Sie versuchte erneut, nach dem Glas zu greifen.

Er fing an zu lachen, weil es wirklich komisch war, wie sie ständig an dem Glas zog, wie das Gesicht des Commanders in der Gegend herumrutschte und wie er selbst dringend aufs Klo mußte. Das Glas glitt ihm aus den Fingern, und dabei wurde erneut etwas Bier verschüttet, worüber er noch mehr lachen mußte.

»Ich muß auf Toilette«, verkündete er und bemühte sich, auf die Beine zu kommen, fand das jedoch schwierig. »Toilette«, wiederholte er und erinnerte sich plötzlich an die beiden Bierflaschen, die im Jugendzentrum im Toilettenbecken lagen.

»Na dann los, alter Junge.« Der Commander stand jetzt neben ihm, saß nicht mehr auf der anderen Seite des Tisches. »Reiß dich zusammen, alter Junge«, sagte der Commander.

Die beiden waren so sonderbar wie viereckige Eier. Aufstehen oder hinsetzen, das spielte nicht die geringste Rolle: Sie waren wirklich komisch, tausendmal komischer als die Dasses.

Das war lächerlich, daß die Frau sagte, sie habe keine Schwester. »*Charrada*«, sagte er, als er auf den Beinen war und sich auf den Arm des Commanders stützte. »Sie sind mit einer Blondine aus, Mrs. ...«

»Kommst du jetzt zurecht, alter Junge?« unterbrach ihn der Commander. »Schaffst du's allein, hm?«

Das Zimmer schwankte erneut, senkte sich auf einer Seite und kam dann langsam wieder hoch. Sie fing wieder davon an, wie er dazu komme, einem Kind Alkohol zu geben. Der Commander sagte, sie sollten doch vernünftig sein.

»Wir haben in der Gesamtschule Scharaden gespielt«, sagte er, weil er es ihnen, soweit er sich erinnern konnte, noch nicht erzählt hatte. »Die Wilkinson hat bloß alles außer Kontrolle geraten lassen. Sie haben mich als Elizabeth die Erste zurechtgemacht, mit Schmuck und allem. Ich muß aufs Klo, Commander.«

Er fühlte sich jetzt besser, da er den Dreh raus hatte, wie er sich auf den Beinen halten konnte. Er stakste durchs Zimmer, öffnete ohne Hilfe die Tür und machte sie hinter sich zu. Er ging zur Toilette und beschloß, wenn er fertig wäre, ins Wohnzimmer zu schlüpfen und noch ein Glas Sherry zu trinken, da sie es nicht gern sähe, wenn er sich ein weiteres Watney's Pale nähme. Er pfiff auf der Toilette und sagte sich, daß er blau wie ein Veilchen war. Er fühlte sich wirklich phantastisch.

Im Eßzimmer herrschte unterdessen Schweigen. Mrs. Abigail goß zwei Tassen Tee ein und reichte eine ihrem Mann über den Tisch.

»Liebes, es ist nicht meine Schuld, wenn der Junge einen Tropfen zuviel hat.«

»Wessen Schuld ist es dann, Gordon?« Sie wußte, daß das genauso falsch war, wie ihn zu fragen, ob er noch ganz bei Trost sei. Und doch konnte sie nicht anders. Niemand konnte einfach so dasitzen.

»Der Junge hat darum gebeten. Ich habe dir gesagt, daß er darum gebeten hat.«

»Er hat darum gebeten, weil du ihn auf den Geschmack gebracht hast. Das ist albern, Gordon. Mit einem Schuljungen Sherry zu trinken, Bier mitzubringen. Du hast noch nie in deinem Leben Bier gekauft, Gordon.«

»Ein Glas Bier hat noch keinem geschadet, Liebes. Prince Charles trinkt ab und zu eins, der Duke of Edinburgh ...«

»Ach, Unsinn, Gordon.« Sie redete jetzt so, wie es ihr gar nicht entsprach, ohne sich darum zu kümmern, was sie sagte, weil alles so albern geworden war. »Und noch etwas. Das ganze Geschwätz über Lebensmittelgeschäfte. Was in aller Welt soll für einen Jungen von fünfzehn Jahren daran von Interesse sein?«

Er ergötzte sich daran, wie sie sich aufregte. Es lag Freude in dem flüchtigen Lächeln, das kam und dann schnell verscheucht wurde. Er sagte bissig:

»Zunächst einmal ist es von historischem Interesse. Willst du etwa sagen, daß es für einen Jungen falsch ist, die Fakten über sein Land zu kennen?«

Mrs. Abigail gab keine Antwort. Zwei kleine rote Flecke hatten sich in ihrem Gesicht gebildet, hoch oben auf beiden Wangen.

»Ich habe dir eine Frage gestellt, Edith.« Er hatte den Kopf über den Tisch gestreckt und die Schultern angriffslustig hochgezogen. »Ich habe dir eine Frage gestellt«, sagte er erneut.

Sie gab ihm zu verstehen, sie wisse, daß er ihr eine Frage gestellt habe. Sie sagte mit ruhiger Stimme, ihrer Meinung nach sei der Umstand, daß in Lebensmittelgeschäften einmal Stühle gestanden hätten, wohl kaum von historischem Interesse. Bei Mock's in der Pretty Street, so erklärte sie, werde für Kunden immer noch ein Stuhl hingestellt, aber nie setze sich jemand darauf.

»Das stimmt nicht.« Seine Stimme klang, ihrer Gelassenheit entsprechend, beherrscht. »Ich setze mich auf diesen Stuhl.«

»Wovon redest du dann, Gordon? Im einen Moment sprichst du von Stühlen in Lebensmittelgeschäften so, als gehörten sie der Vergangenheit an, und im nächsten Moment sagst du, daß du dich selbst auf einen setzt, wenn du zu Mock's gehst. Abgesehen davon«, fuhr sie ruhig fort, »ist das alles unwesentlich.«

»Es ist wohl kaum unwesentlich, daß das Land, für das Männer bereit waren, ihr Leben zu geben, zu einer Müllkippe geworden ist.«

»In diesem Augenblick ist es unwesentlich, Gordon.«

»Ach, sei um Himmels willen vernünftig, Frau!«

Er verlor die Beherrschung, was ihm Freude bereitete. Seine Augen blitzten, seine Lippen zuckten und brachten auch seinen kupferroten Schnurrbart zum Zittern.

»Dieser Junge ist davon in jeder Hinsicht betroffen«, fuhr er sie an. »Herrgott noch mal, denkst du etwa, er wäre derselbe, wenn er in Charterhouse oder Rugby zur Schule ginge? Nimm doch mal ein bißchen Vernunft an, Edith.«

Sie seufzte und machte vage Kopfbewegungen, schüttelte den Kopf zuerst und nickte dann. Es war nicht die Zeit, um sich zu streiten. Es ging um einen betrunkenen Jungen, und sie benahm sich genauso albern wie die anderen und machte alles noch schlimmer, indem sie sich auf einen sinnlosen Streit einließ.

Sie beobachtete, wie er seinen Tee trank und die Tasse mit einer Siegesgebärde zum Mund führte. Sein Wutanfall hatte sich gelegt; er hatte ihr die Niederlage beigebracht, die er ihr hatte beibringen wollen, ohne einen Milchkrug an die Wand werfen zu müssen, wie er es einmal am Anfang ihrer Ehe hatte tun müssen. Er würde sich zu seiner Beherrschung beglückwünschen: Das konnte sie schon an seiner Siegesgebärde mit der Teetasse erkennen. Es war ihr oft in den Sinn gekommen, daß es in einer Ehe immer wieder um Sieg und Niederlage ging und daß es besser klappte, wenn Frauen die Besiegten waren, da Männer Niederlagen anscheinend nicht ertragen konnten und auf diesen Fall nicht eingestellt waren.

»Was machen wir mit Timothy, Gordon?«

Er zog die Lippen zurück und entblößte eine kurze Reihe von Zähnen, die passenderweise einen leicht rötlichbraunen Ton hatten.

»Überlaß Master Timothy ruhig mir«, sagte er, und sein Tonfall bestätigte nur, was sie bereits wußte: daß er es zu der Situation hatte kommen lassen, um seine Fähigkeiten zu demonstrieren, indem er wieder alles klärte, gerade so, wie er sie in den Streit hineingezogen hatte, um das erregende Erlebnis zu haben, ihn zu gewinnen. Über all das dachte sie nach und machte sich gleichzeitig Gedanken über den Zustand des Jungen, der so lange auf der Toilette war, als die Tür aufging und Timothy eintrat. Zu ihrem Erstaunen trug er einen von Gordons Anzügen.

»Mein Gott!« murmelte der Commander.

Er lächelte sie an, hielt sich an der Rückenlehne eines Stuhls fest und schwankte leicht. Er sagte, er wolle ihnen die Sache mit den Scharaden zeigen. Er habe sich eine Komiknummer ausgedacht, sagte er, die er beim Fest am Ostersamstag aufführen werde. Dabei müsse er sich in drei verschiedene Bräute verkleiden. Er müsse sich auch noch als George Joseph Smith verkleiden: Er probiere den Anzug wegen der Größe an. Er habe sich den mit dem Fischgrätenmuster ausgesucht, weil er denke, daß der Mann so einen hätte.

»Stringer hat uns zu Tussaud's mitgenommen, nach unten in die Schreckenskammer. Haben Sie je Miss Lofty gesehen, Sir?«

»Du hast zuviel Alkohol getrunken, Timmy«, flüsterte sie.

Er nickte ihr zu und sagte, daß er einmal überall nach ihrem Hochzeitskleid gesucht habe. Als er es nirgends finden konnte, sei ihm eingefallen, wo sich noch eins befinde. An ein Hochzeitskleid sei nicht leicht heranzukommen.

»Zieh dir auf der Stelle deine Sachen an, Junge. Mach los.« Die Stimme des Commanders klang scharf, wie ein Splitter.

Timothy lachte, weil die Stimme komisch klang. Es war

verdammt lächerlich, jeden Tag in Badesachen ins Meer zu gehen.

»Könnten Sie ein Paar Vorhänge nähen, Mrs. Abigail?«

Sie schüttelte den Kopf, ohne zu wissen, wovon er sprach.

»Ich hab es Mr. Feather gesagt, und er hat gesagt, ich soll Sie fragen.«

»Wir sprechen ein andermal darüber, Timothy.«

»Haben Sie eine Nähmaschine? Es ist bloß, daß man Vorhänge nicht mit einer Maschine nähen kann.«

»Nein, natürlich nicht ...«

»Glauben Sie, daß Ihre Schwester eine Nähmaschine hat?«

Sie nickte und versuchte, ihn anzulächeln.

»Dann ist es kein Problem.«

»Ich habe dich um etwas gebeten«, sagte der Commander mit derselben splitterscharfen Stimme. »Zieh sofort meinen Anzug aus.«

»Wir hätten gern, daß du wieder deine eigenen Sachen anziehst.«

Kinder verkleiden sich gern, dachte sie und versuchte, einen ruhigen Gedanken zu fassen. Das war eben so, Kindern machte das Spaß. Und doch war es etwas völlig anderes. Es war nicht wie bei einem Kind, das sich nur aus Spaß verkleidet. Es war ein Junge, den man betrunken gemacht hatte, mit heruntergezogenen Mundwinkeln, Augen, die einen glasig anstarrten, überall auf Hals und Gesicht schweißnaß. In dem Anzug mit dem Fischgrätenmuster sah er grotesk aus. Was sich hier abspielte, war wie etwas, worüber man in einem billigen Sonntagsblatt lesen konnte.

Er erwähnte *Opportunity Knocks* und Hughie Green, der möglicherweise im Queen Victoria Hotel weile, um in Dynmouth Golf zu spielen. Niemand habe jemals so etwas bei *Opportunity Knocks* vorgeführt. Bei *Opportu-*

nity Knocks gebe es Nummern mit Tauben, oder es träten ganze Familien auf, es gebe Kunstradfahrer, Sänger, Dreijährige, die schon tanzen konnten, und Hunde, die Pfeife rauchten, aber er habe noch nie eine Vorführung gesehen, die komisch gewesen sei und gleichzeitig vom Tod gehandelt habe. Man müsse jede Braut so spielen, als würde sie sich gegen George Joseph Smith wehren, und jedesmal würde George Joseph Smith gewinnen, nur daß man ihn nicht wirklich sähe, man müsse ihn sich vorstellen. Und wenn die Braut unter Wasser getaucht werde, würden die Lichter ausgehen, und kurz darauf würde George Joseph Smith in dem Anzug mit dem Fischgrätenmuster erscheinen. Er würde neben der Badewanne mit der Braut darin stehen und Witze reißen. Die Leute würden wissen, daß sie darin lag, weil ein Stück von ihrem Hochzeitskleid über den Wannenrand hinge, aber natürlich wäre sie überhaupt nicht da, weil alle Figuren von ein und derselben Person gespielt würden. »Tja, dann mach ich mich am besten wieder an die Arbeit«, würde George Joseph Smith sagen, nachdem er Lachstürme entfesselt hätte. Dann würde das Licht ausgehen, und als nächstes würde man sehen, wie sich eine andere Braut gegen die mordenden Hände dieses Mannes wehrte. Nachdem er die einzelnen Bräute ertränkt habe, sei George Joseph Smith immer losgegangen und habe für die Tote etwas zum Abendessen gekauft, Fisch für Miss Munday, Eier für Mrs. Burnham und Miss Lofty. Das sei eine Eigenart von ihm gewesen, genau wie seine Passion für den Tod am Meer. George Joseph Smith habe einmal in Dynmouth geweilt, in der Pension Castlerea.

Während sie all dem zuhörte, glaubte Mrs. Abigail mehrmals zu träumen. Es war genau wie ein Traum, ein Alptraum, der einen einfach nicht losließ, nicht aufwachen ließ. Ein Junge hatte eine Komiknummer über drei wirkliche und brutale Morde verbrochen. Er erwartete, daß die Leute in einem Festzelt auf dem Rasen des Pfarrhauses darüber lachten. Er schien zu glauben, daß zufällig irgendeine Persönlichkeit aus dem Fernsehen dort sein könnte, um ihn zu sehen.

»Haben Sie schon mal Benny Hill gesehen, Mrs. Abigail? Wirklich komisch, Benny Hill. Und Bruce Forsyth. Gefällt Ihnen das, wenn Bruce Forsyth richtig loslegt?«

»Bitte.« Sie sprach immer noch leise, so vernünftig, daß die Vermutung nahe lag, die Bitte würde zum ersten Mal geäußert.

»Benny Hill war ein gewöhnlicher Milchmann mit Halbliterflaschen auf einem Wagen, Sahne, Joghurt und Karotten, alles, was man an der Tür kaufen will. Benny Hill hat sich die Gelegenheit geboten. Das könnte Ihnen auch passieren, Mrs. Abigail. Das könnte jedem passieren.«

»Schnell jetzt«, befahl der Commander mit matter Stimme. »Mach mal vorwärts, Gedge.«

Aber Timothy dachte gar nicht daran. Er wackelte mit dem Kopf und unternahm keinen Versuch, von dem Stuhl aufzustehen, auf dem er saß. Er sprach von dem Lehrer namens Brehon O'Hennessy, von der eintönigen Landschaft und davon, daß es Leute gebe, die wie der Rhabarber vom letzten Jahr durch die Straßen gingen. Darüber müsse man lächeln, sagte er, aber man könne den Standpunkt des Mannes verstehen. Er sei ein komischer Kauz gewesen, ein richtiger Spinner, und doch könne man nicht umhin zu begreifen. Er lachte. Er selbst verbringe viel Zeit damit, den Leuten überallhin nachzugehen, sagte er, und in ihre Fenster zu spähen.

»Ist Miss Lavant ihre Schwester, Sir? Es ist bloß, daß Dr. Greenslade der Lavant schon seit zwanzig Jahren gefällt, und er rührt keinen Finger, weil ihm sonst die Zulassung entzogen werden könnte. Ist das nicht furchtbar, daß Miss Lavant sich an einen verheirateten Mann verschwendet? Ist das nicht eine schreckliche Geschichte, Mrs. Abigail? Ihre Schwester in so einem Dilemma?«

Sie nickte, weil sie nicht wußte, was sie sonst tun sollte.

»In dieser Stadt passieren noch schlimmere Sachen. Damals, als sie mir das Bonbon geschenkt hat, hab ich gedacht, daß sie mich vielleicht entführen will. Ich hab gedacht, daß sie auf ein Lösegeld aus ist, zwei- oder drei-tausend ...«

»Meine Frau hat keine Schwester. Hör bitte damit auf, Junge.«

»Ich meine Miss Lavant, Sir. Sie hat mir ein Bonbon geschenkt ...«

»Miss Lavant ist nicht ihre Schwester.«

Mrs. Abigail wandte den Blick von dem Kind, erstaunt über den nervösen Unterton in der Stimme ihres Mannes. Es machte ihm keinen Spaß mehr, wütend zu sein. Sein Gesicht war voller Flecke, seine Lippen zuckten, während er brüllte, und seine Augen zuckten ebenfalls. Irgend etwas ging im Zimmer vor sich, etwas, das mehr mit Gordon als mit dem Kind zu tun hatte, das in seinen Kleidern steckte. Sie spürte, wie es sich um sie herum zusammenbraute, klebrig, dicht und massig. Gordon saß zusammengekauert und mit starrem Blick da und schien schreckliche Angst zu haben. Timothy Gedge lächelte jämmerlich. Sie wollte über beide weinen, wollte Gordon fragen, was um alles in der Welt los sei, und Timothy auf eine andere Art die gleiche Frage stellen.

Er lächelte immer noch und fing wieder an zu reden. Er habe alles mögliche mitangesehen, sagte er: wie Tote beerdigt worden seien, wie Kinder aus der Grundschule bei W. H. Smith's Radiergummis geklaut hätten, wie Plant mit seiner Mutter zugange gewesen sei, die Beine käseweiß. Er habe beobachtet, wie Rose-Ann und Len auf dem Kaminvorleger und andere im Wald hinter dem Ju-gendzentrum zugange gewesen seien, Kinder jeder Altersstufe, von neun bis dreizehn, das könnten sie sich aussuchen. Er habe gesehen, wie die Robson von der Post mit Slocombe aus dem Fine-Fare-Spirituosenladen bei Phyl's Phries Fish and Chips gekauft und wie der Rechtsanwalt Pym nach einem Abendessen des Rotary Clubs im Queen Victoria Hotel ins Meer gekotzt habe. Er habe gesehen, wie die Dynmouth Hards den Pakistani aus der Dampfwäscherei in einem Wartehäuschen zusammengeschlagen und *Schwarze raus* an die Rückwand des Essoldo gesprüht hätten. Er habe gesehen, wie sie Schwester Hackett, die Hebamme, terrorisiert hätten, indem sie mit ihren Motorrädern vor ihrem blauen Mini herumgekurvt seien, als sie nachts versucht habe, ihren Pflichten nachzukommen. Samstag nachts finde auf Parties in der neuen Siedlung, die Leaflands heiße, draußen an der Straße nach London, immer Partnertausch statt. Er habe einmal in ein Fenster gespäht und einen Mann in der Lace Street sein Glasauge herausnehmen sehen. Er habe Slocombe und die Robson oben auf dem Golfplatz gesehen. In Dynmouth und Umgebung habe er schreckliche Dinge mitangesehen, sagte er.

Er schien wieder unzusammenhängendes Zeug zu reden, aber da konnte man sich nicht sicher sein. Er hatte anscheinend auch unzusammenhängendes Zeug geredet, als er zum ersten Mal das Hochzeitskleid erwähnt, von Miss Lavant als ihrer Schwester und von einer Stachelbeere in einem Fahrstuhl gesprochen hatte.

»Du hast kein Recht, den Leuten nachzuspionieren«, begann der Commander. »Du hast kein Recht, deine Nase in ...«

»Ich hab Sie unten am Strand beobachtet, Sir. Wie Sie in Ihren Badesachen rumgelaufen sind. Ich hab Sie bei Ihren Spielchen beobachtet, Commander, wenn sie bei Essen auf Rädern ist.«

Er lächelte sie an, aber sie wollte ihn nicht ansehen.

»Das würd ich nie einer Menschenseele erzählen«, sagte er. »Wirklich nicht, Commander.«

Sie wartete, den Blick auf die Teekanne mit dem Blumenmuster gerichtet und die Stirn gerunzelt. Egal, wovon er sprach, sie wollte nichts davon hören. Sie wollte, daß er aufhörte zu reden. Sie hatte das Gefühl, von der Angst ihres Mannes angesteckt zu sein, ohne zu wissen, warum. Das würde ihr Geheimnis bleiben, sagte der Junge. Das Geheimnis sei bei ihm gut aufgehoben.

»Da ist kein Geheimnis, das bewahrt werden müßte«, schrie der Commander. »Da ist nichts, überhaupt nichts.«

Sie wünschte, er hätte das nicht gesagt. Wenn er das nicht gesagt hätte, hätten sie vielleicht alles vertuschen können, was der Junge bereits gesagt hatte. Sie hätten vielleicht so tun können, als ob sie versuchten, dem Jungen zu helfen, und ihm seinen Willen lassen können, indem sie zugaben, daß da ein Geheimnis sei, das sie betreffe. Sie waren seit sechsunddreißig Jahren verheiratet, sagte sie sich, verblüfft darüber, daß ihr das jetzt in den Sinn kam.

»Er redet Unsinn.« Die Stimme des Commanders hatte sich gesenkt, seine Worte waren kaum zu hören.

Sie war eine glückliche Frau: Das sagte sie sich. Sie war immer vollkommen glücklich gewesen, wenn sie das Abendessen zubereitet hatte, das Huhn und den Feigenpudding. Es spielte keine Rolle, daß Gordon jeden Streit gewinnen wollte. Es spielte keine Rolle, daß seine Kleider die ganze Küche naßtropften. Sie hatte Gordon ihr Leben gewidmet. Sie wollte das nicht hören. Egal, worum es ging, sie wollte es nicht wissen.

»Bitte nicht«, sagte sie, sah von der Teekanne auf und blickte Timothy Gedge über den Tisch hinweg an. »Bitte sag jetzt nichts mehr.«

Timothy lächelte sie an. Es sei ein Geheimnis zwischen ihm und dem Commander, sagte er. Er stand mit wackligen Beinen von seinem Stuhl auf und ging um den Tisch herum, dorthin, wo Gordon saß. Instinktiv wollte sie sich die Ohren zuhalten, aber sie konnte sich nicht dazu durchringen, weil es ihr so albern vorkam. Eines Sonntagnachmittags, als sie sich in Sutton Vorstadtkricket angesehen hatten, hatte er ihr gesagt, daß er sie liebe, und sie gebeten, seine Frau zu werden.

Timothy flüsterte etwas, aber das Flüstern klang wegen des Sherrys und des Biers schwerfällig: Sie hörte es so deutlich, als würde er schreien. Es würde ein Geheimnis bleiben, sagte er, er würde nie einer Menschenseele erzählen, daß ihr Mann den Wölflingen von Dynmouth nachstelle, in der Absicht, sich ihnen unsittlich zu nähern.

In jener Nacht tobte ein Sturm durch die Stadt. Die engen Straßen wurden von Regen überspült, die Zeltbahn von Ring's Vergnügungspark flatterte im Sir-Walter-Raleigh-Park, Brecher schlugen krachend gegen die Promenadenmauer. Die Straßen der Stadt waren menschenleer. Das rosafarbene Essoldo lag da wie ausgestorben. Phyl's Phries hatte um halb elf zugemacht, der Nachtportier im Queen Victoria Hotel schlief ungestört in seinem Kabuff. Der Polizeiwagen, der manchmal durch die nächtlichen Straßen von Dynmouth glitt, stand mit ausgeschaltetem Licht auf dem Hof des Polizeireviers. Weder die Dynmouth Hards noch Schwester Hackett in ihrem blauen Mini waren unterwegs. Nur in den Schaufenstern zeigten sich Anzeichen von Leben. Fernsehgeräte zeigten die lautlosen Lippenbewegungen eines Sprechers in den Spätnachrichten. In grellem weißen Licht führten Figuren ohne Augen Twinsets und Kleider vor oder saßen auf Billigmöbeln. Ein Paar aus Pappe lächelte freudig und machte auf die Prämien einer Bausparkasse aufmerksam. Der Regen prasselte auf das Schieferdach des Artil-

leryman's Friend, unter dem sein Inhaber schläfrig und
zufrieden lag. Vor einer halben Stunde hatte Mr. Plant mit
seiner kräftig gebauten walisischen Frau geschlafen, und
in der Damentoilette auf dem Parkplatz der Gaststätte
hatte er sich zuvor an der adretteren Figur von Timothy
Gedges Mutter gütlich getan. Wie immer hatte er den
Gegensatz genossen, sowohl im voraus, während seiner
Vereinigung mit Mrs. Gedge, als auch rückblickend, während er mit seiner Frau beschäftigt war. Was die Frauen
betraf, so waren sie anscheinend zufrieden gewesen.

In dem efeubewachsenen Pfarrhaus lag Lavinia Featherston wach, und es tat ihr leid, daß sie den ganzen Tag
so schlechte Laune gehabt hatte. Es war falsch, sich über
Tatsachen aufzuregen, über einen Umstand in ihrem Leben, der nicht zu ändern war. Nachdem sie die Zwillinge
ins Bett gebracht hatte, war sie erneut schlecht gelaunt
gewesen. Sie hatte sich bei ihrem Mann in ziemlich schar-
fer Form über die Leute beschwert, die ununterbrochen
ins Pfarrhaus kämen, die Armen der Stadt, die Schmutzigen, die Häßlichen, die Langweiligen, die Verrückten. Sie
habe es satt, Mrs. Slewy dabei zuzuhören, wie sie sich
über den Mann vom Sozialamt beklage. Mrs. Slewy, die
ständig eine Zigarette im Mund habe, sich an die Hintertür lehne und frage, ob sie ihr ein Pfund leihen könne. Sie
habe es satt, daß Old Ape wegen seiner Mahlzeit am
falschen Tag komme. Sie habe bestimmt schon tausend
Tassen Nescafé für Mrs. Stead-Carter gemacht und sei
währenddessen im ganzen Haus herumkommandiert
worden. Sie sei erleichtert, daß die verrückte alte Miss
Trimm erkältet sei, so habe sie wenigstens etwas Ruhe vor
deren Glauben daran, daß sie einen zweiten Jesus Christus zur Welt gebracht habe. Miss Poraway sorge dafür,
daß man laut aufschreien wolle. Quentin hatte ihr ruhig
zugehört und gesagt, das alles sei verständlich, und sie
hatte in noch größerer Verärgerung erwidert, es sei ty-

pisch für ihn, das zu sagen, und dann hatte sie geweint. »Tut mir leid«, murmelte sie in Richtung seiner schlafenden Gestalt, in dem Wissen, daß sie am nächsten Tag wahrscheinlich wieder gereizt wäre.

Sie lag da und dachte an ihren Kindergarten. Daran, wie der kleine Mikey Hatch sich die Arme naß machte. Wie Jennifer Droppy traurig dreinschaute. Wie Joseph Wright jemanden schubste. Wie Mandy Goff ihr Lied sang. Wie Johnny Pyke lachte, Thomas Braine ihr ins Wort fiel, Andrew Cartboy brav war und Susannah und Deborah mit Teig warfen. Sie zwang sich, an sie zu denken, und dann zwang sie sich, über die Preise nachzudenken und die Summe im Kopf auszurechnen, weil irgendwann ein neues Spielhaus erforderlich wäre. Ihre Gedanken versuchten, sich diesen Berechnungen zu verweigern und sich wieder ihren Grübeleien zuzuwenden, aber das ließ sie nicht zu. Mandy Goffs Vater würde sich vielleicht bereit erklären, ein neues Spielhaus zu bauen, wenn sie das Material bezahlte und ihm anbot, für seine Zeit aufzukommen. Er hatte den Ständer, an dem die Mäntel aufgehängt wurden, und die Rutsche gebaut, ohne daß sie ihn groß hatte drängen müssen. Sie wurde langsam schläfrig und dachte an die graue Holzrutsche und daran, wie die Kinder herunterrutschten.

Im Zimmer nebenan lagen die Zwillinge in ähnlicher Stellung und sahen im Schlaf glücklich aus. Zwei Meilen entfernt träumten die Waisenkinder im Down-Manor-Waisenhaus ohne Ausnahme, ängstigten sich und belustigten sich. Das taten auch die Kinder aus Lavinias Kindergarten, die über ganz Dynmouth verteilt wohnten, und die Kinder aus dem Ring-o-Roses-Kindergarten und der Spielgruppe des Women's Royal Voluntary Service, ebenso die Kinder aus der Grundschule und der Gesamtschule von Dynmouth und die aus der Loretto-Klosterschule, die umherreisenden Kinder von Ring's Vergnügungspark und Sharon Lines, die ihr Leben einer Maschine verdankte.

In dem Haus namens Sweetlea lag Mrs. Dass schlaflos im Dunkeln und erinnerte sich an ihren Sohn, der ihr Liebling gewesen war, ein Kind, das sie unter Schmerzen geboren hatte und von dem sie schmerzlich zurückgewiesen worden war. In ihrer Einzimmerwohnung in der Pretty Street grübelte die schöne Miss Lavant, die sich in all den schlaflosen Stunden wünschte, sie hätte das Kind des Mannes zur Welt gebracht, den sie hoffnungslos liebte, über einer leeren Seite in ihrem Tagebuch. *Naß* schrieb sie, und es fiel ihr nichts anderes ein, was sie hätte aufschreiben können: Der Tag war verstrichen, ohne daß sie Dr. Greenslade zu Gesicht bekommen hatte.

In Sea House träumte Kate von dem Schlafzimmer, in dem sie schlief, von der orange gestrichenen Frisierkommode und den orange gestrichenen Stühlen darin, von den Jalousien und der Tapete in einem dazu passenden Muster, orangefarbene Mohnblumen in hohem Gras. Sie träumte, daß der korpulente Ober aus dem Speisewagen im Zimmer stand und ihr Teegebäck anbot und daß Miss Shaw und Miss Rist die kleine Miss Malabedeely schikanierten. Im Zimmer fand eine Hochzeit statt: Ein afrikanischer Bischof schwor, sie zu lieben und zu ehren. Er hatte Spuren einer Tigerklaue auf den Wangen. Er sagte, das Teegebäck sei köstlich.

Stephen schlief ebenfalls. Er hatte noch eine Weile wach gelegen und sich an sein Schlafzimmer in Primrose Cottage erinnert, sich gefragt, wer wohl jetzt dort schlief. Er war gerade die durchschnittlichen Schlagresultate von Somerset für die letzte Saison durchgegangen, als er einschlief.

Mr. Blakey, der über der Garage noch wach war, horchte auf das Krachen der Brecher. Plötzliche Böen rüttelten heftig an den Fenstern und peitschten den Regen in Strömen gegen die Scheiben. Neben ihm lag seine Frau zufrieden in tiefem Schlaf.

Mr. Blakey glitt aus dem Bett. Ohne das Licht anzuschalten, zog er einen braunen wollenen Bademantel um sich und verließ das Zimmer. Immer noch im Dunkeln, ging er durch ein kleines Wohnzimmer und eine Treppe hinunter zu einem Gang, der in die Küche führte. Er goß Tee auf und setzte sich an den Tisch, um ihn zu trinken.

In dem Seitengebäude, in dem sie schliefen, bellten die Hunde, ein weit entferntes Geräusch, dem Mr. Blakey keine Aufmerksamkeit schenkte, da er annahm, daß der Sturm sie dazu veranlaßt hatte. Er verließ die Küche und ging durch den Gang mit dem grünen Linoleum in die Eingangshalle. Es war möglich, daß ein Fenster offenstand, daß in einer Nacht wie dieser eine Tür im Wind schlug. Es konnte nicht schaden, einmal nachzusehen.

Er schaltete eine Lampe in der Eingangshalle an, die die Theatergestalten an den Wänden mit der roten Stofftapete beleuchtete. Er lauschte einen Augenblick lang. Im Haus war kein Geräusch zu hören, aber die Hunde bellten immer noch leise, und das Meer klang lauter als in seinem Schlafzimmer. Vom Geräusch des Regens an den Verandatüren angezogen, ging er ins Wohnzimmer. Von der Eingangshalle schien genug Licht herein, um etwas sehen zu können, doch nicht genug, um in der Dunkelheit Farben zu unterscheiden. Tapete und Vorhänge waren von einem unbestimmbaren Grau, Bilder und Möbel nur Schatten.

Das Meer hörte sich in diesem Zimmer lauter an als in den anderen Räumen des Hauses, und doch war durch die breiten Verandatüren vom Sturm nichts zu sehen. Er blickte angestrengt, hielt in der Dunkelheit Ausschau nach den vertrauten Konturen von Bäumen und Sträuchern und fragte sich, was für Schäden der Sturm wohl anrichten mochte. Aber als unerwartet ein Strahl Mondlicht aufblitzte, waren es nicht die Schäden in seinem Garten, die seine Aufmerksamkeit erregten. Eine Gestalt bewegte sich unter der Schuppentanne. Das Gesicht eines Kindes lächelte zum Haus herüber.

4

In der Nacht legte sich der Sturm allmählich. Beim Frühstück fragte Mrs. Blakey die Kinder, was sie an diesem Tag tun wollten, und Kate sagte, wenn Mrs. Blakey damit einverstanden sei, früh zu Mittag zu essen, würden sie gern die acht Meilen nach Badstoneleigh gehen. Dort würden im Pavilion *007 jagt Dr. No* und *Diamantenfieber* gezeigt. Mrs. Blakey wies, obwohl sie durchaus einverstanden war, für ein frühes Mittagessen zu sorgen, darauf hin, daß diese Doppelvorstellung in der folgenden Woche auch im Essoldo laufen sollte, aber Kate sagte, sie wollten lieber nicht warten.

Es war einfach schön, dachte Stephen, ohne viel Aufhebens in der großen Küche mit der hohen Decke zu frühstücken, ohne daß Mr. Blakey etwas sagte, während er seine Würstchen mit Speck und einem Ei aß. Er dachte, es wäre vielleicht einfach schön, langsam und schweigsam wie Mr. Blakey zu sein und sich um einen Garten zu kümmern. Es wäre schön, zuerst für eine Grafschaft Kricket gespielt zu haben, so daß man daran denken konnte, wenn man Dahlien und Kopfsalat pflanzte, siebenundfünfzig nicht aus gegen Hampshire, neunzig gegen Lancashire, vier für einundvierzig in einem eintägigen Finale um den Gillette Cup gegen Kent. Mr. Blakey war, anders als viele Leute, glücklich: Das konnte man daran sehen, wie er am Tisch saß. »Du mußt versuchen, wieder glücklich zu werden«, hatte sein Vater zu ihm gesagt. »Das würde sie sich von uns beiden wünschen.«

Das war jetzt lange her; es gab wirklich keinen Grund, nicht glücklich zu sein. Das wußte er. Er wußte, es war einfach, darüber empört zu sein, daß sein Vater wieder geheiratet hatte. Aber unglückliche Menschen waren langweilig und lästig, wie Spencer Major, der immer weinte, wenn es Fisch gab, und Angst vor Sergeant McIntosh, dem Boxlehrer, hatte.

Nach dem Frühstück spielten sie mit den Settern im Garten, wobei sie einen roten und einen blauen Ball in das feuchte Gras warfen. Es ließ sich nie sagen, ob man jemals so gut sein würde, daß man in einer Grafschaftsauswahl als Schläger spielen könnte. Man mußte es abwarten und in der Zwischenzeit ein bißchen so tun als ob.

»Schöner Morgen, Mr. Plant«, sagte Timothy Gedge auf der Promenade, wo der Gastwirt wie gewöhnlich seinen Morgenspaziergang mit seinem Hund Tike machte. Mr. Plant war ein großer, rotgesichtiger Mann, der Hund ein Foxterrier mit glattem Fell, der durch das Fehlen eines Hinterbeins behindert war.

»Hallo«, sagte Mr. Plant. Seine gute Laune verschlechterte sich. Wegen seines Verhältnisses mit der Mutter von Timothy Gedge brachte ihn der Junge in Verlegenheit.

»Schön nach dem Sturm, Sir.« Er hatte eine leere Tragetüte mit dem Union Jack darauf bei sich. Er war um Viertel vor acht mit völlig ausgetrocknetem Mund aufgewacht. Er hatte im Bett gelegen und darauf gewartet, daß Rose-Ann und seine Mutter die Wohnung verließen, hatte auf das zweimalige Rauschen der Toilettenspülung gelauert, auf die eiligen Schritte seiner Mutter und auf ihre Stimme, die zu Rose-Ann sagte, sie solle sich beeilen. Er hatte auf den Geruch ihrer Zigaretten nach dem Frühstück gewartet, der immer in sein Schlafzimmer drang, und darauf, daß das Küchenradio jäh abgeschaltet wurde und die Tür zuschlug. Er war aufgestanden, hatte sich vier Aspirin aus dem Vorrat seiner Mutter genommen und fast einen Liter Wasser getrunken. Er war wieder ins Bett gegangen, hatte dagelegen und war in dem Versuch, sich zu erinnern, die Vorkommnisse der vergangenen Nacht noch einmal durchgegangen. Als er schließlich aufgestanden war, hatte er seine Jeans und seine Jacke mit dem Reißverschluß bügeln müssen, weil sie völlig zerknautscht waren. Er fühlte sich jetzt schon ein bißchen besser, und wenn er in den Artilleryman's Friend gebeten worden wäre, um sich bei einem Glas Bier weiter zu erholen, hätte er diese Einladung bereitwillig angenommen. Doch so eine Einladung erfolgte nicht.

»Ich hab bloß gedacht, daß der Sturm vielleicht ein paar Tage dauert, Mr. Plant.«

Mr. Plant nickte, nicht daran interessiert, was der Junge über das Wetter gedacht haben mochte. Er pfiff nach seinem Hund, der an den Stiefeln von zwei alten Männern auf einer Bank schnüffelte. Der Hund humpelte hastig zu ihm zurück und ließ in Erwartung einer Bestrafung den Kopf hängen.

»Schöner Hund«, sagte Timothy. Er war zu Mr. Plants Unbehagen mit ihm in Gleichschritt gefallen. »Möchten Sie ein Fruchtgummi, Sir?« Er bot ihm die Rolle an, die er am Tag zuvor gekauft hatte. Mr. Plant schüttelte den Kopf. »Tike hätte gern eins, was, Sir?«

»Laß den Hund in Ruhe, Junge.« ·

Timothy nickte liebenswürdig. Er steckte sich ein Fruchtgummi mit Johannisbeergeschmack in den Mund und stopfte die Rolle wieder in die Tasche. Er wollte loslachen, weil er sich plötzlich ganz schwach daran erinnerte, daß er in seiner Verwirrung letzte Nacht darauf beharrt hatte, Miss Lavant sei Mrs. Abigails Schwester. Er führte eine Hand an die Lippen, ließ sie einen Augenblick dort liegen und unterdrückte das Lachen. Mr. Plant schaute aufs Meer hinaus, mit leerem Blick und, wie immer, leicht blutunterlaufenen Augen. Timothy sagte:

»Sie sind mit einer Blondine aus, Mr. Plant, und sehen Ihre Frau kommen?«

»Was?«

»Was würden Sie tun, Sir?«

96

»Hä?«

»Sie würden die Meile in vier Minuten laufen, Mr. Plant!«

Timothy lachte, aber Mr. Plant nicht. Zwischen ihnen trat Schweigen ein. Dann sagte Timothy:

»Es ist bloß, daß mir viel daran liegt, mal mit ihnen zu sprechen, Sir.«

Mr. Plant brummte etwas und schaute noch immer aufs Meer hinaus.

»Ich brauche Ihre Hilfe, Mr. Plant.«

Der Gastwirt war überrascht, das zu hören. Er hielt es für seltsam, daß ein Junge so etwas sagte, und er fragte sich einen Augenblick lang – ohne genau zu wissen, warum –, ob der Junge von ihm sexuell aufgeklärt werden wollte. Verlegen rief er sich in Erinnerung, wie er, nur mit einem Hemd bekleidet, von ihm in der Wohnung in Cornerways entdeckt worden war.

»Ich nehme an dem Talentwettbewerb teil, Mr. Plant. Beim Fest am Ostersamstag.«

Mr. Plant runzelte die Stirn, drehte dann langsam den Kopf und schaute das scharfgeschnittene Gesicht von Timothy Gedge an. Unter dem kurzen, fast weißen Haar blickten seine Augen ernst, und sein Mund lächelte schwach unter einem leichten hellen Flaum. Während Mr. Plant ihn betrachtete, öffneten sich seine Lippen zu einem noch breiteren Lächeln.

»Ich würde Ihnen gern davon erzählen, Mr. Plant«, sagte Timothy und fing im Gehen davon an. Er ging auf Einzelheiten ein, genau wie bei den Abigails, wenn auch auf eine andere Art und Weise, weil er weder Sherry noch Bier getrunken hatte. Er sprach über die Bräute von George Joseph Smith und über George Joseph Smith selbst, der Fisch für die tote Miss Munday und Eier für Mrs. Burnham und Miss Lofty gekauft habe. Er erklärte, jede einzelne Braut würde sich gegen die unsichtbaren

Hände von George Joseph Smith wehren, und dann ginge auf der Bühne das Licht aus, und wenn das Licht wieder anginge, würde George Joseph Smith in einem Anzug mit Fischgrätenmuster dastehen und Witze reißen.

»Du bist wirklich verrückt«, sagte Mr. Plant und starrte den Jungen an.

»Auf dem Hof von Swines steht eine alte Badewanne. Ich hab den Polier gefragt. Es ist bloß so, daß wir Ihren Lieferwagen bräuchten, um sie zu transportieren, Sir.«

»Lieferwagen? Wer bräuchte den Lieferwagen? Wovon redest du da?«

»Ihr kleiner brauner Lieferwagen, Mr. Plant. Wenn wir die Badewanne am Samstag morgen im Festzelt aufstellen könnten. Wir könnten sie mit einem Tuch abdecken, so daß sich niemand etwas dabei denkt. Wir können ein Hochzeitskleid auftreiben, überhaupt kein Problem.«

»Du bist ein verdammter Spinner, Junge.«

Timothy schüttelte den Kopf. Er lutschte an seinem Fruchtgummi und sagte, er sei kein Spinner. Er wolle bloß, erklärte er, an dem Talentwettbewerb teilnehmen.

Mr. Plant erwiderte nichts. Er drehte sich um und ging wieder in Richtung Stadt zurück. Sein Hund war zu einem Laternenpfahl gelaufen, um daran herumzuschnüffeln. Er rief ihn zurück.

»Soll ich für Sie eine Frauenstimme nachmachen?« schlug Timothy Gedge vor.

Mr. Plant fragte sich, ob sie den Jungen als Baby hatte fallen lassen. Man hörte von solchen Sachen, daß ein Kind im Alter von ein paar Monaten mit dem Kopf gegen irgendeine Kante schlug und nie ganz normal wurde. Dann rief er sich, genau wie Mrs. Abigail, in Erinnerung, daß Kinder sich gern verkleideten und eine Show abzogen. Er hatte oft mit seiner Frau dagesessen und dabei zugeschaut, wie seine eigenen zwei Jungen und zwei Mädchen ein Stück spielten, das sie sich selbst ausgedacht hatten, irgendeine Phantasiegeschichte, die in einem Landhaus oder einem Bahnhof spielte. Der kleine Gedge schien so etwas vorzuhaben, nur mit einem schaurigen Beigeschmack, mit Morden, die in einer Badewanne verübt wurden. Pervers nannte man das heutzutage, und es war zweifellos auch pervers. Er schätzte, daß er in seinem ganzen Leben noch nie so etwas gehört hatte.

»Sie steht links auf dem Hof, Mr. Plant, hinter den Holzschuppen. Ich hab dem Polier gesagt, daß Sie kommen, um sie zu holen. Heute oder wann auch immer Sie eine freie Minute haben.«

»Du hast was gemacht, Junge?« Seine Stimme klang ruhig, aber es lag etwas Bedrohliches darin. Er starrte Timothy Gedge erneut an. »Niemand holt irgendwelche Badewannen von Swines' Hof. Weder heute noch sonst irgendwann.«

»Es liegt mir viel an Ihrer Hilfe, Mr. Plant.«

»Hau ab, Junge. Mach jetzt, daß du weiterkommst.«

»Ich hab gesagt, irgendwann, Mr. Plant. Ich hab nicht gesagt, heute. Am Samstag morgen, Ostersamstag ...«

»Du bist durch den Wind, Junge.«

Zum ersten Mal bemerkte Timothy, daß dem Gastwirt rote Haare aus Ohren und Nase wuchsen. Sie waren dick und borstig, genau wie die Haare auf seinem Kopf. Frauen im Alter seiner Mutter konnten vermutlich nicht wählerisch sein. Und die Frauen, die Plant in der Damentoilette auf dem Parkplatz des Artilleryman's ranließen, auch nicht. Er war ihm einmal nachgegangen und hatte gehört, wie sie die Kleider ausgezogen und geflüstert hatten. Ein andermal hatte er Geflüster gehört, als er sich gerade *Der Chef* ansah, und gewußt, daß seine Mutter Plant in ihr Schlafzimmer mitgenommen hatte. Er hatte den Fernseher laufen lassen und war zur Schlafzimmertür gegangen, um zu horchen. Er hatte durchs Schlüsselloch geschaut und seine Mutter splitternackt dabei gesehen, wie sie dem

Mann die Socken auszog. Daran erinnerte er ihn jetzt und auch an ihre Begegnung mitten in der Nacht.

»Du verdammter kleiner Bengel!« rief Mr. Plant wütend.

»Alles, was ich sagen will, ist, daß wir das Geheimnis für uns behalten, Mr. Plant. Das bleibt ein Geheimnis zwischen uns, Sir. Mrs. Plant würde ich nie davon erzählen.«

»Darauf kannst du dein verdammtes Leben wetten, daß du das nicht machst. Wenn du davon was erzählst, kriegst du so eine Tracht Prügel, daß du nicht mehr laufen kannst.«

»Ich sag doch, daß ich das nicht mache, Mr. Plant. So was würde ich nie tun, Sir. Wenn wir es also für Samstag vormittag festmachen könnten, und wenn Sie die Badewanne in Ihrem kleinen Lieferwagen holen könnten und keiner Menschenseele davon erzählen würden, damit es eine Überraschung ist. Ich hab die ganze Sache vorbereitet, Mr. Plant ...«

»Tja, dann mach die Vorbereitungen mal wieder rückgängig, wenn du nicht in einer Besserungsanstalt landen willst.«

Sie waren stehengeblieben. Timothy hörte, immer noch an seinem Fruchtgummi lutschend, zu, während Mr. Plant ihm sagte, er habe in seinem ganzen Leben noch nie etwas so Dummes oder Erbärmliches gehört. Niemand würde sich so ein Zeug, wie er es ihm beschrieben habe, ansehen, weder in einem Festzelt noch sonstwo. Er sprach erneut von einer Besserungsanstalt und leugnete, ein Mensch ohne Moral zu sein. Er leugnete energisch, daß der Vorfall während *Der Chef* jemals stattgefunden hatte; oder falls doch, dann sei das im Schlafzimmer ein anderer Mann gewesen. In der Nacht, als Timothy ihn im Hemd gesehen habe, sei er in der Wohnung in Cornerways vorbeigekommen, weil Timothys Mutter ihn wegen einer Mitteilung von der Stadt bezüglich der Miete um Rat gebeten habe. Er sei mit der Hose an einem Nagel hängengeblieben und habe sie ausziehen müssen, damit sie sie flicken konnte. Daran sei nichts Unrechtes, abgesehen davon, was eine schmutzige Phantasie daraus mache. »Du solltest vorsichtig sein, Junge. Halt dich aus so was lieber raus.«

Timothy sprach von der Damentoilette auf dem Parkplatz und setzte hinzu, daß er wiederholt beobachtet habe, wie Mr. Plant ein paar Minuten nach einer Frau dort herausgekommen sei. Er sprach davon, daß er einmal gehört habe, wie sie die Kleider ausgezogen und geflüstert hätten. Mr. Plant sagte, da habe er sich getäuscht. Dann lachte er plötzlich. Er sagte Timothy, er solle nicht in Sachen herumschnüffeln, die er nicht verstehe. Wenn er aus der Toilette gekommen sei, sagte er, dann sei er vielleicht dort drinnen gewesen, um ein Schwimmerventil in Ordnung zu bringen, und es sei kein Verbrechen, auf einer Toilette ein Kleidungsstück auszuziehen. Immer noch lachend sagte er, das könne jedem passieren, daß er mit der Hose an einem Nagel hängenbleibe.

»Kümmer dich verdammt noch mal um deine eigenen Angelegenheiten, Junge«, sagte er, nicht mehr zum Spaßen aufgelegt, »es sei denn, du willst eine dicke Lippe haben.« Er hob eine große Hand in die Luft und hielt sie Timothy Gedge vors Gesicht. Er sagte, er solle sie sich ansehen und sie im Gedächtnis behalten. Damit würde er ihn zu Brei schlagen. Damit würde er ihn windelweich prügeln, wenn er es noch einmal wagte, gegenüber irgend jemandem so etwas von sich zu geben wie gerade eben.

»Sie begreifen nicht, Mr. Plant ...«

»Ich begreife verdammt gut, Kumpel. Du bleibst halbtot liegen, Junge, und wenn man dich wieder auf die Beine bringt, dann wanderst du für fünfeinhalb Jahre in eine Besserungsanstalt. Ist das klar?«

Mr. Plant ging davon, und der Hund humpelte neben

ihm her. Timothy ging ihm nicht nach. Er stand auf der Promenade, beobachtete den Gastwirt und sein dreibeiniges Haustier und war verblüfft.

»Asche zu Asche«, deklamierte Quentin Featherston auf dem Friedhof von St. Simon and St. Jude. Ein kleiner Klumpen Lehm, der vom Rand des Grabes genommen worden war, fiel krachend auf das geschmacklose, frische Holz eines Sarges, in dem die sterblichen Überreste eines alten Fischers namens Joseph Rine lagen. Die in Schwarz gekleidete ältliche Frau des Fischers weinte. Eine Schwester, von Rheuma gebeugt, weinte ebenfalls. Der Sohn des alten Mannes dachte, daß sein Vater ein langes, erfülltes Leben gehabt hatte.

Quentin schüttelte ihnen am Ende des Gottesdienstes die Hand und ging mit dem Küster zur Kirche. Mr. Peniket bemerkte leise, die Rines seien eine gute Familie, auch wenn sie nicht oft in die Kirche gingen. Er habe noch mehr Koks bestellen müssen, setzte er hinzu, obwohl er gehofft habe, daß das bis zum Herbst nicht nötig sei. Er hoffe, das sei in Ordnung.

»Ja, ja, natürlich, Mr. Peniket.«

»Es ist besser, auf Nummer sicher zu gehen, Sir.«

Mr. Peniket war ein gewissenhafter Junggeselle in seinen späten mittleren Jahren, St. Simon and St. Jude treu ergeben. Er brachte die Kirchenbänke und das Messing auf Hochglanz und wischte persönlich den Steinboden. Er verhielt sich gegenüber Quentin in keiner Weise feindselig, aber er sprach oft von der Zeit, als der alte Kanonikus Flewett noch Pfarrer gewesen war, als noch viel mehr Leute in die Kirche gekommen seien und die Gemeinde eine Blütezeit erlebt habe. Dem Küster war bewußt, daß die Zeiten sich geändert hatten, und doch hatte Quentin, wenn Mr. Peniket von seinem Vorgänger sprach, immer das Gefühl, er glaube, die Veränderungen wären nicht so drastisch gewesen, wenn der alte Kanonikus Flewett noch im Amt wäre.

»Ich räume bloß noch auf«, sagte der Küster jetzt, und Quentin nickte und ging in die Sakristei.

»Das war wirklich gut«, sagte Timothy Gedge, als er etwa eine Minute später mit seiner Tragetüte die Sakristei betrat. »Wirklich schön, Mr. Feather.«

Quentin seufzte leise. Der Junge hatte seit kurzem die Angewohnheit, in die Sakristei zu kommen, ohne vorher anzuklopfen, gewöhnlich, um zu verkünden, daß er den Trauergottesdienst gut gehalten habe.

»Ich bin gerade dabei, mich umzuziehen. Weißt du, ich bin gern allein, wenn ich mich umziehe.«

»Ich bin zu einem Schwätzchen reingekommen, Sir. Jederzeit, haben Sie gesagt. Ist das mit Mr. Rine nicht traurig, Sir?«

»Weißt du, er war schon sehr alt.«

»Er war nicht mehr jung, Sir. Fünfundachtzig Jahre alt. Ich würde nur ungern so lange leben, Mr. Feather. Das würde ich nicht angenehm finden.«

Quentin begann, sich umzuziehen, da klar war, daß der Junge die Sakristei nicht verlassen würde. Er zog sein Chorhemd aus und hängte es in einem Schrank an einen Haken. Er knöpfte seinen Talar auf. Timothy Gedge sagte:

»Ein sehr netter Mann, Mr. Rine, ich hab oft mit ihm geplaudert. Da kann sich Gott aber freuen, Sir.«

Quentin nickte.

»Sein Sohn arbeitet im Fischverpackungsbetrieb. In einer leitenden Position. Wußten Sie das, Mr. Feather? Fisch liegt bei den Rines in der Familie.«

»Timothy, ich wünschte, du würdest mich nicht so nennen.«

»Wie denn, Mr. Feather?«

»Ich heiße Featherston.« Er lächelte und wollte nicht

pingelig klingen: Es war schließlich nicht so wichtig. »Am Ende kommt nämlich ein ›ston‹.«

»Ein ston, Mr. Feather?«

Er hängte den Talar in den Schrank. An diesem Nachmittag fand eine Teegesellschaft der Müttervereinigung statt, eine Veranstaltung, für die er sich wappnen mußte, um sie durchzustehen. Neunzehn Frauen würden ins Pfarrhaus kommen und Sandwiches, Kekse und Kuchen essen. Sie würden sich den neuesten Klatsch aus Dynmouth erzählen, und er würde Gott anrufen, und Gott würde ihn daran erinnern, daß die Frauen Seine Geschöpfe seien. Miss Poraway würde sagen, es wäre gut, wenn sie irgend so etwas wie eine Tupper-Party veranstalten könnten, um an Geld zu kommen, und Mrs. Stead-Carter würde kühl erwidern, daß man so etwas wie eine Tupper-Party nicht veranstalten könne, wenn man keine Sachen zu verkaufen habe. Mrs. Hayes würde vorschlagen, nicht das ganze Geld, das sie einnähmen, in den Kirchturm zu stecken, und dann würde er darauf hinweisen müssen, daß es, wenn die Rettungsaktion für den Kirchturm nicht bald beginne, keinen Kirchturm mehr geben werde, den man noch retten könne.

»Was bedeutet das, ›ston‹, Sir?«

»Das ist bloß mein Name.«

Er nahm seinen schwarzen Regenmantel vom Kleiderbügel und schloß die Schranktür ab. Der Junge ging hinter ihm, als er die Sakristei verließ, und im Mittelgang der Kirche neben ihm. Mr. Peniket legte die Gebetbücher in den Kirchenbänken wieder ordentlich hin. Es war Quentin peinlich, wenn Timothy Gedge in die Kirche kam und Mr. Peniket da war.

»Ein Mann in einem Restaurant, Mr. Feather. ›Herr Ober, da ist ein Nashorn in meiner Suppe ...‹«

»Timothy, wir sind in der Kirche.«

»Das ist eine schöne Kirche, Sir.«

»Witze sind hier etwas fehl am Platze, Timothy. Besonders, da wir gerade eine Beerdigung hatten.«

»Das ist wirklich gut, wie Sie Beerdigungen machen.«

»Ich wollte dir das schon immer mal sagen, Timothy. Weißt du, es ist keine sehr gute Idee, sich auf Beerdigungen herumzutreiben.«

»Hä?«

»Du scheinst ständig auf den Beerdigungen zu sein, die ich begleite.« Er redete ungezwungen und lächelte. »Ich hab dich auch auf dem Friedhof der Baptisten gesehen. Das ist wirklich nicht so bekömmlich, Timothy.«

»Bekömmlich, Mr. Feather?«

»Zur Beerdigung gehen nur Freunde des Toten, Timothy. Und Verwandte natürlich.«

»Mr. Rine war ein Freund, Mr. Feather. Er war wirklich nett.«

Mr. Peniket hörte aufmerksam zu und machte sich an einem Betkissen zu schaffen. Er hatte sich in einer Kirchenbank über das Betkissen gebeugt und schüttelte es anscheinend auf. Quentin konnte spüren, wie er dachte, zu Zeiten von Kanonikus Flewett wären keine Schuljungen in die Kirche spaziert, um über die kürzlich Verstorbenen zu sprechen.

»Was ich dazu sagen will, daß du zu Beerdigungen gehst, Timothy ...«

»Man geht zur Beerdigung eines Freundes, Sir.«

»Die alte Mrs. Crowley war wohl kaum eine Freundin.«

»Wer ist denn Mrs. Crowley?«

»Die Frau, bei deren Beerdigung du letzten Samstag vormittag warst.« Er versuchte, unwirsch zu klingen, aber es gelang ihm nicht. Er ärgerte sich, wenn er sich ins Gedächtnis rief, daß Timothy Gedge bei Mrs. Crowleys Beerdigung gewesen war, einer Frau, die schon vor Timothy Gedges Geburt in Wisteria Lodge, dem Altenheim der Stadt, gelebt hatte. Er ärgerte sich, daß Mr. Peniket sich über ein Betkissen beugte und lauschte. Aber der Ärger sprach jetzt nur ganz leicht aus ihm.

»Es wäre mir lieber, wenn du nicht mehr zu Beerdigungen kommst«, sagte er.

»Kein Problem, Mr. Feather. Wenn Sie das so haben wollen, kein Problem. Ich würde mich nie Ihren Wünschen widersetzen, Sir.«

»Danke, Timothy.«

An der Kirchentür drehte Quentin sich um und verbeugte sich in Richtung Altar, und Timothy Gedge tat es ihm entgegenkommenderweise nach. »Auf Wiedersehen, Mr. Peniket«, sagte Quentin. »Danke.«

»Auf Wiedersehen, Mr. Featherston«, erwiderte der Küster mit ehrfürchtiger Stimme.

»Tschüß«, sagte Timothy Gedge, aber Mr. Peniket erwiderte nichts darauf.

In der Vorhalle, in der lauter Missionsmitteilungen und Dienstpläne fürs Blumenstecken aushingen, bückte sich Quentin, um seine Fahrradklammern anzulegen.

»Komischer Kauz, der Küster«, sagte Timothy Gedge. »Ist Ihnen schon mal aufgefallen, wie er Sie ansieht, Sir? Als wären Sie verrottender Müll.« Er lachte. Quentin sagte, er sei nicht der Meinung, daß an Mr. Peniket irgend etwas komisch sei. Er schob sein Fahrrad auf den geteerten Weg, der zwischen den Grabsteinen hindurch zum Friedhofstor führte.

»Ich hab bei Dass vorbeigeschaut, Sir. Wie Sie gesagt haben.«

»Weißt du, ich hab eigentlich nicht gesagt, daß du das tun sollst.«

»Wegen dem Talentwettbewerb, Mr. Feather. Sie haben gesagt, die Dasses sind dafür verantwortlich.«

»Ich weiß, Timothy, ich weiß.«

»Es ist bloß, daß die Vorhänge im Jugendzentrum verbrannt sind, Mr. Feather. Zwei Jungs haben sie im Dezember verbrannt.«

»Verbrannt?«

»Ich glaube, die Jungs hatten etwas getrunken, Sir.«

»Du meinst, sie haben sie einfach angesteckt?«

»Sie haben erst Heizöl drüber geschüttet, Sir. Sie haben versucht, das Haus abzufackeln, Sir.«

Er erinnerte sich. Jemand hatte versucht, das Jugendzentrum niederzubrennen, aber er hatte nicht gewußt, daß die Bühnenvorhänge schon gebrannt hatten. Doch es stimmte: Die Vorhänge waren seit Ewigkeiten nicht mehr dagewesen. Er hatte sich ein paarmal gefragt, warum.

»Es ist bloß, daß ich für meine Nummer Vorhänge brauche, Mr. Feather. Im Festzelt muß es dunkel sein, und die Vorhänge müssen zweimal zugezogen werden. Ich hab das Dass erklärt. Ich muß mich schnell umziehen.«

»Ich bin mir sicher, daß Mr. Dass irgendwas arrangieren kann.«

»Er sagt, daß er keine Vorhänge nähen kann, Mr. Feather. Nichts zu machen, sagt er.«

»Tja, wir werden schon irgendwo was finden.« Er lächelte den Jungen an. Er schob das Fahrrad über den Bürgersteig auf die Straße. Er mußte eine Reihe von Sachen für die Teegesellschaft der Müttervereinigung einkaufen.

»Dass sagt, daß er allein keine Vorhänge besorgen kann, Sir, wegen der Kosten. Ich denke bloß, daß er vielleicht in finanziellen Schwierigkeiten ist ...«

»Oh, wir können Mr. Dass kein Geld für Vorhänge ausgeben lassen. Ich bin mir sicher, daß wir irgendwo welche finden. Mach dir darüber keine Sorgen.«

»Ich mach mir aber Sorgen, Sir, das läßt sich nicht ändern.«

Quentin saß rittlings auf dem Sattel seines Fahrrads, die Zehenspitzen gerade noch auf dem Boden, um das Gleichgewicht zu halten, und sagte erneut, daß man schon Vorhänge für den Talentwettbewerb auftreiben werde. Er nickte Timothy Gedge beruhigend zu. Er fühlte sich in Anwesenheit des Jungen unbehaglich. Er kam sich unzulänglich vor und hatte aus irgendeinem Grund ein schlechtes Gewissen.

»Sie sind mit einer Blondine aus, Sir, und sehen Ihre Frau kommen ...«

»Tut mir leid, Timothy, ich muß jetzt wirklich los.«

»Es ist ein Witz, wenn ich Sie Mr. Feather nenne, Sir. Wie eine Feder an einem Huhn, wenn Sie verstehen.«

Quentin schüttelte den Kopf. Sie würden sich bald mal wieder unterhalten, versprach er.

»Ich glaube nicht, daß der Küster uns leiden kann, Sir«, rief Timothy Gedge ihm nach. »Ich glaube nicht, daß wir beide ihm viel bedeuten.«

Um halb zwölf an jenem Vormittag erkundigten sich ein Mann und eine Frau auf einem Motorrad nach dem Weg nach Sweetlea, dem Haus der Dasses.

»Mein Name ist Pratt«, sagte der Mann, als Mr. Dass die Tür öffnete. Unter einer Straßenlaterne, die noch von letzter Nacht flackerte, war das Motorrad neben dem Bordstein aufgebockt. Daneben stand eine Frau in Helm und Motorradkleidung.

Der Mann sagte, er habe von dem Talentwettbewerb am Ostersamstag gehört. Er sei neu in der Gegend, er und seine Frau seien nach Paltry Combe gezogen, achtzehn Meilen entfernt. Sie seien mit der Maschine rübergekommen, sobald sie davon gehört hätten, für den Fall, daß es noch nicht zu spät sei, ein Anmeldeformular auszufüllen. Er imitiere Hunde, sagte er.

Er war ein stämmiger Mann mit einem Sturzhelm auf dem Kopf und Lederhandschuhen unterm Arm. Er machte eine Kopfbewegung in Richtung der Frau neben dem

Motorrad und bekräftigte noch einmal, sie sei seine Frau. Er nehme oft an Wettbewerben teil, sagte er, in Dörfern, Seebädern, das spiele für ihn keine Rolle. Als er das Anmeldeformular ausgefüllt hatte, erkundigte er sich nach dem Preisgeld und schrieb den Betrag auf die Rückseite eines Briefumschlags. »Ein alter Profi«, bemerkte Mr. Dass im Wohnzimmer, nachdem er weg war. »Macht zusammen elf. Zwei mehr als letztes Jahr.« Gestern war offiziell der letzte Tag gewesen, um sich anzumelden, aber er hatte keinen Grund dafür gesehen, die fünfzig Pence des Mannes abzulehnen.

Es klingelte erneut in Sweetlea, und Mr. Dass sagte, wenn es wieder jemand sei, der sich anmelden wolle, werde er noch einmal ein Auge zudrücken. Hundeimitationen würden den Ostersamstag nicht gerade zu einem aufregenden Erlebnis machen, und alles andere sehe sehr nach aufgewärmtem Kohl aus. Entgegen seiner Vermutung war der Besucher jedoch niemand, der sich in letzter Minute anmelden wollte.

»Hallo«, sagte Timothy Gedge und berichtete dann, er habe mit dem Pfarrer über die Vorhänge gesprochen und der Pfarrer habe sich keinen Rat gewußt, wo er welche auftreiben solle.

Mr. Dass sah den Jungen an, fest entschlossen, ihn nicht ins Haus zu lassen. Es war unerträglich, zu jeder Tages- und Nachtzeit ohne den geringsten Grund in seinem Privatleben gestört zu werden.

»Ist das alles, weswegen du gekommen bist, diese Vorhänge?«

»Ich hab gedacht, Sie würden das gern wissen, Sir.«

Mr. Dass, der kurz davor war, wütend aufzuschreien, sagte nichts. Er starrte den Jungen durch seine Brille an und dachte, daß er anscheinend nicht ganz bei Trost war.

»Komisch, daß Ihr Sohn nicht mehr nach Dynmouth kommt, Sir. Komisch, daß er seine Mutter nicht sehen will. Ich erinnere mich noch an die Nacht, als er verschwunden ist, Sir.«

»Jetzt hör mal zu, Junge ...«

»Mr. Feather hat gesagt, ich soll bei Ihnen vorbeischauen, Mr. Dass. Es ist nirgends ein Vorhang zu finden, Sir. Nirgends, Sir, nicht in der Kirche, nicht im Pfarrhaus ...«

»Ich habe dir etwas gesagt«, erklärte Mr. Dass mit ruhiger Stimme. »Ich habe dir gesagt, daß du nicht mehr hier vorbeikommen sollst. Du bist eine verdammte Nervensäge, wenn du's genau wissen willst. Wirst du wohl endlich begreifen, daß ich nicht beabsichtige, Vorhänge für diese Bühne zu besorgen? Wenn an der Bühne keine Vorhänge sind, dann müssen wir ohne Vorhänge zurechtkommen. Würdest du jetzt bitte gehen?«

Der Junge lächelte ihn an und nickte. Er sei seinem Sohn an jenem fraglichen Abend nachgegangen, sagte er. Er sei ihm vom Queen Victoria Hotel aus nachgegangen, und sein Interesse an ihm sei dadurch geweckt worden, daß er getorkelt sei. Er sei ihm den ganzen Weg bis nach Hause gefolgt. Er habe am Eßzimmerfenster gehorcht und habe zufällig das Gespräch mitangehört, das stattgefunden habe.

»Wer ist denn da?« rief Mrs. Dass leise aus dem Wohnzimmer, und ihr Mann gab keine Antwort, was ihm gar nicht ähnlich sah. Neunzehn Jahre lang hatte es so ausgesehen, als ob Nevil sie liebte, in gewisser Weise noch mehr, als die meisten Söhne ihre Eltern liebten, und dann war innerhalb weniger Augenblicke die furchtbare Wahrheit aus ihm hervorgesprudelt. Sie hatte im Eßzimmer einen Sardinensalat fürs Abendessen stehen gehabt, und statt dabei zuzusehen, wie Nevil es sich schmecken ließ, hatte sie erfahren, wie sehr er sie verachtete. Nevil war es immer schwergefallen zu arbeiten, und er hatte viel Zeit zu Hause verbracht, ohne etwas zu tun. Sie hatten schon damals gewußt, daß sie vielleicht beide ein bißchen zu nachsichtig mit ihm gewesen waren, aber an jenem furchtbaren Abend hatte er ihre Nachsicht zu einem Verbrechen gemacht und verbittert von der vielen Zeit gesprochen, in der er zu Hause gelebt, ihr Essen gegessen und Taschengeld angenommen habe. Sie hätten ihn zugrunde gerichtet. Sie hätten ihn für immer in dem Haus behalten wollen, dem sie den langweiligen Namen Sweetlea gegeben hätten. Sie hätten ihn lebensuntauglich gemacht, sie hätten bei seinen Mißerfolgen stets Rücksicht geübt, obwohl sie ihm hätten sagen sollen, daß er damit selbst zurechtkommen müsse. Es sei unbeschreiblich öde gewesen, hatte er gesagt, mit all dem leben zu müssen: Sein ganzes Leben lang, so lange er sich erinnern könne, hätten sie ihn gelangweilt. Er empfinde keine Liebe für sie, hatte er zu seiner Mutter gesagt; sie habe sich seine Liebe nicht erkaufen können. Sie seien mit ihren zwei Töchtern vernünftig umgegangen; warum sei ihnen das bei ihm nicht möglich gewesen? Innerhalb weniger Augenblicke hatte er seiner Mutter das Herz gebrochen.

»Es würde sie erschüttern, wenn sie wüßte, daß ein Fremder dabei zugehört hat«, sagte der Junge und lächelte mit gespieltem Mitgefühl, bevor er sich zum Gehen wandte. Es würde jede Mutter erschüttern, setzte er hinzu, wenn sie wüßte, daß ein Fremder so etwas mitangehört hatte. »Aber wir könnten das Geheimnis für uns behalten, Mr. Dass. Wir würden es ihr verschweigen. Es ist bloß, daß ich die Nummer nicht auf einer Bühne ohne Vorhänge aufführen kann.«

5

Sie kraxelten von Sea House den Kliffpfad hinunter und machten sich in westlicher Richtung am Strand entlang auf den Weg nach Badstoneleigh. Sie trugen beigefarbene Cordjeans, Sandalen und Pullover, Kate einen roten, Stephen einen marineblauen. Mrs. Blakey hatte von Anoraks gesprochen, und die Kinder hatten sie gehorsam aus ihren Zimmern geholt. Aber da sie sie nicht mitschleppen wollten, hatten sie sie auf einem Stuhl in der Küche liegengelassen.

Es war Ebbe. Das Meer platschte ruhig in der Ferne, und eine kleine Welle folgte sanft der vorhergehenden. Wo sie ausliefen, war der dunkle, nasse Sand eine glänzende Fläche, auf der Fußabdrücke nur ein oder zwei Minuten lang ihre Form bewahrten. Die Kinder gingen auf festerem Sand, der näher am Kieselstrand lag.

Kate erzählte ihren Traum von der kleinen Miss Malabedeely, die wieder von Miss Shaw und Miss Rist schikaniert worden war, und dann von Miss Malabedeelys Hochzeit mit dem afrikanischen Bischof, der ihr versprochen hatte, sie zu lieben und zu ehren. Stephen sagte, er könne sich nicht daran erinnern, ob er geträumt habe.

Sie hätten sich erneut über die Leute an ihren Schulen austauschen können, aber Kate kamen diese Leute im Augenblick unbedeutend vor. Genauso verhielt es sich mit den Blakeys und ihrer Mutter und Stephens Vater, die in den Flitterwochen in Cassis waren. Nur sie und Stephen waren von Bedeutung. Sie wollte ihn fragen, ob er gern mit ihr allein sei, so wie jetzt, an einem schönen Tag am ruhigen Strand, aber natürlich tat sie das nicht.

»Ich glaube, wir sind schon zwei Meilen gegangen«, sagte Stephen.

Wo sie gingen, lagen Würmer aus Sand und hier und da eingebettete Muscheln. Weiße Schäfchenwolken schwebten höflich um die Sonne herum, so als wollten sie sie nicht verdecken. Weit draußen auf dem Meer lag unbeweglich ein Trawler.

Einen Augenblick lang hatte sie einen Tagtraum. Sie waren auf einem Segelboot, so weit draußen wie der Trawler, beide älter, achtzehn oder neunzehn. Stephen sah genauso aus, nur war er größer; sie war hübscher, hatte kein rundes Gesicht. Er sagte, sie sei interessant. Sie bringe ihn zum Lachen, und es spiele sowieso keine Rolle, ob sie hübsch sei. Sie sei geistreich, sie habe einen faszinierenden Verstand.

»Weiter«, sagte sie. »Mehr als zwei Meilen, glaube ich.« Sie bat ihn, die Positionen auf dem Spielfeld abzufragen, und er zeichnete zwei Wickets und die zehn Positionen darum herum in den Sand. »Silly Mid-on«, sagte sie. »Silly Mid-off, Square leg, Slips, Long-Stop. Wicket-keeper natürlich.«

Er nannte ihr die anderen, und sie versuchte, sie sich einzuprägen, die Positionen und die Bezeichnungen. Er erklärte, daß sich die Positionen änderten, je nachdem, ob der Bowler fest, nicht ganz so fest oder locker bowle, ob der Ball so angeschnitten werde, daß er vor oder hinter den Schläger springe. Sie änderten sich auch je nach Format des Schlägers sowie danach, ob der Schläger Linkshänder sei oder nicht, und nach dem Zustand des Bodens vor dem Wicket. Manche Schläger, die wegen ihrer Bowlerqualitäten in der Mannschaft seien, würden möglicherweise von dicht vor ihnen stehenden Slips umringt. Andere, die groß in Form seien, zwängen die Fänger dazu, sich am äußeren Rand des Spielfelds aufzustellen. Kate fiel es schwer, das alles zu verstehen, aber sie wollte es verstehen. Sie wünschte nur, sie beherrschte das Spiel selbst ein bißchen, aber das tat sie leider nicht. Sie hatte immer French Cricket bevorzugt, obwohl sie das Stephen natürlich nie erzählt hatte.

Sie gingen weiter, und als sie nach ihrer Schätzung eine weitere Meile zurückgelegt hatten, blieben sie erneut stehen und blickten nach Dynmouth zurück. Es war jetzt eine Ansammlung von Häusern, mit dem Pier, der sich bescheiden ins Meer hinausschob, und dem unscheinbar auf den Klippen stehenden Haus, in dem sie selbst wohnten. Am Strand bewegte sich ein Punkt in dieselbe Richtung wie sie.

Da war noch eine zweite Gestalt, die sie nicht sehen konnten: Hoch über ihnen blickte Timothy Gedge vom Pfad auf den Klippen hinab. Einen Augenblick lang hörte er auf, sie zu beobachten, und blickte statt dessen aufs Meer hinaus, auf den Trawler am Horizont. Der Commander sagte gern, daß es das Meer gewesen sei, wo man die Spanische Armada besiegt habe, das Meer, das Adolf Hitler nicht zu überqueren gewagt habe. Timothy nickte leicht und dachte an die Segelschiffe der Spanischen Armada und das finstere Gesicht des deutschen Führers, von dem er Bilder gesehen hatte. Auf dem Golfplatz hinter ihm riefen sich die Spieler einer Vierergruppe etwas zu, während sie sich dem vierzehnten Grün näherten.

Er beobachtete wieder die Kinder von Sea House, die auf dem Sand langsam kleiner wurden. Er nahm an, daß sie wegen der Doppelvorstellung im Pavilion auf dem Weg nach Badstoneleigh waren. Die hatte er schon gesehen, aber er würde sie sich noch einmal ansehen, nur um an den Kindern dranzubleiben. Sie würden nichts mit sich anzufangen wissen, wenn die Vorstellung vorbei war, und das wäre der richtige Augenblick, um sie anzusprechen. Er würde irgendwas sagen über Bond in dem Abwasserrohr oder was das darstellen sollte, wirklich ein Haufen Mist. Er hielt die Schnur der Tragetüte mit dem Union Jack darauf mit einer Hand fest. Mit der anderen umklammerte er ein Fünfzigpencestück, eine Münze, die er am vorigen Abend in Mrs. Abigails Portemonnaie entdeckt hatte, das sie unvorsichtigerweise auf dem Kühlschrank liegengelassen hatte.

Die Kinder waren inzwischen ein ganzes Stück voraus, nur noch Punkte auf dem Sand wurden sie immer noch kleiner. Aus der anderen Richtung rückte die größer werdende Gestalt von Commander Abigail langsam voran.

Mrs. Abigail fuhr mit Miss Poraway als Gehilfin oder Austrägerin, wie die offizielle Bezeichnung lautete, Essen auf Rädern aus. Miss Poraway trug einen malvenfarbenen Mantel und einen malvenfarbenen Hut, der nicht dazu paßte. Mrs. Abigail war adrett in Blau gekleidet.

Sie holten das Essen – jede einzelne Mahlzeit auf zwei abgedeckten Blechtellern und das Ganze in großen Warmhalteboxen aus Metall – in Wisteria Lodge, dem Altenheim, ab. Mrs. Abigail fuhr den blauen Lieferwagen des Women's Royal Voluntary Service, und Miss Poraway saß mit einer Liste der Namen und Adressen, die sie an diesem Vormittag besuchen mußten, neben ihr. Die Diabetiker waren mit einem »D« gekennzeichnet, genau wie die dazugehörigen Mahlzeiten in den metallenen Warmhalteboxen. Diejenigen, die keine Soße mochten, waren ebenfalls markiert, denn es gab oft Ärger, wenn es um Soße ging.

»Roastbeef und Milchreis«, bemerkte Miss Poraway, während Mrs. Abigail den Lieferwagen durch den morgendlichen Verkehr steuerte. Sie sprach weiter über Roastbeef. Das schmecke ihnen immer, erklärte sie, und Milchreis ebenfalls, was das angehe, obwohl Gott allein wisse, warum, so wie es in Wisteria Lodge zubereitet werde. Sie kontrollierte die Namen- und Adressenliste. Mr. Padget, Prout Street 29, der normalerweise sein Essen als erster erhielt, war ausgestrichen worden. »Ach du liebe Zeit«, sagte Miss Poraway.

Mrs. Abigail nickte geistesabwesend. Das letzte, was sie sich an diesem Vormittag hätte anhören wollen, war, was

Miss Poraway ihr zu sagen hatte. Als sie in der Nacht wach gelegen hatte und ihr klar geworden war, wie sehr Timothy Gedges Besuch sie mitgenommen und aufgewühlt hatte, hatte sie gedacht, daß, wenn sie etwas bestimmt nicht fertigbrächte, es die Arbeit für Essen auf Rädern mit Miss Poraway wäre. Sie hatte vorgehabt, Mrs. Trotter anzurufen, die alles organisierte, und zu sagen, es gehe ihr nicht gut. Aber als der Morgen kam, war es ihr erbärmlich vorgekommen, eine Krankheit vorzutäuschen und alle im Stich zu lassen. Sie hatte sich in Erinnerung gerufen, daß Miss Poraway in letzter Zeit wegen ihrer Nasenbeschwerden ein- oder zweimal nicht hatte kommen können und daß Mrs. Blackham, die zumindest tüchtig war, ihre Stelle eingenommen hatte.

»Also, das gefällt mir«, sagte Miss Poraway gerade und deutete auf eine Karikatur, die jemand aus der *WRVS News* ausgeschnitten und mit Tesafilm ans Armaturenbrett des Lieferwagens geklebt hatte. Darauf war ein ältliches Paar abgebildet, das seine Mahlzeit von einer Frau in der Uniform des Women's Royal Voluntary Service erhielt, die die beiden fragte, ob das Essen beim letzten Mal in Ordnung gewesen sei. »Das Fleisch war wunderbar«, schwärmte die ältliche Frau. »Aber die Soße war zu zäh«, beteuerte ihr uralter Gatte ohne Zähne.

Da das Mrs. Abigail, die sich aufs Fahren konzentrierte, nichts nützte, las Miss Poraway es vor. Sie las auch die Mitteilung vor, die in Kursivschrift unter der Karikatur stand, daß nämlich der verantwortliche Karikaturist viele Jahre lang offiziell mit einer Provinzzeitung in Verbindung gestanden habe und jetzt, an seinem Lebensabend, selbst zweimal pro Woche Essen auf Rädern erhalte.

»Also, das nenne ich amüsant«, sagte Miss Poraway, »alles zusammen.«

Der Lieferwagen hielt in der Pretty Street, und Miss Poraway und Mrs. Abigail stiegen aus. Miss Poraway sprach immer noch von der Karikatur und sagte, es werde ihren Bruder amüsieren, wenn sie ihm davon erzähle. Mrs. Abigail trug die beiden abgedeckten Teller, einen auf dem anderen, und benutzte ein Geschirrtuch dazu, weil sie heiß waren. Sie machte das Tor von Nummer 10 auf, das Reihenhaus von Miss Vine, deren Wellensittich es nicht gut ging. Miss Poraway rappelte laut hinter ihr, mit ihrer Liste und einer Tabaksdose, in der das Geld gesammelt wurde.

»Morgen, Miss Vine!« rief Mrs. Abigail mit erzwungener Heiterkeit, während sie die Haustür aufmachte.

»Morgen, meine Liebe!« rief Miss Poraway hinter ihr.

Sie gingen in die Küche, wo Miss Vine neben dem Vogelkäfig auf einem Stuhl saß. Normalerweise ließ sie einen Kochtopf mit Wasser auf dem Elektroherd sieden, mit zwei Tellern, die darauf warmgehalten wurden und auf das Essen warteten. Aber an diesem Morgen hatte sie all das vergessen, weil sich bei dem Wellensittich die Dinge zum Schlechten gewendet hatten.

»Er wird nicht am Leben bleiben«, sagte Miss Vine traurig. »Er ist heute deprimierter als je zuvor.«

»Ach, der wird schon wieder munter werden, Miss Vine«, sagte Mrs. Abigail und bot noch mehr Heiterkeit auf, während sie Roastbeef, Kartoffeln, Rosenkohl und Soße auf einen kalten Teller füllte. »Die grämen sich oft mal für ein, zwei Tage.«

Miss Poraway war anderer Meinung. Sie schielte zwischen den Stäben des Käfigs hindurch und gab Sauglaute von sich. Sie tat die Meinung kund, daß der Vogel nicht mehr lange leben werde, und empfahl Miss Vine, über den Kauf eines neuen nachzudenken.

»Ich stecke Ihren Milchreis in den Backofen, oder?« schlug Mrs. Abigail vor, machte die Backofentür auf und zündete das Gas an.

Miss Vine gab keine Antwort. Sie hatte angefangen zu

weinen. Nichts werde sie dazu bewegen, flüsterte sie, sich nach Beanos Tod einen anderen Vogel zu halten. Einen Vogel müsse man lieben wie einen Menschen. Irgendwann sei man soweit, daß man jeden Morgen als erstes in die Küche gehe und ihm Guten Morgen sage.

Mrs. Abigail holte einen Suppenteller aus einem Schrank und schüttete den Milchreis darauf. Miss Poraway sollte inzwischen zwölf Pence von Miss Vine kassiert haben. Sie sollte Miss Vines Namen auf ihrer Liste abgehakt haben und bereit sein, die leeren Teller und Deckel zum Lieferwagen zurückzubringen. Zwei Minuten konnte man sich in jedem Haus erlauben, wenn das letzte halbe Dutzend Mahlzeiten nicht eiskalt werden sollte. Sie stellte den Teller Milchreis in den Backofen und machte Miss Vine darauf aufmerksam. »Wölflinge«, flüsterte die Stimme von Timothy Gedge erneut, wie eine Art Echo. Die ganze Nacht lang hatte er das gesagt.

»Der Mann, der die Haushaltswarenhandlung hat«, sagte Miss Poraway. »Moult, oder? Fährt Paraffin in einem Lieferwagen aus. Der hat Vögel. Der könnte ihnen mühelos einen beschaffen, meine Liebe.«

»Haben Sie Ihre zwölf Pence da, Miss Vine?« fragte Mrs. Abigail. »Vergessen Sie nicht, daß jetzt Milchreis im Backofen steht.«

»Wirklich ein Jammer«, sagte Miss Poraway, »wenn so kleine Geschöpfe sterben.«

Mrs. Abigail konnte nicht umhin, sich verärgert zu räuspern. Es war ziemlich sinnlos, eine Austrägerin zu haben, die die ganze Sache als Vergnügungsfahrt betrachtete und sich einmal sogar in einer Küche hingesetzt und gesagt hatte, sie würde sich nur mal kurz ausruhen. Halb vier war es gewesen, als sie bei Mr. Grady, dem letzten Namen auf der Liste, angekommen waren, und seine Fish and Chips waren fettverklebt und ungenießbar gewesen. Während sie die Teller und Deckel selbst einsammelte und ohne

Miss Vines zwölf Pence ging, erschien das Gesicht von Timothy Gedge vor ihrem geistigen Auge und verursachte ihr Bauchschmerzen. Es war weiß Gott schon schlimm genug, im Lieferwagen nach dem Weg suchen und nach den Hausnummern Ausschau halten zu müssen, weil die Austrägerin nicht dazu in der Lage war. Es war schon schlimm genug, daß man die ganze Arbeit selbst machen und sich wie eine Verrückte abhetzen mußte, weil die Person, die einem helfen sollte, nicht aufhören konnte zu reden. Es war unter normalen Umständen schon schlimm genug, aber wenn man kein Auge zugetan, wenn man dagelegen und unter Schock und Ekel gelitten hatte, dann war das mehr, als ein normaler Mensch ertragen konnte. Natürlich war es falsch gewesen, Mrs. Trotter nicht anzurufen. Sie hätte Mrs. Trotter sagen sollen, sie sei nicht in der Lage, vierzig Mahlzeiten auszufahren, wenn sie auf Schritt und Tritt von Miss Poraway behindert werde. Sie hätte ihr sagen sollen, sie habe nach sechsunddreißig Jahren Ehe herausgefunden, daß ihr Mann homosexuell sei, die Erklärung für alles.

Sie fuhr in die Heathfield Siedlung, zu Mr. und Mrs. Budds Bungalow, in die Seaway Road, zu Mrs. Hutchings, und dann zu den ältlichen Armen in der Bough's Lane. Die ganze Zeit über redete Miss Poraway. Sie sprach von ihrer Nichte Gwen, die gerade einen Auktionator geheiratet habe, und von dem Kind einer anderen Nichte, bei dem irgend etwas mit den Ohren nicht in Ordnung sei. Als sie in Beaconville ankamen, wo drei ältere Leute zusammenlebten, ließ Mrs. Abigail sie eine Mahlzeit tragen, aber die ließ sie fallen, während sie versuchte, die Haustür aufzumachen. Überall, wo sie vorbeischauten, vergaß sie, das Geld zu kassieren. »In Ihrem Alter ist eine Erkältung gefährlich, meine Liebe«, sagte sie zu Miss Trimm. »Gefällt mir gar nicht, wie sie aussieht«, sagte sie laut in der Diele und vergaß dabei, daß sich Miss Trimms

Gehör, ungeachtet ihrer sonstigen körperlichen Mängel, im Alter geschärft hatte. Den alten Mr. Rine habe man an diesem Morgen beerdigt, setzte sie hinzu, und die alte Mrs. Crowley am Samstag.

Während Mrs. Abigail sich durch den Vormittag quälte, wurde sie, so als wollte diese Wahrheit sich über sie lustig machen, wiederholt daran erinnert, daß sie nie nach Dynmouth hatte kommen wollen. In London gab es die Kinos, in die sie so gerne ging, und die Theatermatinees. Dort konnte sie bei Harvey Nichols oder Harrods herumstöbern, nicht, daß sie jemals etwas gekauft hätte. In Dynmouth wurde in dem altmodischen und unzureichend beheizten Essoldo sieben Tage lang derselbe Film gezeigt, und die Geschäfte waren völlig uninteressant. Während Miss Poraway neben ihr schwatzte, dachte sie über all das nach und rief sich, wie sie es schon in der Nacht getan hatte, den Verlauf ihrer jungfräulichen Ehe ins Gedächtnis.

Sie waren zwei kleine, stille Menschen gewesen; er war mit neunundzwanzig ein liebenswürdiger Mann. Sie hatte nicht viel vom Leben gewußt, und er auch nicht. Sie hatten beide in der Nähe von Sutton bei ihren Eltern gelebt, er war schon in der Schiffahrtsbranche tätig, aus der er sich zurückgezogen hatte, bevor sie nach Dynmouth kamen, sie hatte im Immobilienbüro ihres Vaters gearbeitet, hatte halbtags die Aufgaben einer Sekretärin versehen und die Blumen im Außenbüro arrangiert. Die Eltern von beiden waren gegen die Hochzeit, aber sie und Gordon hatten, durch den Widerstand noch enger aneinandergebunden, darauf bestanden. Sie waren in der Kirche getraut worden, in die sie als Kind immer gegangen war, danach hatte es einen Empfang im nahegelegenen und bequem zu erreichenden Mansfield Hotel gegeben, und dann waren sie und Gordon nach Cumberland gefahren. Sie war adrett, gepflegt und hübsch gewesen. Sie hatte sich auf der Toilette im Zug das Gesicht gepudert, sich im Spiegel betrachtet und gefunden, daß sie nicht schlecht aussah. Ihr war schon zweimal ein Heiratsantrag gemacht worden, und sie hatte jedesmal abgelehnt, weil sie mit den Männern, von denen er kam, kein Mitgefühl gehabt hatte.

Sie hatte nicht gewußt, was sie von der Ehe erwarten sollte, zumindest nicht genau. Sie hatten in Cumberland das Bett geteilt, und sie hatte Gordon getröstet, weil nichts richtig geklappt hatte. Man müsse sich an alles erst gewöhnen, hatte sie gesagt und es Nacht für Nacht leise im Dunkeln wiederholt. Man müsse alles erst lernen, hatte sie geflüstert, in der Annahme, daß die Betätigung, die Gordon so schwer fiel, Übung erforderte, genau wie Tennis. Es spiele keine Rolle, hatte sie gesagt. Sie hatten in Cumberland lange, wohltuende Spaziergänge gemacht. Sie hatten es genossen, gemeinsam im Speisesaal des Hotels zu frühstücken.

Sie erinnerte sich an Kleidungsstücke, die sie damals, in den Flitterwochen und danach, gehabt hatte: Kostüme und Kleider, viele davon in verschiedenen Blautönen, ihrer Lieblingsfarbe, Mäntel, Halstücher und Schuhe. Sie hatten Freunde gehabt, andere Paare, die Watsons, die Turners, die Godsons. Es hatte Abendgesellschaften gegeben, man hatte Bridge gespielt, war ins Theater und zum Tanzen gegangen. Einmal hatte ein Mann, dem sie noch nie begegnet war, ein Mann namens Peter, der anscheinend nicht verheiratet war, bei den Godsons ständig mit ihr getanzt und sie dicht an sich gedrückt, auf eine Art, die sie bestürzend und doch angenehm gefunden hatte. Ein Jahr später, als der Krieg ausgebrochen und Gordon schon bei der Navy gewesen war, war sie diesem Peter in der Bond Street begegnet, und er hatte nach ihrem Ellbogen gegriffen und sie auf einen Drink eingeladen. Sie hatte ziemliche Angst gehabt und die Einladung nicht angenommen.

Nach dem Krieg waren sie und Gordon in eine andere Gegend Londons gezogen. Sie hatten ihre Freunde aus der Zeit vor dem Krieg nicht mehr gesehen und auch keine neuen Freundschaften geschlossen, es war schwer zu sagen, warum. Gordon schien sich leicht verändert zu haben, vom Krieg verhärtet zu sein. Wenn sie jetzt darauf zurückblickte, dann hatte auch sie sich verändert: Sie hatte eine gewisse Natürlichkeit verloren, sie hatte sich nicht mehr so lebenslustig gefühlt. Es war eine Enttäuschung gewesen, keine Kinder zu haben, aber es gab Tausende von Paaren, die keine Kinder hatten, und natürlich gab es viel Schlimmeres als das, wie der Krieg gerade erst gezeigt hatte.

Zu keiner Zeit hatte sie das Gefühl, daß Gordon pervers war. Zu keiner Zeit, nicht einmal andeutungsweise, war ihr so ein Gedanke gekommen, und sie hatte auch nie gedacht, daß er nicht wie andere Männer war. Da auch andere Ehen kinderlos blieben, nahm sie an, auch andere Paare hatten, zu Tausenden, das gleiche Problem wie sie. Und sie betrachtete es als ihres, nicht einfach als das von Gordon. Sie waren beide daran schuld, wenn man überhaupt von Schuld sprechen konnte, was sie bezweifelte: Es war eher die Art, wie sie beschaffen waren. Sie dachte nicht darüber nach, und es kam nicht zur Sprache.

Aber jetzt war es überall, schrie ihr entgegen und brüllte die Jahre ihrer jungfräulichen Ehe nieder. In dem Bungalow, in den sie gezogen waren, um dort den Rest ihrer Tage zu verbringen, war diese neue und einfache Wahrheit bereits überall zu spüren, mit einer Logik, die jedes Kind verstehen konnte. Daß Timothy Gedge, der im Rausch und anscheinend auch als Mensch so furchtbar war, sie ans Licht gebracht hatte, paßte sogar. In seinem Rausch war er ihr wie etwas aus einem billigen Sonntagsblatt vorgekommen: Genauso war auch ihre Ehe, und ihr Mann ebenso, heimtückisch und lasterhaft in einer kleinen

Stadt. Timothy Gedge hatte nur die Wahrheit offenbart, ihre unbestreitbare Kraft, ihre Macht und Herrlichkeit. Sie wollte nicht an Timothy Gedge denken, wollte weder über ihn nachdenken noch irgendwelche Betrachtungen über ihn anstellen. An der Wahrheit, die er ausgesprochen hatte, ließ sich nichts ändern, und das genügte im Augenblick.

»Also, ich finde, das ist eine ganze Menge«, bemerkte Miss Poraway gerade. »Vierzig Mahlzeiten für nur zwei Paar Hände.«

Mrs. Abigail, die zwei weitere Teller hinten aus dem Lieferwagen holte, war sich nur bewußt, daß ihre Begleiterin etwas sagte; den Inhalt des Gesagten registrierte sie nicht. Während der ganzen Nacht hatte sie es immer wieder absurd gefunden, daß sie sich jemals für eine glückliche Frau gehalten hatte. Und auf dieselbe wiederkäuende Weise hatte sie sich die Szene ins Gedächtnis gerufen, in die sie am vorigen Abend hineingeplatzt war, als sie verkündet hatte, das Abendessen sei fertig: wie Gordon und der Junge im Wohnzimmer vor dem behaglichen Schein des elektrischen Kamins gesessen und Sherry getrunken hatten.

»Ach, um Gottes willen, Miss Poraway!« rief sie, als ein weiterer Milchreis Miss Poraway aus den Fingern glitt. »Was sind Sie bloß für ein Tolpatsch?«

Commander Abigail war auf seinem Spaziergang, zu dem er seinen braunen Mantel trug und sein Handtuch und seine Badehose nicht dabei hatte, ebenfalls erschüttert. Beim Frühstück war kein Wort gefallen, was vielleicht gar nicht ungewöhnlich war, anschließend hatte sie das Haus verlassen, ebenfalls ohne etwas zu sagen. Donnerstags hatte sie ihm immer irgendwelche Anweisungen wegen des Mittagessens dagelassen, da Donnerstag der Tag war, an dem sie ihrer karitativen Tätigkeit für die älteren Leute nachging. Dennoch hatte sie nicht nur kein Wort gesagt, sondern ihm, soweit er feststellen konnte, auch kein Mittagessen dagelassen.

Genau wie seine Frau hatte der Commander nicht geschlafen. Er hatte in dem Zimmer neben ihrem wach gelegen, und der Vorfall mit dem Jungen war ihm ständig durch den Kopf gegangen, wie dem Jungen der Schweiß übers Gesicht gelaufen war, wie seine Hände aus den Ärmeln des Anzugs mit dem Fischgrätenmuster hervorgeschaut hatten und wie er in seiner Stimme seine sonderbaren Erklärungen abgegeben hatte. Als es ihnen schließlich gelungen war, ihn aus dem Haus zu bekommen, hatte er ihr geholfen, das restliche Geschirr aus dem Eßzimmer zu tragen, etwas, was er sonst nie tat. Er hatte noch mehrmals betont, alles, was der Junge gesagt habe, sei das Geschwätz eines Betrunkenen gewesen. Er hatte gesagt, es tue ihm leid, daß es zu dem Vorfall gekommen sei, und hatte sie gefragt, ob er ihr etwas Ovaltine machen solle. Soweit er sich erinnern konnte, hatte sie auf nichts eine Antwort gegeben, außer daß sie den Kopf schüttelte, als er von Ovaltine sprach.

Während er über den Sand ging, versuchte der Commander, sich zu beruhigen. Er hatte den Wölflingen oft dabei zugesehen, wie sie am Strand Schlagball gespielt hatten. Der kleine Gedge, der anscheinend der gesamten Einwohnerschaft von Dynmouth nachspionierte, hatte ihn zweifellos dabei gesehen. Aber es war nichts Verdächtiges oder Fragwürdiges daran, einer Schar von Jungs dabei zuzuschauen, wie sie auf dem Sand spielten, nicht mehr als daran, älteren Leuten ihr Essen zu bringen. Der Umstand, daß der Junge leider nicht mehr ganz nüchtern und nicht mehr in der Lage war, sich angemessen auszudrücken, hatte eindeutig für Verwirrung gesorgt. Obwohl es keinerlei Beweise gegeben hatte, hatte er die ganze Sache als Unterstellung bezeichnet, statt zu sagen, daß kein normaler Engländer umhin könne, den Anblick von englischen Jungs in ihren Uniformen gutzuheißen und spontan stehenzubleiben, um ihnen beim Spiel zuzuschauen.

Aber es gelang dem Commander mit all diesen Argumenten, die er sich zu seiner eigenen Beruhigung und, um sie seiner Frau zu unterbreiten, zurechtgelegt hatte, am Schluß nicht, sich selbst zu überzeugen. Die Wahrheit kam immer wieder zum Vorschein, genau wie Unkraut im Garten. Man schob sie beiseite, aber sie kroch hierhin und dorthin und kam dann ärgerlicherweise wieder an die Oberfläche. Die Wahrheit war, daß der unglückselige Junge irgendwie in einem Bereich herumgeschnüffelt hatte, der intim war, einem Bereich, der von Natur aus sonst niemanden etwas anging. Commander Abigail mochte diesen Bereich nicht einmal: Es rief Scham- und Schuldgefühle bei ihm hervor, Überlegungen darüber anzustellen, und er versuchte, nicht daran zu denken. Daß es gelegentlich mit ihm durchging, war einfach ein Mißgeschick und war ihm hinterher immer unangenehm.

Der Commander schlich, anscheinend viele Jahre älter als einen Tag zuvor, an diesem Strand, mehr gebückt und geduckt, voran und schüttelte den Kopf im Takt seiner Schritte. Es erstaunte ihn über alle Maßen, daß der Junge auf diesen intimen Bereich gestoßen sein sollte. Er zermarterte sich das Hirn, er ließ seine Gedanken zurückschweifen. Bilder, die er nicht sehen wollte, zogen in einer verwirrenden Prozession an ihm vorbei. Stimmen sprachen. Er sah eine Gestalt, die er selbst war, der Schurke in seiner Peepshow. Sein eigenes Gesicht lächelte ihn an, und dann hörten die Bilder auf. Er hatte jetzt die Sache wieder mehr unter Kontrolle und ließ erneut seine Gedanken zurückschweifen.

Als der Junge zum ersten Mal ins Haus gekommen war, war er kindlicher gewesen und natürlich auch wie ein

Kind behandelt worden. Ein- oder zweimal hatte er ihm, als er ihn zum Abendessen ins Eßzimmer dirigiert hatte, die Hand auf die Schulter gelegt. Ein- oder zweimal hatte er den Jungen, während er auf dem Fußboden gehockt und die Linoleumumrandung poliert hatte, am Kopf berührt, so wie man einem Hund im Vorbeigehen den Kopf tätscheln mochte. Es gab ein Spiel, mit dem sie sich ein paarmal beschäftigt hatten, wenn Edith aus dem Haus war, eine Art Balgerei, völlig harmlos. Sie hatten Blindekuh gespielt und etwas, was »Such den Penny« hieß, wobei er selbst wie eine Statue mitten im Wohnzimmer gestanden hatte, während der Junge ihn überall abgetastet und seine Taschen durchwühlt hatte, um eine versteckte Münze zu finden. Das war ein völlig harmloses Spielchen und hatte ihnen beiden Spaß gemacht. Natürlich hatten sie es nicht mehr gespielt, seit der Junge in die Pubertät gekommen war.

So hatte ihr unschuldiges Verhältnis ausgesehen, und so sah es immer noch aus. Und doch hatten die Andeutungen des Jungen so wissend geklungen, daß der Commander begonnen hatte, sich zu fragen, ob er vielleicht an Gedächtnisschwäche litt. Waren ihre Balgereien nicht so gewesen, wie er sie in Erinnerung hatte, war ihr Blindekuhspiel anders ausgegangen? Oder war es möglich, daß der Junge ihm bis ins Essoldo Kino nachspioniert hatte? Er schob das beiseite und konzentrierte seine Gedanken statt dessen auf das Gesicht eines Jungen auf einem Fahrrad, der einmal nett zu ihm gewesen war, und auf das Gesicht eines anderen, der nichts dagegen gehabt hatte, »Such den Penny« in der Hütte auf dem Golfplatz zu spielen. Da war der rothaarige Wölfling, der so gern von seinen Abzeichen sprach.

Er drehte sich um und ging noch langsamer nach Dynmouth zurück.

Genau wie das Essoldo in Dynmouth war das Pavilion in Badstoneleigh schon alt. Schwingtüren zu beiden Seiten der Kasse in dem kleinen Foyer führten zu einem inneren Foyer, das mit Teppichboden ausgelegt und nur schwach beleuchtet war. An braunen Wänden hingen große gerahmte Fotos der Stars aus den Dreißigern: Loretta Young, Carole Lombard, Annabella, Don Ameche, Robert Young, Joan Crawford. Auf dem Teppichboden waren Brandflecken von Zigaretten, und hier und da war das Braun der Wände abgescheuert, und es kam eine rötliche Oberfläche darunter zum Vorschein. Es gab einen Stand, an dem Süßigkeiten verkauft wurden.

Der Zuschauerraum selbst sah ähnlich aus und hatte braune Wände voller Flecken. Man ließ das Licht gedämpft, um eine Vielzahl kleiner Schäden zu verdecken. Die Sitzbezüge waren einmal purpurrot gewesen: Jetzt waren sie zu einem blassen Rot ausgeblichen, waren abgewetzt, und mitunter schauten schon die Sprungfedern hervor. Blasse Vorhänge mit Schmetterlingen darauf, früher einmal ein Farbenrausch, waren jetzt von unbestimmbarer Farbe. Der Geruch ähnelte dem im Essoldo: Desinfektionsmittel und abgestandener Zigarettenrauch.

Timothy Gedge setzte sich, die Tragetüte zu seinen Füßen, im Parkett drei Reihen hinter die Kinder von Sea House. Nachdem er zwei Tüten Kartoffelchips mit Speckgeschmack gegessen hatte, hatte er sich noch eine Rolle Rowntrees Fruchtgummis gekauft, die er sich jetzt schmecken ließ, während er darauf wartete, daß das Licht langsam ausging. Einmal sah Stephen sich um, und Timothy lächelte ihn an.

Das gedämpfte Licht wurde noch etwas düsterer, und es begann die Werbung für einheimische Läden und Eßlokale. Es wurden ein Film über den Bau einer Brücke in Schottland, Ausschnitte aus zwei demnächst laufenden Filmen, die Programmvorschau und dann *007 jagt Dr. No* gezeigt. Die Handlung, die Timothy vertraut war, bot auch, wenn man sich den Film ein zweites Mal ansah, keine tieferen Erkenntnisse. Man versuchte, James Bond umzubringen, indem man auf ihn schoß, eine Tarantel in sein Bett setzte, seinen Wodka vergiftete und ihn ertränken wollte. Doch alle Versuche schlugen fehl, weil die Täter geistig und körperlich unterlegen waren. Es gab ein Happy-End, mit James Bond und einem Mädchen in einem Boot.

Das Licht ging an, und ein Bild von dem Süßigkeitenstand erschien auf der Leinwand. Es wurde verkündet, daß Bonbons, Schokolade und Nüsse im Foyer erhältlich seien.

Timothy erhob sich, als Stephen und Kate aufstanden, froh darüber, daß sie sich für eine Erfrischung entschieden hatten. »Hallo«, sagte er, als er hinter ihnen in der Schlange stand.

Sie kannten ihn vom Sehen. Er war ein Junge, der immer allein war, den man oft dabei beobachten konnte, wie er sich Fernsehsendungen in den Schaufenstern von Elektrogeschäften anschaute. Er trug immer dieselben hellen Kleider, passend zu seinen hellen Haaren.

»Hallo«, sagte Kate.

»Ich hab euch schon drüben in Dynmouth gesehen.«

»Wir wohnen in Dynmouth.«

»Stimmt.« Er lächelte sie abwechselnd an. »Deine Mutter hat gerade seinen Vater geheiratet.«

»Ja, das stimmt.«

Sie kauften sich Schachteln mit Nüssen, und Timothy kaufte sich noch eine Rolle Fruchtgummis. Als er ins Parkett zurückkehrte, setzte er sich neben Kate. »Wie wär's mit einem Fruchtgummi?« fragte er und bot ihnen beiden die Rolle an. Sie nahmen jeder eins, und er bemerkte, wie sie einander mit dem Ellbogen anstießen, amüsiert darüber, daß er ihnen Fruchtgummis angeboten hatte.

Diamantenfieber nahm den gleichen Verlauf wie sein Vorgänger. James Bond durchlief eine ähnliche Skala von Versuchen, ihm das Leben zu nehmen. Am Ende war er wieder mit einem Mädchen zusammen, diesmal mit einem anderen und nicht in einem Boot.

»Wir können locker den Bus um halb sechs kriegen«, sagte Timothy, bot wieder seine Fruchtgummis an und versperrte ihnen und zwei älteren Frauen, die ins Foyer gehen wollten, den Weg.

»Na, komm schon, bitte«, rief eine Platzanweiserin, die auch schon älter war. »Los jetzt, Junge.«

In einer Traube gingen die Frauen und die drei Kinder durch die Schwingtür in das braune Foyer.

»Wir gehen am Strand zurück«, sagte Kate.

»Prima.« Er blinzelte in das plötzliche grelle Sonnen-licht auf der Straße und bemerkte ihre Überraschung darüber, daß er sich ihnen angeschlossen hatte, aber das spielte keine Rolle. Er ging neben ihnen auf dem Bürger-steig, und sie gingen zu dritt nebeneinander, so daß Fuß-gänger, die auf sie zukamen, auf die Straße treten mußten. Er schwang die Tragetüte mit dem Union Jack darauf. Er wußte nicht so richtig, was er zu ihnen sagen sollte. Er sagte:

»Kennt ihr diese Miss Lavant? Sie ist in den Doktor verknallt, Greenslade.«

Sie hatten Miss Lavant auf der Promenade und in der Stadt gesehen, und sie war immer langsam gegangen, manchmal mit einem hübschen Weidenkorb. Kate hatte oft gedacht, daß sie schön war. Sie hatte nicht gewußt, daß sie in Dr. Greenslade verliebt war, der schon eine Frau und drei Kinder hatte.

»Sie ist schon seit zwanzig Jahren in den Mann ver-knallt«, sagte Timothy.

Das erklärte manches. Sie hatte so etwas Aufgeregtes an sich, was dadurch ebenfalls erklärt wurde: Sie war auf ihren langsamen Spaziergängen schrecklich nervös. Ihr Blick, der immer leicht nach unten gerichtet war, war wohlgesittet und widerstand der Versuchung, auf der Suche nach Dr. Greenslade herumzuschweifen.

»Sie wohnt in einer Einzimmerwohnung in der Pretty Street«, sagte Timothy. »Links von der Eingangstür.« Er lachte, da ihm wieder einfiel, wie er darauf beharrt hatte, daß Miss Lavant Mrs. Abigails Schwester sei. »Ich hab mal bei ihr ins Fenster geguckt, und da hat sie gerade ein gekochtes Ei gegessen, mit noch einem Ei in einem Eierbecher auf der anderen Seite des Tisches. Sie hat das Blaue vom Himmel heruntergeschwatzt und Greenslade bewirtet, obwohl er gar nicht da war. Drei Uhr nachmittags, als alle draußen in ihren Liegestühlen lagen.«

Er hat eine komische Art zu reden, dachte Kate. Dennoch bewirkte er, daß Miss Lavant ihr leid tat, eine Frau, an die sie vorher kaum einen Gedanken verschwendet hatte. Es fiel ihr nicht schwer, sich die Einzimmerwohnung in der Pretty Street, links von der Eingangstür, und die zwei gekochten Eier in den beiden Eierbechern vorzustellen.

Stephen tat Miss Lavant ebenfalls leid, und er beschloß, sie sich einmal genauer anzusehen. Sie ging nie am Strand spazieren, und er hatte, ohne jemals darüber nachzudenken, angenommen, sie verzichtete darauf, weil sie sich die Schuhe nicht ruinieren wollte. Er glaubte, einmal gehört zu haben, wie das jemand über sie gesagt hatte, aber jetzt schien es so, als wäre das nicht der wirkliche Grund: Der Strand war wohl kaum der Ort, an dem man einen flüchtigen Blick auf Dr. Greenslade werfen konnte, mit seiner schwarzen Tasche und seinem Stethoskop, das er manchmal auf der Straße um den Hals trug.

»Ich hätte nichts gegen ein Bier«, sagte Timothy und setzte hinzu, das einzige Problem sei, daß die Supermärkte in Badstoneleigh einem Minderjährigen keins gäben. »Es gibt einen Spirituosenladen in der Lass Lane«, sagte er, »wo der Typ halb blind ist.«

Auf dem Weg zur Lass Lane nannten sie ihm ihre Namen, und er sagte, seiner sei Timothy Gedge. Er empfahl ihnen, nicht mit ihm in den Spirituosenladen zu kommen. Er bot ihnen an, beiden eine Dose Bier zu kaufen, aber sie sagten, sie hätten lieber eine Cola.

»Bist du schon achtzehn, Bürschchen?« erkundigte sich der Inhaber, während er ihm eine Halbliterdose Worthington E reichte. Er trug eine dicke gesprenkelte Brille, hinter der seine Augen unnatürlich vergrößert waren. Timothy sagte, er werde am Vierundzwanzigsten des nächsten Monats neunzehn.

»Zwilling«, sagte der Mann. Timothy lächelte, ohne zu wissen, wovon der Mann sprach.

»In solchen Läden stehen oft Verrückte hinterm Tresen«, bemerkte er auf der Straße. »Sie trinken den Stoff und kriegen davon ein weiches Hirn.« Er lachte und setzte dann hinzu, er selbst sei übrigens letzte Nacht blau wie ein Veilchen gewesen. Er sei in einem furchtbaren Zustand aufgewacht, mit einem Mund so trocken wie die Sahara.

Sie gingen zum Strand und setzten sich auf die Felsen, neben einen Tümpel mit Seeanemonen. Sie tranken ihre Cola, und Timothy leerte das Worthington E und sagte, das sei genau das, was er brauche, nachdem er letzte Nacht so gesoffen habe. Als er ausgetrunken hatte, warf er die Bierdose in den Tümpel mit den Seeanemonen.

Sie gingen los in Richtung Dynmouth. Die Flut kam. Es waren mehr Möwen da als am Morgen, auf den Klippen und auf dem Wasser. Am Horizont lag derselbe Trawler noch an derselben Stelle.

»Seid ihr schon in der Schule?« fragte er, und sie erzählten ihm von ihren beiden Internaten. Er wußte, daß sie im Internat waren, aber das war etwas, was er die

131

Kinder fragen konnte. Er sagte, er selbst gehe an die Gesamtschule von Dynmouth, ein schrecklicher Sauladen. Dort gebe es eine Frau namens Wilkinson, die nicht einmal in einem Vogelkäfig für Ordnung sorgen könne. Stringer, der Rektor, sei ein Trottel; der Sportlehrer sei hinter den Mädchen her. Sex und Zigaretten seien die Hauptsache und ins Jugendzentrum zu gehen und die Beine von den Tischtennisplatten abzuschlagen. Es gebe dort ein Mädchen namens Grace Rumblebow, das so unglaublich sei, daß man es gesehen haben müsse.

»Kennt ihr Plant?« fragte er. »Aus dem Artilleryman's?«

»Plant?« fragte Stephen.

»Der treibt sich ständig auf Toiletten rum.« Er lachte. »Hinter den Frauen her.«

Er erklärte ihnen, was er damit meine, wie er ihm einmal zufällig in den frühen Morgenstunden begegnet sei und er nur ein Hemd angehabt habe. Er schilderte die Szene, die er im Schlafzimmer seiner Mutter mitangesehen hatte, während gerade *Der Chef* gelaufen war.

Sie sagten nichts, und nach ein paar Augenblicken trat betretenes Schweigen ein, das sich verfestigte. Kate schaute aufs Meer hinaus und wünschte, er hätte sich ihnen nicht angeschlossen. Sie starrte den wie versteinert daliegenden Trawler an.

»Ist deine Mutter in den Flitterwochen?« fragte er.

Sie nickte. In Frankreich, sagte sie. Mit einem Lächeln wandte er sich Stephen zu.

»Deinem Vater wird das gefallen, Stephen. Dein Vater wird ganz schön aufgedreht sein.«

»Aufgedreht?«

»Ganz heiß drauf, Stephen.«

Er lachte. Stephen erwiderte nichts.

Sein Gesicht gleicht einer Axtklinge, dachte Kate, mit einer weiteren Axtklinge quer dazu: der Linie der Knochen über den eingefallenen Wangen. Seine Finger waren ziemlich lang, schmal wie die eines Mädchens.

»Deine Mutter hat Stil, Kate. Ich hab gehört, wie das jemand in einem Gemüseladen gesagt hat. Ich würde sagen, sie hat allerhand zu bieten, Kate. Sie ist zum Anbeißen.«

»Ja«, murmelte sie und wurde rot im Gesicht, weil ihr das peinlich war.

»Er kennt sich aus, Stephen? Dein Vater, hm?«
Erneut gab Stephen keine Antwort.

»Macht es dir was aus, daß ich das gesagt hab, Stephen? Dein Vater ist ein feiner Mann, sie passen gut zusammen. ›Toll, daß es dazu gekommen ist‹, hat die Frau in dem Laden gesagt und Lauch eingekauft. ›Das ist toll für die Kinder‹, hat sie gesagt. Findest du's toll, Kate? Gefällt's dir, Stephen zu haben?«

Ihr Gesicht fühlte sich an wie ein Sonnenuntergang. Verwirrt wandte sie sich ab und tat so, als würde sie den graubraunen Lehm des Kliffs betrachten.

»Die Leute von Dynmouth können sich nicht um ihre eigenen Angelegenheiten kümmern«, hörte sie Timothy Gedge sagen. »So sind sie immer, schwafeln sich in einem öffentlichen Laden einen ab. Der beste Platz für die Leute von Dynmouth ist der Sarg.« Er ließ ein kurzes Lachen hören, ganz sanft und leise. »Gehst du manchmal zu Beerdigungen, Kate?«

»Beerdigungen?«

»Wenn ein Mensch stirbt, Kate.«

Sie schüttelte den Kopf. Sie gingen einen Augenblick lang schweigend weiter. Dann sagte Timothy Gedge:

»Liest du ab und zu Bücher, Stephen? *Die Tochter des Kannibalen* von Barbara Asenmann?«

Er lachte, und sie lachten ebenfalls, mit leichtem Unbehagen. In der Stimme einer Frau sagte er:

»Wann ist es Pech, eine Katze hinter sich zu haben?«

133

Sie sagten, sie wüßten es nicht.

»Wenn man eine Maus ist. Verstehst du, Stephen? Kreuze einen Elefanten mit einem Känguruh, Kate? Was kommt dabei raus?«

Sie schüttelte den Kopf.

»Große Drecklöcher in ganz Australien, Kate.« Er lächelte sie an. Er sagte, er werde an dem Talentwettbewerb am Ostersamstag teilnehmen. »Ich suche nämlich ein Hochzeitskleid«, sagte er. »Ich hab mir eine Nummer mit einem Hochzeitskleid ausgedacht.«

»Du meinst, du verkleidest dich als Braut?« fragte Kate.

Er erzählte es ihnen. Er erzählte ihnen von der Badewanne auf dem Hof von Swines. Er wiederholte alles, was er den Abigails und Mr. Plant erzählt hatte: daß George Joseph Smith für die verstorbene Miss Munday Fisch und für Mrs. Burnham und Miss Lofty Eier gekauft habe. Sie äußerten sich zu nichts von all dem.

»Ich hab deinen Vater oft in der Gegend gesehen, Stephen«, sagte er. »Mit einem Feldstecher.«

»Er ist Ornithologe.«

»Wie nennst du das, Stephen?«

»Er schreibt Bücher über Vögel.«

»Befindet sich das Hochzeitskleid deiner Mutter in einer Truhe, Stephen?«

Stephen blieb stehen und starrte auf den Sand. Er zog mit der Spitze seiner rechten Sandale langsam einen Kreis. Kate blickte von einem Gesicht zum anderen, das von Stephen vor Verwunderung verzogen, das von Timothy Gedge freundlich lächelnd.

»Ich hab deinen Vater damit gesehen, Stephen.« Er sprach leise, sein Lächeln war immer noch da. »Ich hab in Primrose Cottage durchs Fenster geschaut.«

Sie sagten nichts. Beide runzelten die Stirn. Sie setzten sich wieder in Bewegung, und Timothy Gedge ging mit ihnen und schwang seine Tragetüte.

»Es macht dir doch nichts aus, daß ich durchs Fenster geschaut hab, Stephen? Es ist bloß, daß ich gerade vorbeigekommen bin. Dein Vater hat seine Sachen zusammengepackt. Er hat das Hochzeitskleid aus der Truhe genommen und es dann wieder reingelegt. So eine ausgeblichene Truhe, Stephen. Muß früher mal grün gewesen sein.«

Erneut trat Schweigen ein, und dann rannten sie los und ließen ihn, sprachlos vor Überraschung über ihr jähes Weglaufen, stehen. Er konnte nicht verstehen, warum sie plötzlich über den Sand rannten. Einen Augenblick lang dachte er, daß es vielleicht eine Art Spiel war, daß sie so plötzlich aufhören würden zu rennen, wie sie damit begonnen hatten, daß sie wie Statuen auf dem Sand stehen und warten würden, bis er sie eingeholt hätte. Aber das taten sie nicht. Sie rannten immer weiter.

Er nahm sich eins von den Fruchtgummis, die von der Rolle noch übrig waren. Er stand da, lutschte es und beobachtete die Möwen.

6

»Ich denke, ich werde mal versuchen, den Rasen zu mähen«, sagte Quentin Featherston, während er und Lavinia
nach der Teegesellschaft der Müttervereinigung, die noch
anstrengender gewesen war als gewöhnlich, das Geschirr
spülten. Als Miss Poraway von einer Tupper-Party gesprochen hatte, war Mrs. Stead-Carter viel weiter gegangen als je zuvor. Sie hatte darauf hingewiesen, daß es
dumm sei, von Tupper-Parties als einer Möglichkeit zu
sprechen, Geld einzunehmen, da das Geld, das auf Tupper-Parties eingenommen werde, natürlich an die Herstel-
ler von Tupperware gehe. Miss Poraway hatte gesagt, es
gebe andere, ähnlich geartete Parties, auf denen Wild-
lederjacken, Mäntel und manchmal Unterwäsche vorgeführt würden. Mrs. Stead-Carter hatte noch ungehaltener
gesagt, sie habe in ihrem ganzen Leben noch nie etwas so
Blödsinniges gehört: Der Müttervereinigung in Dynmouth stünden weder Tupperware noch Wildlederklei-
dung oder Unterwäsche zur Verfügung, alles, was Miss
Poraway zu dem Gespräch beitrage, sei Zeitverschwen-
dung. Und überhaupt könne sie nicht verstehen, erklärte
Mrs. Stead-Carter schließlich, warum Miss Poraway, die
nie Mutter gewesen sei, sich für die Müttervereinigung
interessiere. Miss Poraway war auf der Stelle in Tränen
ausgebrochen, und Lavinia hatte sie in die Küche bringen
müssen. Mrs. Abigail habe sie, so erzählte sie Lavinia,
diesen Vormittag als Tolpatsch bezeichnet, bloß weil sie
bei Essen auf Rädern einen Blechteller habe fallen lassen.
Dynmouth werde langsam ein scheußlicher Ort.

»Arme Miss Poraway«, sagte Quentin, während sie das
Teegeschirr spülten, und Lavinia – die Miss Poraway nicht
so freundlich gesinnt war – sagte gar nichts. Sie wünschte,
sie könnte jetzt, und nicht erst mitten in der Nacht, wenn
er schlief, sagen, es tue ihr leid. Es war nicht seine Schuld;

er tat sein Bestes. Er hatte es nicht leicht, mit all den Frauen, die sich ständig in den Haaren lagen, mit nur einer Handvoll Leuten von den Tausenden von Einwohnern Dynmouths, die jemals einen Fuß in seine Kirche setzten, und mit Mr. Peniket, der über den Niedergang des Gemeindelebens klagte. Sie wünschte, sie könnte sagen, daß sie wisse, sie sei schwierig und gereizt und lasse es an ihm aus, daß ihr ein weiteres Kind versagt sei. Aber obwohl sie etwas sagen wollte, tatsächlich versuchte, Wörter zu bilden und sie herauszubringen, kam nichts. Sie spülten und trockneten schweigend ab, und dann erschienen die Zwillinge, überall voller Zitronenkuchen.

»Haben aufgeräumt«, sagte Susannah.

»Nein, stimmt nicht«, widersprach Lavinia. »Ihr habt Kuchen gegessen.«

»Haben auf dem Fußboden aufgeräumt«, sagte Deborah.

»Haben Krümel aufgeräumt«, sagte Susannah.

»Ich wünschte, ihr würdet einmal die Wahrheit sagen.« Lavinia war wütend. Zur Zeit verging kein Tag, an dem ihr nicht der Gedanke kam, daß sie zwei richtige Lügenmäuler zur Welt gebracht hatte. Marmelade fiel wie Regen, Kuchen mußte auf dem Fußboden aufgelesen werden. »Mäuse haben Brötchen gemacht«, hatte Deborah gestern nachmittag gesagt, als Lavinia in einer Ecke Mehl und Rosinen entdeckt hatte. »Mäuse können Party machen«, hatte Susannah hinzugesetzt. »Und Spiele«, hatte Deborah gesagt. »Mäuse können Spiele machen, wenn sie wollen.«

Lavinia schimpfte immer noch und wischte ihnen die Krümel von den Strickjacken.

»Zwillinge haben nicht einen Krümel gegessen«, versicherte Susannah.

»Mäuse waren das«, erklärte Deborah. »Zwei Mäuse sind aus dem Sessel gekommen.«

»Kommt und schaut mir beim Rasenmähen zu«, schlug

Quentin vor, aber die Zwillinge schüttelten verständnislos den Kopf, weil so viel Zeit verstrichen war, seit der Rasen zum letzten Mal gemäht worden war. Sie hatten jedenfalls den Verdacht, daß das, was ihr Vater tun wollte, langweilig anzuschauen wäre. Zuschauen war oft uninteressant.

Quentin hatte bereits begonnen, den Garten für Ostern herzurichten. Er hatte in den Blumenbeeten das erste Frühlingsunkraut herausgerupft, kleine Triebe von Löwenzahn, Ampfer und Hirsegras. Er hatte mit einer Hacke im Boden herumgestochert, um ihn frisch aussehen zu lassen. Er hatte einen großen Teil der Blätter vom letzten Herbst zusammengerecht.

In der Garage kontrollierte er eine Maschine, die Suffolk Punch hieß, ein Rasenmäher, der jetzt genau zehn Jahre alt war. Er hatte seit einem Samstag nachmittag im Oktober unbenutzt herumgestanden, mit Begonienknollen in der Grasbox und einem Bündel vergilbender Zeitungen auf dem Motor. Das Bündel war mit einer Schnur zusammengebunden und dort eines Morgens, als Lavinia es eilig gehabt hatte, liegengelassen und vergessen worden. Sie sammelte alte Zeitungen, Deckel von Milchflaschen und Aluminiumfolie für die Pfadfinderinnen.

Quentin haßte den Suffolk Punch. Jetzt, da er ihn aus seiner Ecke in der Garage zerrte, ihn zwischen seinem Vauxhall Viva-Kombi und den Dreirädern der Kinder hindurchzwängte und auf die unebene Fläche vor der Garagentür schob, haßte er ihn besonders. Er zog am Starterseil, einem aufgespulten, mit Plastik umhüllten Draht, der nach jedem Versuch, den Motor anzuwerfen, prompt an seinen Platz zurückschnellte. Der Motor gab kein Geräusch von sich, kein vielversprechendes leichtes Räuspern und natürlich erst recht kein betriebsbereites Aufheulen. Man konnte den ganzen Tag damit zubringen, an der mit Plastik umhüllten Spule zu ziehen, bis sich einem die Haut von den Händen schälte und man völlig

schweißgebadet war. Man konnte die Zündkerze herausnehmen und überprüfen, ohne zu wissen, wonach man
suchte. Man konnte sich mit einem Schraubenzieher oder
einem Stück Draht daran zu schaffen machen oder sie mit
einem Lappen abwischen. Man konnte sie in die Küche
bringen und unter den Grill des Elektroherds legen, um
sie anzuwärmen, ohne zu wissen, warum sie überhaupt
warm sein mußte.

Er zog vierzigmal an dem aufgespulten, mit Plastik
umhüllten Draht, und machte jedesmal nach zehn oder
einem Dutzend Versuchen eine Pause. Es begann, wie
gewöhnlich, langsam nach Benzin zu stinken.

»Alles in Ordnung, Mr. Feather?« erkundigte sich die
Stimme von Timothy Gedge.

Der Junge stand zum zweiten Mal an diesem Tag da
und lächelte ihn an. Er versuchte zurückzulächeln, aber
es fiel ihm schwer. Dasselbe Unbehagen, das er an diesem
Morgen verspürt hatte, kam zurück, und jetzt begriff er,
woran das lag: Dieser pubertierende Junge war unter all
den Leuten von Dynmouth die einzige Ausnahme. Er
konnte keine christliche Liebe für ihn empfinden.

»Hallo, Timothy.«

»Haben Sie Probleme mit dem Mäher?«

»Ich fürchte, ja.« In der Garage gab es eine Art Schraubenschlüssel, ein sechseckiges Rohr mit einem durchge-
steckten Stab, der dazu diente, Zündkerzen aus Motoren
zu entfernen. Er machte sich auf die Suche danach, und
ihm fiel ein, daß er ihn seit Oktober ein paarmal benutzt
hatte, als er versuchte, die Zündkerzen aus dem Kombi
zu entfernen. Seine Abneigung gegen den Kombi war fast
genauso groß wie die gegen den Suffolk Punch, weshalb
er lieber auf einem Fahrrad durch die Straßen von
Dynmouth fuhr. Er hatte eine Abneigung gegen die Eng-
lish Electric-Waschmaschine in der Küche, insbesondere
gegen den Knopf, der die Türsperre lösen sollte und das

ganz oft nicht tat. Er hatte eine Abneigung gegen das Transistorradio, für das er gespart hatte, um es Lavinia zu ihrem Geburtstag vor drei Jahren zu besorgen. Seit sechs Monaten hatte es keinen Ton mehr von sich gegeben: Ersatzteile seien schwer zu bekommen, teilte man ihm in der Hi-Fi-Boutique in Dynmouth mit.

Zu seiner Überraschung fand er den sechseckigen Schraubenschlüssel auf der Ablage in der Garage, da, wo er auch liegen sollte. Er kehrte damit zu dem Rasenmäher zurück. Timothy Gedge stand immer noch da. So wie er um ihn herumstrich, fragte sich Quentin, ob er vielleicht wieder beschlossen hatte, Pfarrer zu werden.

»Sie finden also alles, wonach Sie suchen, Sir? Es ist bloß, daß ich mit Dass wegen der Vorhänge gesprochen hab, Mr. Feather.«

»Vorhänge?«

»Ich hab heute morgen mit Ihnen kurz über die Vorhänge gesprochen, Sir.«

Quentin schraubte den Messingnippel am Ende der Zündkerze ab und löste das Kabel. Er setzte den sechseckigen Schraubenschlüssel auf die Zündkerze und drehte ihn. Die Zündkerze war mit Benzin und Öl verschmiert. Die Kontakte waren mit Kohlenstaub überzogen. Er wußte nie, ob das so sein mußte oder nicht.

»Dass will welche stiften, Sir.«

»Stiften?«

»Ein Paar Vorhänge, Sir.«

»Um Himmels willen, das ist nicht nötig.«

Er ging zurück in die Garage und riß von einer der vergilbenden Zeitungen ein Stück ab. Damit wischte er die Zündkerzenkontakte ab. »Ich muß sie anwärmen«, sagte er.

Timothy beobachtete ihn, wie er eilig zum Haus ging. Er hatte wegen der Vorhänge nicht einmal zugehört. So wenig, wie der Mann sich um alles kümmerte, würde vielleicht weder der Wettbewerb noch das Fest stattfinden. Er wollte dem Pfarrer ins Haus folgen und überlegte es sich dann anders. Sinnlos, sich Ärger mit ihm einzuhandeln; sinnlos, ihm zu erklären, daß er den ganzen Weg zu dem verflixten Pfarrhaus raufgegangen war, um sich zu beruhigen. Dumm war das zu sagen, daß man ein Teil aus einem Rasenmäher anwärmen müsse.

Old Ape ging mit einem roten Plastikeimer auf dem Weg zur Hintertür gemächlich an ihm vorbei, um sein Abendessen und seine Essensreste abzuholen. Timothy sprach ihn an und gestikulierte, aber der Alte schenkte ihm keine Beachtung.

»Hallo«, sagte eine Stimme, und dann noch eine.

Er schaute sich um und sah die beiden Kinder des Pfarrers, die er schon von anderen Gelegenheiten her kannte.

»Hallo«, sagte er.

»Wir haben Kuchen gehabt«, sagte Susannah.

»Wir haben Zitronenkuchen gegessen«, sagte Deborah.

Er nickte ihnen verständig zu. Er riet ihnen, jeden Kuchen zu essen, an den sie herankommen könnten. Er sagte, sie könnten picknicken, wenn sie etwas Kuchen in den Garten herausbrächten, aber sie schienen ihn nicht zu verstehen.

»Wir sind brave Mädchen«, sagte Susannah.

»Ihr seid bestimmt brav.«

»Wir sind brave Mädchen«, sagte Deborah.

Er nickte ihnen erneut zu und erzählte eine Geschichte über eine Stachelbeere in einem Fahrstuhl und eine über Löcher in Australien. »Ihr seid mit einer Blondine aus«, sagte er, »und seht eure Frau kommen?«

Sie wußten, daß das alles lustig war, wegen der lustigen Stimme, die er annahm. Er machte das extra für sie.

»Lest ihr ab und zu Bücher?« fragte er. »*Strandspaziergang* von Wanda Dühne?«

Sie lachten begeistert und klatschten in die Hände, und Timothy Gedge schloß die Augen. Das Licht flimmerte in der Dunkelheit um ihn herum, und dann brannte der Scheinwerfer, und er stand in seinem gelben Glanz. »Großer Applaus, Freunde!« rief Hughie Green, hatte die berühmte Augenbraue hochgezogen und sprach mit näselnder Stimme freundlich in sein Mikrophon. »Großer Applaus für den Jungen mit den Witzen!« Überall in Dynmouth brannte der Scheinwerfer auf den Fernsehbildschirmen, und die Leute schauten zu, da sie nicht anders konnten. »Großer Applaus für die Timothy-G.-Show!« rief Hughie Green in der Pretty Street, am Once Hill und in der High Park Avenue. Die Show schlug ein wie eine Bombe, die Witze, die Fistelstimme, Timothy selbst. Man hörte ihn deutlich in den Wohnungen in Cornerways, in Sea House, im Haus der Dasses und in den Gesellschaftsräumen des Queen Victoria Hotels. Vom leuchtenden Bildschirm lächelte er den Inhaber des Artilleryman's Friend an, seine Mutter und Rose-Ann, seine Tante, die Damenschneiderin, und seinen Vater, wo immer er sich auch aufhielt. Er lächelte im Jugendzentrum, im Haus von Stringer, dem Rektor, und im Haus von Miss Wilkinson mit ihrer *charrada*. Er lächelte im Haus von Brehon O'Hennessy, wo immer er sich auch aufhielt, und in den Häusern von allen aus der 3A. Er dankte ihnen allen, beugte sich aus dem strahlenden Licht vor, um ihnen näher zu sein, und sagte, sie seien großartig, sagte, sie seien hinreißend.

Im Garten des Pfarrhauses lachten und klatschten die Zwillinge immer noch und amüsierten sich mehr als je zuvor, weil er immer noch mit geschlossenen Augen dastand und sie anlächelte. Das wunderbarste Lächeln, das sie je gesehen hatten, das breiteste Lächeln der Welt.

Commander Abigail war kein starker Trinker, aber nach seinem düsteren Morgenspaziergang hatte er das Gefühl, daß er Trost brauchte, und hatte ihn in der Disraeli Lounge im Queen Victoria Hotel gefunden. Er hatte den Salon um zwanzig nach zwei betreten und einen großen Whisky und ein Sandwich bestellt, was er schnell verzehrt hatte. Er hatte versucht, noch einen Whisky zu bekommen, aber man hatte ihm mitgeteilt, die Bar sei jetzt bis halb sechs geschlossen. Außerstande, seiner Frau im Bungalow in der High Park Avenue gegenüberzutreten, und aus Angst, ihr in einem der Läden zu begegnen, wenn er sich in der Stadt herumtrieb, brach er zu einem weiteren Spaziergang am Strand auf und schlug diesmal die entgegengesetzte Richtung ein. Mit der Zeit gelangte er zu der Ansicht, daß er die Lage zu schwarz gesehen hatte. Sein oberster Grundsatz – nie eine Niederlage einzugestehen und auf keinen Fall nachzugeben – kam ihm zu Hilfe und bot ihm den ersten Funken Trost seit dem unangenehmen Vorfall in der vorigen Nacht. Um halb sechs kehrte er in die Disraeli Lounge zurück, und um zehn vor acht betrat er, weiter aufgeheitert durch sein Quantum Whisky, pfeifend den Bungalow.

»Wo in aller Welt bist du gewesen, Gordon?« wollte sie wissen, sobald er im Wohnzimmer erschien. Sie strickte halbherzig, und der Fernseher lief mit leisem Ton.

»Spazieren«, erwiderte er heiter. »Ich schätze, ich bin heute zwanzig Meilen gelaufen.«

»Dein Abendessen dürfte inzwischen staubtrocken sein.« Sie erhob sich und steckte ihre Stricknadeln in ein Knäuel blaue Wolle. Aus dem Fernseher drang leises Gelächter, während ein Mann einen anderen Mann in die Magengrube schlug. Sie konnte den Whisky riechen, obwohl die ganze Länge des Zimmers zwischen ihnen lag.

»Ich will mit dir reden«, sagte er.

»Wenn du betrunken bist, Gordon ...«

»Ich bin nicht betrunken.«

»In diesem Haus ist schon genug getrunken worden.«

»Sprichst du von dem kleinen Gedge?«

»Ich hab krank vor Sorge hier gesessen.«

»Wegen mir, Liebes?«

»Ich hab seit sechs Stunden auf dich gewartet. Was soll ich bloß davon halten? Ich hab letzte Nacht kein Auge zugetan.«

»Setz dich, meine Liebe.«

»Ich will weg aus Dynmouth, Gordon. Ich will weg aus diesem Bungalow und von allem anderen. Ich hab gedacht, ich werde wahnsinnig mit dieser Frau heute morgen.«

»Welche Frau denn, Liebes?«

»Ach, um Gottes willen, was spielt das für eine Rolle, um welche Frau es geht? Du hast noch nie das geringste Interesse für das gezeigt, was ich tue. Du hast mich noch nie gefragt, nicht ein einziges Mal, wie irgendwas war oder wo ich war oder wen ich gesehen habe.«

»Ich bin mir sicher, daß ich dich nach Essen auf Rädern gefragt habe, Liebes, ich erinnere mich deutlich ...«

»Du weißt ganz genau, daß das nicht stimmt. Du bist nicht imstande, dich für mich zu interessieren. Du bist nicht imstande, eine normale Beziehung zu mir zu haben. Du heiratest mich und bist nicht imstande, den Geschlechtsakt zu vollziehen.«

»Das stimmt nicht.«

»Natürlich stimmt das.«

»Du bist vierundsechzig, Liebes, und ich bin fünfundsechzig. Ältere Leute ...«

»1938 waren wir noch keine älteren Leute.«

Ihre Unverblümtheit erstaunte ihn. Noch nie während ihrer ganzen Ehe hatte sie so geredet. Egal, wie weitschweifig sie in anderer Hinsicht war, er hatte immer angenommen, daß es nicht ihrem Wesen entsprach, derb zu sein, und sie hatte zweifellos nie Anzeichen dafür gezeigt. Sie war immer etwas etepetete gewesen, und das hatte er an ihr zu schätzen gewußt.

Sie kehrte zu ihrem Stuhl zurück und setzte sich. Die beiden deutlich sichtbaren roten Punkte, die vorige Nacht auf ihre Wangen getreten waren, waren wieder da. Wenn er etwas zu essen wolle, sagte sie unfreundlich, es stehe alles im Backofen.

»Wir haben letzte Nacht ein scheußliches Erlebnis gehabt, Edith. Wir sind beide etwas mitgenommen.«

Er ging zu dem Tisch am Fenster hinüber. In der Karaffe, deren Inhalt Timothy Gedge verringert hatte, befanden sich immer noch ein paar Fingerbreit der bernsteinfarbenen Flüssigkeit. Er schenkte ihnen beiden etwas davon ein und brachte ihr ein Glas.

Sie nahm es ihm ab und nippte an dem süßen Sherry, durch den Geschmack daran erinnert, daß er ihn extra gekauft hatte, weil sie keinen süßen Sherry mochte. Es war mindestens fünfzehn Jahre her, daß er ihr ein Glas durchs Zimmer gebracht hatte.

»Der kleine Gedge hat nicht mehr gewußt, wovon er redet, Edith. Eins sag ich dir, er wird nie wieder einen Fuß in High Park Avenue Nummer Elf setzen.«

»Der Alkohol, den du ihm gegeben hast, hat die Wahrheit ans Licht gebracht, Gordon. Er hat nichts als die Wahrheit gesagt.«

»Tja, es ist nicht unsere Sache ...«

»Es ist unsere Sache, was er über dich gesagt hat.«

In der Disraeli Lounge hatte er sich überlegt, was er sagen würde. Er hatte sich die Sätze in Gedanken zurechtgelegt. Er sagte:

»Ist mir eigentlich nicht aufgefallen, daß er irgendwas über mich gesagt hat, Liebes.«

»Du weißt, was er gesagt hat, Gordon.«

»Soweit ich es mitbekommen habe, war das, was er

gesagt hat, irgendein Unsinn über das Fest an Ostern. Also, es besteht bestimmt kein Grund ...«

»Bist du homosexuell oder nicht, Gordon?«

Er blieb ruhig. In seinem Gehirn wurden Signale ausgelöst. Weitere vorbereitete Sätze kamen ihm bereitwillig auf die Lippen. Er kehrte zu dem Tisch am Fenster zurück und goß sich den Rest Sherry ein. Er blieb dort stehen und hielt mit einer Hand die Tischkante fest, weil der Tisch wackelte.

»Bloß weil der kleine Gedge gesagt hat«, sagte er ruhig, »daß er gesehen hat, wie eine Person Jungs beim Schlagballspielen zugeschaut hat, ist diese Person noch lange nicht homosexuell. Ich bin ein normaler verheirateter Mann, Edith, wie du gut weißt.«

»Nein, Gordon.«

»Ich bin kein leidenschaftlicher Mensch, meine Liebe. Ich ziehe es vor, in allem maßzuhalten.«

»Sechsunddreißig Jahre lang enthaltsam zu sein, ist mehr als Maßhalten, Gordon.«

Ihre Stimme war leise und genauso bedächtig wie seine. Sie schüttelte den Kopf, starrte in den Kamin und dann auf den Fernsehschirm. Es lief jetzt etwas anderes: Ein Collie sprang herum und suchte anscheinend Hilfe für einen Schäfer, der in Not war.

»Ich fühle mich nicht immer wohl«, sagte er, eine weitere Erklärung, die er vorbereitet hatte. Er hielt inne und suchte in Gedanken nach etwas anderem, was er sagen könnte, etwas, womit er von sich ablenken könnte. Er sagte:

»Ich habe ehrlich nicht gewußt, daß du immer noch an so etwas Interesse hast, Edith.«

»Ich kann nicht die Frau eines Mannes bleiben, der bekanntermaßen homosexuell ist.«

Er zitterte. Er rief sich wieder das Spiel »Such den Penny« und den Wölfling, der so gern von seinen Abzeichen sprach, ins Gedächtnis. Im Essoldo Kino hatte sich einmal ein Junge weggesetzt, obwohl er ihm bloß im Dunkeln ein Stück Schokolade angeboten hatte. Einmal hatte sich ein Junge auf der Promenade über ihn lustig gemacht.

»Das, was er gesagt hat, stimmt nicht. Ich habe kein Interesse an Wölflingen. Das schwöre ich bei Gott, dem Allmächtigen, Edith.«

Sie wandte den Blick von ihm ab und wollte ihn nicht sehen. Sie sagte, sie bräuchten nicht darüber zu sprechen: Sie wolle weg aus Dynmouth und weg von ihm, das sei alles.

»Ich habe nie etwas Unrechtes getan, Edith.«

Sie sagte kein Wort. Er stand immer noch am Fenster und fing an zu weinen.

Seine Mutter war nicht zu Hause, als er wieder in Cornerways ankam, und Rose-Ann auch nicht. In der kleinen, fettverschmierten Küche lag das Geschirr, von dem sie gegessen hatten, im Spülbecken. Auf der Abtropffläche lag ein Stück Butter, an dem Toastkrümel klebten, zur Hälfte eingeschlagen in die ursprüngliche Verpackung. Es standen zwei Dosen da, eine, in der sich Pfirsiche befunden hatten, und die andere halbvoll mit Spaghetti. Seine Mutter war bestimmt zum Bingo am Donnerstag abend, und Rose-Ann war mit Lens Wagen unterwegs.

Er klopfte die restlichen Spaghetti aus der Dose in einen Kochtopf und legte vier Scheiben Mother's-Pride-Brot unter den Grill des Elektroherds. Er suchte in einem Schrank nach einer weiteren Dose Pfirsiche – oder Ananas oder Birnen, das war ihm egal. Er wußte, daß er keine finden würde. Er würde nicht einmal eine Dose Kondensmilch finden, weil seine Mutter Dosen immer an dem Tag öffnete, an dem sie sie kaufte. In Mrs. Abigails Schränken gab es Dosen und Gläser mit allem Möglichen: gemischtes

Obst, Hähnchen-Schinkenpaste, Fleischpastete mit Nieren, Gentleman's Relish. Er durchstöberte ein Durcheinander aus Staubtüchern, Brasso Messingpolitur, einem kaputten elektrischen Bügeleisen, Wäscheklammern und einer Form für Wackelpudding. Da er nichts Eßbares fand, machte er die Schranktür wieder zu.

Er dachte weiter über Mrs. Abigail nach. Wenn er die Spaghetti aufgegessen hätte, würde er bei ihr vorbeischauen. Er würde erklären, daß er bei dem ganzen Theater letzte Nacht nicht für seine Arbeiten bezahlt worden sei. Er würde sagen, das ganze Theater tue ihm leid, das war genau, was sie hören wollte. Er würde alles auf das Bier und den Sherry schieben, er würde mit einem Lachen sagen, sie habe ihm zu Recht gesagt, er solle nichts davon annehmen. Dann würde er die Sprache auf den Anzug mit dem Fischgrätenmuster bringen.

Die Spaghetti brutzelten in dem Kochtopf, der Toast brannte unterm Grill. Im Gegensatz zu seiner Mutter und Rose-Ann hatte er nichts gegen angebrannten Toast, so daß er sich nicht damit aufhielt, die andere Seite zu toasten und ihn, so wie er war, mit Butter bestrich. Er stocherte mit einem Messer in den Spaghetti herum und zerteilte das fest gewordene orangeweiße Durcheinander.

Die Abigails waren immer noch in ihrem Wohnzimmer, als es an der Haustür klingelte. Der Commander, der aufgehört hatte zu weinen, saß auf dem Sofa. Mrs. Abigail saß in ihrem Sessel. Der Fernseher, dessen Ton immer noch leise gestellt war, lief nach wie vor.

Als der Commander die Klingel hörte, war seine Reaktion von den Ereignissen des Tages und der Angelegenheit geprägt, die sie gerade so erregt besprochen hatten: Gegen jede Vernunft glaubte er, daß die Polizei ihm einen Besuch abstattete. Mrs. Abigail, auf die sich die Angelegenheit ähnlich ausgewirkt hatte, glaubte, jetzt würde eintreten, wovor sie schon den ganzen Tag Angst gehabt hatte: Die Eltern irgendeines Kindes waren zu ihrem Bungalow gekommen.

»Ich gehe wohl besser«, sagte sie.

»Nein, nein. Nein, bitte ...«

»Wir können nicht einfach hier sitzenbleiben, Gordon.«

Sie stand langsam auf, ging auf dem Weg durchs Zimmer dicht an ihm vorbei und wandte den Blick ab. Er hatte geschluchzt wie ein Kind. Tränen waren ihm über die Wangen gelaufen, so wie sie das noch nie bei einem erwachsenen Mann gesehen hatte. Er war aufs Sofa gesunken, hatte die Hände vors Gesicht gehalten und ganz verhärmt ausgesehen. Sie hatte nichts gesagt. Sie hatte sich ganz ruhig gefühlt und nur daran gedacht, daß sein Abendessen im Backofen inzwischen bestimmt verkohlt war.

In der Diele hatte sie weniger Angst davor, daß die Eltern eines Kindes kamen, als vorher. Das hatte jetzt seinen Schrecken verloren, weil ihre Ehe zu Ende war. Sie hatte es ausgesprochen, und er hatte durch seine Tränen gestanden: Alles war jetzt anders. Sie fühlte sich so, als hätte sie nach einem schweren Unglück das Bewußtsein in einem Krankenhausbett wiedererlangt und als müßte sie jetzt aufgrund einer Verletzung und des Verlusts eines geliebten Menschen ihr Leben völlig neu gestalten.

»Hallo«, sagte Timothy Gedge, als sie die Haustür aufmachte.

Sie war bestürzt, ihn zu sehen. Ein Teil der Kraft, die sie daraus gezogen hatte, sich mit der Wahrheit abgefunden zu haben, schwand dahin. Sie versuchte, energisch zu wirken, brachte es aber nicht fertig.

»Ja?« sagte sie und räusperte sich dann, da ihre Stimme krächzend klang.

»Ich komme, um zu sagen, daß es mir leid tut, Mrs.

Abigail. Wenn es wegen dem Sherry und dem Bier zu irgendwelchen Unannehmlichkeiten gekommen ist ...«

»Dem Commander und mir wäre es lieber, wenn du nicht mehr herkommst, Timothy.«

»Ich hab versucht, Ihnen einen Streich zu spielen, als ich mich verkleidet hab und so. Ich hab gedacht, wir wollten Scharaden spielen. Ich wollte Ihnen keine Scherereien machen.«

»Es wäre besser, wenn du jetzt gehst.« Sie schüttelte den Kopf. Sie versuchte zu lächeln, ihm zu zeigen, daß sie wußte, es war nicht seine Schuld, daß er nicht mehr gewußt hatte, was er tat. »Der Commander und ich sind ziemlich mitgenommen, Timothy.«

Sie hörte hinter sich in der Diele ein Geräusch, und dann zerrte Gordon an der Haustür, zog sie weiter auf und brüllte herum. Mit hoher Stimme verwendete er Ausdrücke, die sie noch nie gehört hatte. Sein Gesicht war rot angelaufen. In seinem Blick lag etwas Wildes, so als könnte er über den Jungen herfallen, der ihn mit offenem Mund anschaute.

»So jemand wie du, Gedge«, brüllte der Commander, »gehört hinter Schloß und Riegel. Du bist ein verdammter kleiner Teufel. Du kannst dich nicht um deine eigenen Angelegenheiten kümmern. Was, Gedge?« schrie der Commander. »Kannst du dich um deine eigenen Angelegenheiten kümmern?«

»Ich tue mein Bestes, Sir.«

»Du kannst nicht die Wahrheit sagen, Gedge. Du versuchst, mich zu erpressen. Weißt du, für Erpressung kann man dich drankriegen.«

»Wir behalten das Geheimnis für uns, Commander. Ist doch gar nichts passiert. Nichts leichter als das, Commander.«

»Du verdienst eine Tracht Prügel. Du spionierst unbescholtenen Leuten nach. Du erzählst lauter Lügen.«

»Ich würde nie eine Lüge erzählen, Sir.«

»Du verdammter kleiner Bengel!« schrie der Commander.

Dann herrschte Schweigen. Die Tür eines Bungalows auf der anderen Straßenseite ging auf. In dem Rechteck aus Licht stand, von dem Lärm angelockt, eine Gestalt. Der Commander weinte leise.

»Ist ja gut, Gordon«, sagte sie mit ausdrucksloser Stimme. »Ist ja gut.«

Sie versuchte, die Tür zuzumachen, aber er griff nach der Türkante und lehnte sich dagegen. Er jammerte und schluchzte und klammerte sich an die Tür. Er sagte, er denke, er werde Selbstmord begehen.

Der Junge ging nicht weg. Sie konnte nicht verstehen, warum er sich nicht umdrehte und ging.

»Lügen«, sagte ihr Mann schluchzend, mit einer Stimme, die jetzt so leise war, daß man sie kaum noch hören konnte. Speichel lief ihm übers Kinn und tropfte auf seine Kleider. Seine Finger hielten immer noch die Türkante fest, und sein kleiner Körper war dagegengepreßt. Er war blond und schüchtern gewesen an dem Sonntagnachmittag, an dem er sie gebeten hatte, seine Frau zu werden, zu jener Zeit noch ohne jegliches Selbstvertrauen. Sie hatte ihn bemuttern wollen. Sie hatte ihn an sich drücken und ihm über den dünnen, verletzlichen Nacken streichen wollen. Er hatte sie gebeten, ihn zu heiraten, weil er sich schämte, weil er sich verstecken wollte. Sechsunddreißig Jahre lang hatte sie ihm zu diesem Zweck gedient. »Lügen«, flüsterte er erneut. »Lauter Lügen über mich.«

»Ich hab mir über das Geld, das Sie mir noch schulden, Gedanken gemacht«, sagte der Junge. »Ich bin gerade vorbeigekommen, und da hab ich mal reingeschaut. Ich hab mich gefragt, ob Sie wohl bereit wären, mir den Anzug zu leihen.« Er lächelte sie an, und dann brachte er erneut die Sprache auf das Geld und den Anzug.

Sie löste die Finger ihres Mannes von der Türkante und zog ihn in die Diele. Er weinte jetzt noch lauter. Sie schob die Tür mit dem Fuß zu, weil sie keine Hand frei hatte. Einen Augenblick später klingelte es erneut, aber diesmal machte keiner von ihnen auf.

Das störte Timothy nicht. Es war unhöflich von ihnen, nicht aufzumachen, obwohl sie wußten, daß er draußen stand, aber es spielte eigentlich keine Rolle. Morgen oder übermorgen würde er erneut vorbeischauen, und dann würde sie ihm das Geld und den Anzug aushändigen. Genau wie Dass ein Paar Vorhänge auftreiben würde.

Auf dem kleinen Parkplatz des Artilleryman's Friend wartete er neben einem Vauxhall, den jemand vor zehn Monaten dort stehengelassen hatte. Die Gaststätte war geschlossen. All die anderen Autos waren weggefahren.

Vom Hinterhof drang das Geräusch klirrender Flaschen herüber, da Mr. Plant Kästen übereinanderstapelte. Er pfiff dabei.

Timothy überquerte den Parkplatz, froh, daß der Gastwirt pfiff, da das darauf hindeutete, daß er gute Laune hatte. Er stieg durch ein Loch in einem Holzzaun in den Hof, der nur von dem Licht im Innern des Hauses beleuchtet war. Mr. Plant war in Hemdsärmeln. Sein dreibeiniger Hund fraß einen Korken.

»Hallo, Mr. Plant«, sagte Timothy.

Mr. Plant, über einen Kasten voll Flaschen gebeugt und mit dem Rücken zu Timothy, gab ein verdutztes Brummen von sich. Er drehte sich um und starrte in den Schatten, wo Timothy stand.

»Wer ist da?«

»Ich bin's, Sir. Der kleine Timothy.«

Mr. Plant nahm eine Flasche aus dem Kasten und ging damit auf seinen Besucher zu. Er sprach mit leiser Stimme

152

und sagte, daß man einen Herzinfarkt bekommen könne, wenn sich jemand so an einen heranschleiche.

»Verschwinde von meinem Grundstück, Junge. Ich hab dich heute morgen gewarnt.«

»Ich hab gedacht, daß Sie vielleicht Zeit hatten, noch mal darüber nachzudenken, Mr. Plant.«

»Red nicht so laut. Bist du blöd oder was? Ich lass mich nicht zum Narren halten, Junge. Hau sofort ab.«

Die Stimme von Mrs. Plant war hinter einem der beleuchteten Fenster im oberen Stockwerk zu hören. Sie wollte wissen, mit wem ihr Mann spreche.

»Ich will Ihnen keine Scherereien machen, Mr. Plant. Wir behalten das Geheimnis ...«

Mr. Plant stieß mit dem Boden der Flasche nach Timothys Magengrube, aber Timothy wich seitwärts aus.

»Mrs. Plant«, sagte Timothy ganz leise, und Mr. Plant flüsterte, daß er ihn zu Brei schlagen werde, wenn er noch einen Ton von sich gebe. Er stieß erneut mit der Flasche in die Richtung von Timothys Magengrube, und er streckte die Finger der anderen Hand aus, um Timothy am Hinterkopf zu packen.

»Mrs. Plant«, sagte Timothy erneut, diesmal ein bißchen lauter.

»Um Himmels willen!« flüsterte Mr. Plant und willigte ohne weitere Diskussion ein, am Ostersamstag die Blechbadewanne morgens von Swines' Hof zum Garten des Pfarrhauses zu transportieren. »Verschwinde«, flüsterte er wütend. »Mach jetzt bloß, daß du hier rauskommst.«

Als Timothy ging, hörte er erneut die Stimme von Mrs. Plant, die noch energischer zu wissen verlangte, mit wem ihr Mann sich unterhalte. Der Gastwirt erwiderte, er habe mit dem Hund gesprochen.

Während des ganzen Abendessens, bei dem er ein Schweinekotelett mit Kartoffelbrei und Blumenkohl gegessen hatte, wäre Stephen lieber allein gewesen. Er hatte sich eine Gabelvoll Essen nach der anderen in den Mund geschoben, alles geistesabwesend gekaut und Wasser getrunken, um sich das Schlucken zu erleichtern. Wenn er das Essen stehengelassen hätte, hätte Mrs. Blakey viel Aufhebens darum gemacht, sie hätte seine Temperatur messen wollen, und sie hätte Fragen gestellt, die er nicht beantworten konnte.

Im Bett ließ es sich leichter nachdenken. Er hatte das Hochzeitskleid, das der Junge erwähnt hatte, noch nie gesehen. Seine Mutter hatte ihm viele Sachen gezeigt, Fotos und sogar Krimskrams, den sie als Kind gehabt hatte, aber sie hatte ihm nie ihr Hochzeitskleid gezeigt. Es kam ihm seltsam vor, daß es immer noch da sein sollte, in einer Truhe. Es kam ihm zu seltsam vor, um daran zu glauben. Es war doch bestimmt eine Lüge, daß der Junge in Primrose Cottage durch ein Fenster geschaut und es gesehen hatte? Es war doch bestimmt Teil eines Hirngespinstes, so, wie sich vorzustellen, man spielte als Nummer Drei bei Somerset? Timothy Gedge war ein schrecklicher Mensch, daß er so über Flitterwochen sprach und sagte, Kates Mutter sei zum Anbeißen. Natürlich war alles gelogen.

Er schlief ein, aber Stunden später wachte er auf und hatte wieder das Gefühl – wie schon bei seiner Ankunft einen Augenblick lang in der Eingangshalle –, daß er nicht in diesem Haus sein sollte. Irgend etwas stimmte nicht, irgend etwas war nicht in Ordnung. Das spürte er, ohne zu wissen, was es war, wie bei einem Gefühl in einem Traum. Er erinnerte sich jetzt an die ausgeblichene grüne Truhe, die der Junge erwähnt hatte. Er konnte sie ganz deutlich vor sich sehen, wenn er seine Gedanken darauf lenkte. Er konnte sehen, wie sein Vater den Deckel hob und das Hochzeitskleid hervorholte, wie er nicht wußte, was er damit anfangen sollte, jetzt, da er wieder heiratete.

In der Wärme seines Bettes schauderte Stephen. Als er nachzudenken versuchte, war er nicht dazu imstande, so als wollte er nicht nachdenken, als hätte er Angst davor. »Mama ist gestorben«, sagte sein Vater wieder, und an der Art, wie er es sagte, schien etwas nicht zu stimmen.

Die Dynmouth Hards fuhren in jener Nacht in die Stadt und rissen das Telefon aus der Telefonzelle in der Baptist Street. In dem Wartehäuschen auf der Promenade machten sie das Fenster kaputt, das sie beim letzten Mal verschont hatten. Mit ihren Sprühdosen sprühten sie Botschaften auf die Motorhauben von vier geparkten Autos. Sie hatten gehofft, dem Pakistani auf dem Heimweg von seiner nächtlichen Arbeit in der Dampfwäscherei zu begegnen, aber dem gelang es, ihnen aus dem Weg zu gehen. Sie kurvten vor Schwester Hacketts Mini herum.

Die Männer von Ring's Vergnügungspark arbeiteten noch im Sir-Walter-Raleigh-Park, aber die Dynmouth Hards waren nicht so dumm, sich mit diesen Männern auf irgendeine Art anzulegen. Sie kauften die letzten Fritten, die es bei Phyl's Phries noch gab, und um ein Uhr trennten sie sich, unzufrieden mit ihrem nächtlichen Ausflug. Die Mädchen wurden am Ende der Straße, in der sie wohnten, abgesetzt, Motorräder wurden in Vorgärten geschoben und mit PVC-Planen abgedeckt. Die Maschinen wurden leiser und surrten ganz gewöhnlich, während sie sich diesen Abstellplätzen näherten. Auf dem Hof vor ein paar Garagen liebte sich ein Pärchen in unbequemer Stellung, die Kunstlederkleidung zum größten Teil noch an ihrem Platz. Das Mädchen, dem diese Betätigung niemals Spaß machte, knirschte mit den Zähnen. »Herrlich«, flüsterte sie durch die Zähne, froh, als der Junge fertig war.

In den Häusern ihrer Eltern schlichen die Dynmouth Hards nach oben in Schlafzimmer, in denen noch andere Leute schliefen, rücksichtsvoll, weil man das zu Hause von ihnen verlangte. Einer von ihnen träumte, daß er

Bürgermeister einer Stadt in Australien war. Ein Mädchen, das Friseuse war, tönte Prinzessin Elisabeth von Jugoslawien die Haare blau.

Ein schönerer Tag heute, schrieb Miss Lavant in ihr Tagebuch, *ziemlich viel Sonnenschein. War heute morgen einkaufen. Bei Mock's steht ein neuer Bursche an der Fleischtheke. Mr. Tares hat anscheinend Ende letzter Woche aufgehört zu arbeiten. Ostereier jetzt in allen Schaufenstern, teuer. Die Nonnen aus dem Kloster haben einen Lieferwagen gekauft. Ich habe ihn bewundert, und eine von ihnen sagte, es sei ein Fiat – aus Italien, was gut paßt. Während ich dort stand, bemerkte ich, wie Dr. Greenslade vorbeifuhr.*

Miss Vines Wellensittich starb in jener Nacht, ebenso wie die alte Miss Trimm, früher einmal eine beliebte Lehrerin in der Grundschule von Dynmouth, die am Ende ihrer Tage dem Glauben erlegen war, sie habe einen weiteren Sohn Gottes zur Welt gebracht. Sie starb im Schlaf, während sie träumte, daß sie gerade Erdkunde unterrichtete, noch einmal ganz klar im Kopf. Beano starb, ohne von irgend etwas zu träumen.

7

Er stieg über den Kieselstrand am Fuß der Klippen, dann die Klippen hinauf und kam ans elfte Grün. Er hatte die Tragetüte mit dem Union Jack dabei.

Er ging durch den Torbogen in der Gartenmauer von Sea House, machte das weiße Eisentor auf und ließ es offen. Er ging zwischen Sträuchern und unbewachsenen Blumenbeeten hindurch, an der Schuppentanne vorbei, unter der er vorletzte Nacht in seiner Verwirrung gestanden und über das Hochzeitskleid nachgedacht hatte. In seinem benebelten Zustand hatte er die Idee gehabt, die ganze Nacht dort stehenzubleiben, so daß er am Morgen als erstes zu den Kindern gehen und ihnen erklären konnte, was er wollte. Als er jetzt bei der Schuppentanne stehenblieb, kamen die Hunde auf ihn zu gelaufen, bellten, sprangen an ihm hoch und schnüffelten an seinen Füßen.

Mr. Blakey kam aus einem weit entfernten Gewächshaus, jenseits der Rasenflächen und Blumenbeete. Er rief die Hunde, aber sie beachteten ihn nicht. Timothy stand still, da er nicht von ihnen gebissen werden wollte.

»Ich wollte die Kinder besuchen«, sagte er, als Mr. Blakey näher kam. Er kannte den Mann vom Sehen und mit Namen; er hatte nichts gegen ihn. »Schöner Tag, Mr. Blakey«, sagte er.

Mr. Blakey packte die Hunde am Halsband. Er deutete aufs Haus und befahl ihnen, dort hinzugehen, was sie auch folgsam taten.

»Ich hab mich gestern mit den Kindern unterhalten«, erklärte Timothy und lächelte Mr. Blakey an. Ihm fiel auf, daß der Mann ihn anstarrte.

»Du warst nachts hier im Garten«, sagte Mr. Blakey schließlich.

Timothy, der immer noch lächelte, schüttelte den Kopf.

Er sagte, er liege nachts immer im Bett. Er lachte freundlich. »Ich glaube, das müssen Sie geträumt haben, Sir.«

In diesem Augenblick kamen die Kinder durch die Verandatür aus dem Wohnzimmer. Nachdem sie einen Moment gezögert hatten, gingen sie auf Timothy Gedge zu. Mr. Blakey kehrte in sein Gewächshaus zurück.

»Was willst du?« fragte Stephen.

»Ich hab an das Hochzeitskleid gedacht.« Er hielt ihm die Tasche mit dem Union Jack hin. »Deshalb hab ich eine Tragetüte dabei.«

»Wir haben kein Hochzeitskleid«, sagte Stephen schnell. »Wir wissen nichts darüber.«

»Willst du Geld dafür haben, Stephen?«

Stephen gab keine Antwort. Er ging zum Haus zurück. Kate ging hinterher, und Timothy ebenfalls.

»Dein Vater hat keine Verwendung dafür, Stephen. Es liegt immer noch in der Truhe und nützt niemandem.« Er sagte, daß er wünschte, er könnte mit ihnen befreundet sein. Er erinnerte sie daran, wie er ihnen gestern zwei Dosen Cola spendiert hatte.

»Wir wollen nicht mit dir befreundet sein«, sagte Stephen wütend. »Laß uns in Ruhe.«

»Du bist älter als wir«, erklärte Kate.

»Fünfzehn.«

»Wir sind erst zwölf.«

Sie waren stehengeblieben. Im Innern des Hauses blieb Mrs. Blakey stehen, als sie am Flurfenster vorbeikam, überrascht, diesen etwas älteren Jungen im Garten zu sehen. Es war seltsam, daß er da war. Es kam ihr in den Sinn, ob Kate und Stephen vielleicht irgendwelchen Unfug angestellt hatten.

»Deine Mutter hat auch keine Verwendung dafür, Stephen.«

»Stephens Mutter ...«

»Stephens Mutter ist tot, Kate.«

Stephen setzte sich wieder in Bewegung. Kate sagte:
»Es bringt Stephen durcheinander, über seine Mutter zu sprechen.«

Sie ging weiter, aber Timothy Gedge ging mit ihr. Er schwieg so lange, bis sie eine Treppe aus drei Steinstufen zwischen dieser Rasenfläche und einer höhergelegenen erreicht hatten, wo Stephen wartete. Dann sagte er:
»Es ist nicht witzig, wenn deine eigene Mutter tot ist. Für ein Kind ist das nicht witzig, das könnte jedem von uns passieren.« Er nickte Stephen zu, und Stephen stand reglos und wartete darauf, daß er sich umdrehte und ging. Er starrte ihn an und runzelte die Stirn.

»Plant wird die Badewanne in seinem Lieferwagen für mich transportieren, Stephen. Plant sagt, die Nummer wird Lachstürme entfesseln.«

»Du erzählst lauter Lügen.« Stephen war ganz rot im Gesicht. Er starrte Timothy zornig an, und Timothy nickte ihm zu, so als hätte er das Gesagte falsch verstanden. Er lächelte Stephen an. Er sagte:
»Es ist bloß, ich brauche das Hochzeitskleid wirklich.«

»Tja, du kannst es aber nicht haben. Du bist dumm und erbärmlich. Wir wollen nichts mit dir zu tun haben.«

Mrs. Blakey, die erkannte, daß irgend etwas nicht stimmte, klopfte heftig ans Flurfenster und winkte den Kindern zu. Timothy winkte zurück, in dem Bemühen, ihr zu zeigen, daß alles in Ordnung sei.

»Ich hab dich bei der Beerdigung gesehen, Stephen. Ich hab deinen Vater gesehen. Ich hab deine Mutter gesehen, Kate.« Er sprach voll Begeisterung und mit einer noch größeren Freundlichkeit als vorher. »Deine Mutter braucht das Kleid nicht mehr, Stephen.«

Sie sahen ihn an, wie er sein Lächeln zeigte, eine Hand hing schlaff an der Seite herab und die andere hielt die Tragetüte fest. Dann ging Stephen weiter auf die offene Verandatür zu, Kate neben ihm. Als er gesagt hatte, er habe Stephen bei der Beerdigung gesehen, hatte sie einen Augenblick lang Angst vor ihm gehabt. Irgend etwas in seiner Stimme hatte ihr Angst eingejagt, sie wußte nicht, was.

Er ging neben ihr, und sie wußte, daß er immer noch lächelte. Sie konnte hören, wie er an einem Fruchtgummi lutschte.

»Kennst du die Abigails, Kate?«

Sie gab keine Antwort.

»Und die Dasses?« Er lachte. »Die haben ein Haus, das Sweetlea heißt.«

»Bitte geh jetzt.« Sie neigte den Kopf zur Seite und versuchte, ihm durch ihren Blick verständlich zu machen, daß die Anspielungen auf den Tod seiner Mutter Stephen aus der Fassung gebracht hatten. Er nickte ihr zu. Zu Stephen sagte er:

»Ein Mensch kann manchmal nicht anders, Stephen.«

Am Flurfenster runzelte Mrs. Blakey die Stirn. Der schlaksige, breitschultrige Junge sah seltsam aus mit seinem hellblonden Haar. Die Kinder wirkten ganz winzig neben ihm, Stephen sogar zerbrechlich. Er grinste sie weiter an, so als wären alle drei die besten Freunde, aber es war deutlich, daß das nicht ganz stimmte. Er war ein vertrautes Bild auf den Straßen der Stadt, in dieser gelben Jacke mit Reißverschluß und seinen Jeans, und doch sah er im Garten aus wie ein Wesen aus einer anderen Welt. In Gärten war er fehl am Platze, genau wie in der Gesellschaft von zwei kleinen Kindern. Seine Anwesenheit verwunderte sie über alle Maßen.

»Ein Mensch ist Versuchungen ausgesetzt. Diesen Standpunkt könnte man vertreten, Stephen.«

Es kam ihnen so vor, als sagte er alles, was ihm in den Kopf kam. Sein Kopf glich einer Mülltonne, in der sich alle Arten von Müll vermischten, und schließlich sprudelte alles aus seinem Mund hervor.

»Es ist bloß, daß der Commander wegen einer Bemerkung, die ich neulich abends gemacht habe, völlig mit den Nerven runter war. Verstehst du, was ich meine, Kate?«

»Wie könnte sie?« schrie Stephen. »Wie könnte sie wohl aus dem schlau werden ...«

»Der Commander ist ein schwuler Molch und treibt's mit kleinen Jungs. Ist hinter den Wölflingen her, hinter Burschen im Essoldo, alles, was du willst. Oben auf dem Golfplatz, unten am Strand, einfach überall. Seine Frau hat nichts davon geahnt.«

Er lächelte Kate an, weil sie die Stirn runzelte und verwirrt, ja sogar verärgert zu sein schien. »Seine Frau hat nichts geahnt, bis es mir rausgerutscht ist, als ich neulich abends besoffen war. Sie hat einen Schwulen geheiratet, Kate.«

Stephen schüttelte ungläubig den Kopf. In Ravenswood hatte es einen Lehrer gegeben, einen Mann, den sie den komischen Stiles genannt hatten, er war rausgeflogen, weil er den Jungs Pfeifen und Füller geschenkt hatte. Aber Commander Abigail war nicht wie der komische Stiles. Es ergab doch keinen Sinn, daß ein verheirateter Mann es überall mit kleinen Jungs trieb.

Sie waren an der Verandatür angekommen. Es dauert keine zwei Minuten, auf den Speicher raufzuschlüpfen, sagte Timothy Gedge.

»Ich hab deinen Vater oft draußen gesehen«, sagte er, »mit dem Feldstecher. An dem Tag, an dem ich ihn bei ihrer Beerdigung gesehen hab, hab ich mir gesagt, ein feiner Mann ist das. Ich hab gesehen, wie er dagestanden hat und klatschnaß wurde, und ich hab mir gesagt, er ist ein feiner Mensch. Das hab ich nachher auch zum Pfarrer gesagt. Die Art und Weise, wie er dagestanden hat, hab ich zu Pfarrer Feather gesagt, wie er wegen dem Verlust deiner Mutter den Kopf hat hängen lassen, Stephen. Es gibt Leute, denen ist es egal, wie sie dastehen, für die möchte man sich wirklich schämen. Man möchte am liebsten zu ihnen hingehen und ihnen sagen, daß sie es besser machen sollen.«

»Du bist ganz schön verrückt«, sagte Stephen leise, mit unterschwelliger Wut in der Stimme.

Timothy schüttelte den Kopf. »Dasselbe hab ich an dem Abend gedacht, als ich ihn mit dem Hochzeitskleid gesehen hab. Ganz anders als Plant oder Abigail, hab ich mir gesagt. Ganz anders als Dass oder der Pfarrer. Ich würde sagen, mit deinem Vater sieht es ganz anders aus, Stephen, und sollten wir es nicht so lassen? Alle Probleme, die dein Vater haben könnte, können wir unter der Decke halten. Verstehst du das Bild, Stephen?«

Stephen trat durch die Verandatür, und als Kate bei ihm im Wohnzimmer war, stellte er sich, eine Hand am Rahmen, in die Türöffnung, um den älteren Jungen am Betreten des Hauses zu hindern. »Wag bloß nicht, noch mal in den Garten zu kommen«, ordnete er mit derselben Schärfe in der Stimme an. »Verschwinde und komm nicht mehr wieder.«

Er machte die Tür zu und verriegelte sie.

»Was geht hier vor?« fragte Mrs. Blakey. »Was will Timothy Gedge denn?«

Er habe ein Taschenmesser am Strand verloren, sagte Kate. Er habe wissen wollen, ob sie es gefunden hätten.

Am Fluß gab es ein Wäldchen, das sie in Besitz genommen hatten. Dort gingen sie an diesem Vormittag hin, durch das Tor in der Gartenmauer, ein paar hundert Meter den Kliffpfad entlang und dann weiter auf dem Golfplatz. Sie überquerten rasch die Fairways, an Grüns, Bunkern und Tees vorbei, schlenderten hinter dem Clubhaus entlang und ließen den Golfplatz hinter sich. Sie gingen über eine Wiese, auf der Schafe grasten, und dann durch Adlerfarn, der an dem steilen Abhang zum Dyn stand. Sie trugen

Gummistiefel, ihre Cordjeans und dieselben Pullover wie am Tag davor, der von Kate rot, der von Stephen marineblau.

Stephen ging vor ihr am Flußufer entlang. Er führte sie um den Rand eines Sumpfes und dann durch trockeneres Gelände, wo Felsbrocken aus Kalkstein lagen. Zwischen den Felsbrocken wuchsen Farne, und weiter vorn war das Frühlingsgestrüpp bereits dicht. In einer Flußbiegung lag das Wäldchen, eine Gruppe junger Birken, die durch ein Dickicht aus Brombeersträuchern sprossen. Es war nicht groß und zog nie andere Leute an. Ein Bach lief hindurch zum Fluß.

Mitten im Gestrüpp, weder vom Fluß noch vom gegenüberliegenden Ufer aus zu sehen, hatten sie aus Ästen umgefallener Bäume und etwas Wellblech, das sie gefunden hatten, eine Hütte gebaut. Es war eine abgelegene Höhle, und obwohl sie oft gern Feuer gemacht hätten, hatten sie es doch nie getan – nicht aus Angst wegen des trockenen Holzes dort, sondern weil sie wußten, daß dem aufsteigenden Rauch früher oder später jemand nachgehen würde.

Sie krochen in ihre Hütte. Draußen blitzte die Sonne durch die verschlungenen Zweige und Brombeersträucher und zerfiel in einzelne Lichtflecken. In der Hütte war es ziemlich dunkel. Sie sprachen kein Wort. Kate hatte die Arme um die Knie geschlungen, eine Haltung, die sie oft einnahm. Stephen lag flach auf dem Boden und starrte, das Kinn auf die Handrücken gestützt, auf die Muster aus Sonnenlicht. Sie hatten nicht miteinander über Timothy Gedge gesprochen, weder letzte Nacht noch seit Stephen ihm vor mehreren Stunden die Verandatür vor der Nase zugemacht hatte. Sie hatten einander nicht gesagt, daß sie sein Gerede über die Abigails, die Dasses und Mr. Plant aus dem Artilleryman's Friend nicht verstanden. Sie hatten versucht, sich seine Welt vor Augen zu führen, wie sie sich so oft das Internat des jeweils anderen vor Augen geführt hatten. Aber sie wußten zu wenig über ihn, und das, was sie wußten, verwirrte sie. Sie versuchten, sich vorzustellen, wie er die Rolle eines Mannes, der drei Frauen in einer Badewanne ermordet hatte, komisch darstellen würde. Sie versuchten, sich Leute vorzustellen, die sich diese schaurige Komödie anschauten.

»Er hat sich das ausgedacht. Das Hochzeitskleid existiert nicht mal.« Kate sprach leise und schüttelte verneinend den Kopf.

»Ich weiß nicht. Ich weiß nicht, ob es existiert.« Er erinnerte sich daran, wie er mitten in der Nacht aufgewacht war, und dann erinnerte er sich, wie Miss Tomm in den Schlafsaal gekommen war und gesagt hatte, der Schulleiter wolle ihn sehen, und wie Cartwright gesagt hatte: »He, was hat Fleming denn angestellt?« Er erinnerte sich an seinen Vater in seinem Tweedmantel im Arbeitszimmer des Kropfes, daran, daß sein Vater später gesagt hatte, wie es passiert sei, und dann an die Beerdigung im Regen. Timothy Gedge hatte gesagt, er habe ihn dort gesehen. Er hatte gesagt, der beste Platz für die Leute von Dynmouth sei der Sarg.

Stephen wollte ihn plötzlich schlagen. Er wollte ihn mit den Fäusten ins Gesicht schlagen, sein blödes Lächeln herausprügeln, dafür sorgen, daß er aufhörte zu reden.

»Ich denke, wir sollten es Mrs. Blakey erzählen«, sagte Kate.

»Nein.« Er schüttelte den Kopf, starrte immer noch auf die Sonnenscheinmuster auf dem Gras vor der Hütte. »Nein«, sagte er erneut und beendete damit das Thema.

Sie bauten im Bach einen Damm, was sie oft taten, wenn sie in das Wäldchen kamen. Sie konnten das eiskalte Wasser durch ihre Gummistiefel spüren. Ihre Hände, mit denen sie Steine auftürmten, wurden rot vor Kälte.

Kate beobachtete ihn, ohne den Kopf zu drehen, von der Seite. An diesem Morgen im Garten hatte sie gedacht, er sei wegen der Erinnerung an den Tod seiner Mutter kurz davor zu weinen. Sie hatte gedacht, daß er sich von Timothy Gedge und ihr abwenden und ins Haus laufen würde, damit sie seine Tränen nicht sähen. Sie hatte gespürt, wie unglücklich er war, und sie spürte es auch jetzt. Sie wollte sagen, daß er sich wieder gut fühlen würde, wenn etwas Zeit verstrichen sei, genau wie in der Schule, wenn man zu Beginn des Trimesters Heimweh habe. Aber sie sagte es nicht, weil sie nicht wußte, ob das geschehen würde. Sie wußte nicht, was geschehen würde, sie wußte nicht, was im Augenblick geschah.

Sie aßen die Sandwiches, die sie sich vor Verlassen des Hauses gemacht hatten, und lagen dann in ihrer Hütte und lasen die Taschenbücher, die sie mitgebracht hatten. Mitten am Nachmittag beschlossen sie, zurück nach Dynmouth zu gehen. Nur an diesem Tag finde eine Heeresschau statt, hatte Mrs. Blakey beim Frühstück gesagt: Dafür habe man den Parkplatz hinter dem Fischverpackungsbetrieb mit Beschlag belegt.

»Hallo«, sagte ein Sergeant. »Ihr seid also gekommen, um euch alles selber anzusehen?«

Jungs spielten mit Maschinengewehren, schwenkten sie hin und her und schauten durch die Visiere. Gelangweilte Soldaten zeigten, wie die unterschiedlichen Vorrichtungen funktionierten, und erklärten, in welchem Tempo die Kugeln abgefeuert werden konnten. Andere Jungs kletterten in Panzer und wieder heraus oder standen in der Schlange vor einem Wohnwagen, in dem ein Film über Dschungelkampf angekündigt war. In einem zweiten Wohnwagen wurde eine Ausstellung über Werbeprospekte der Armee gezeigt, und in einem dritten gab es eine Ausstellung der Heeresrationen für Expeditionen

in die Antarktis. Aus den Lautsprechern dröhnte Pop-
musik.

»Das hier sieht am besten aus«, sagte Kate und ging
entschlossen zu dem Wohnwagen mit den Rationen.
»Guck mal, Milchreis in Dosen. Und Spangles Frucht-
bonbons. Stell dir vor, Spangles in die Antarktis mitzu-
nehmen!«

Es gab Schrotmehl, um damit in der Antarktis Hafer-
grütze zuzubereiten, Zucker und Milchpulver, Kekse,
Suppenpulver und Schmorfleisch in Dosen.

»Sachen gibt's!« Kate versuchte zu kichern und las die
Anweisungen auf der Dose Schmorfleisch vor, aber nichts
davon wirkte komisch. »Ich finde, die sind verwöhnt«,
sagte sie lahm.

Sie gingen zu dem Wohnwagen mit dem Werbematerial
und in den Film über den Dschungelkampf, den sie verließen, bevor er zu Ende war.

»Hallo!« sagte Timothy Gedge und kam von hinten auf
sie zu.

Daß er da war, war keine Überraschung. Sie erwiderten
seinen Gruß nicht. Er hatte dieselbe Tragetüte bei sich,
und aus irgendeinem Grund mußten sie sie anstarren. Sie
schwang leicht in der Luft, der Union Jack farbenfroh vor
seinen blassen Kleidern, und schien von seiner eigenen
Erwartung erfüllt zu sein.

Er verließ mit ihnen die Heeresschau, bot Fruchtgummis an und schwatzte. In seiner Frauenstimme wiederholte er zwei Gespräche zwischen Kellnern und Männern,
die einen Teller Suppe bestellten. Er lenkte ihre Aufmerksamkeit auf die Waren in den Schaufenstern, auf Küchen-
herde und Waschmaschinen in den Ausstellungsräumen
der Elektrogeschäfte. Diese Elektrogeräte seien alle preisgünstig, sagte er und nickte wiederholt mit dem Kopf: Das
South-Western-Elektrizitätswerk sei ein redliches Unternehmen. »Falls deine Mutter eine Waschmaschine sucht«,

empfahl er Kate, »dann kommt sie am besten, solange noch Schlußverkauf ist.« In allem, was er sagte, lag ein Hauch von Spott.

»Warum verfolgst du uns?« fragte Stephen, obwohl er die Antwort auf die Frage kannte.

»Ich brauch das Kleid für meine Nummer, Stephen.«

Er zeigte ihnen sein Lächeln. Sie blieben stehen und warteten darauf, daß er weiterging, aber das tat er nicht.

»Wir haben dir schon gesagt, daß wir dir kein Hochzeitskleid besorgen«, sagte Kate.

Er fing an, leise zu pfeifen, ohne Melodie, so als versuchte er, das Rauschen des Windes in den Bäumen nachzuahmen. Er hörte damit auf, um erneut etwas zu sagen.

»Es ist toll, mit euch befreundet zu sein«, sagte er. Er deutete auf Fleisch in einem Schaufenster und sagte, es sei günstig. »Ist dir schon mal aufgefallen«, fragte er Kate, »daß Miss Lavant schlechte Zähne hat?«

Sie gingen weiter, ohne etwas zu sagen, ohne auf das zu reagieren, was er sagte. Er fragte sie, warum Elefanten nicht radfahren und erklärte, das liege daran, daß sie keine Daumen zum Betätigen der Klingel hätten. George Joseph Smith habe, so erzählte er ihnen, einmal eine Nacht in Dynmouth verbracht, in der Pension Castlerea, die es immer noch gebe.

»Warst du schon mal bei Madame Tussaud, Kate? Da haben sie die Badewanne auf dem Fußboden aufgestellt, man kann die Hand ausstrecken und sie anfassen. Bei Madame Tussaud haben sie auch Christie, Kate. Und diesen Typen namens Haigh, der dem Modellierer seine Kleider geschickt hat, damit sie sich nicht die Mühe machen mußten, sie nachzumachen. Und noch einen Typen, der immer seine eigene Pisse getrunken hat.« Er lachte. Er habe über George Joseph Smith gelesen, sagte er, nachdem ihm die Idee für seine Aufführung gekommen sei. »Ich hab über viele von ihnen gelesen, Kate. Über diese Maybrick, die ihren Mann mittels Fliegenfänger erledigt hat. Und über die Thompson, die ihrem Mann acht Monate lang Glassplitter verabreicht hat, bloß daß es nicht gewirkt hat, so daß Freddie Bywaters in der Nähe der Ilford Station ein Messer in ihn stoßen mußte. Und über diese Frau aus Fulham, die ihrem Mann Arsen verabreicht hat, bloß daß er dadurch nicht mehr als ein Kribbeln in den Füßen verspürt hat.« Er lachte erneut. Vieles davon sei komisch, erklärte er, man müsse wirklich darüber lächeln. Man würde verrückt werden, wenn man nicht über alles lächeln könne, ohne Sinn für Humor werde man doch verrückt.

»Du solltest mal zum Psychiater gehen«, sagte Stephen.

»Freddie Bywaters hat ihn zweifelsohne erstochen, Stephen.«

»Ich spreche nicht von Freddie Bywaters. Wir glauben, du bist wahnsinnig.«

»Hab ich euch von den Dasses erzählt?«

»Wir wollen nichts von ihnen hören.« Stephen hatte die Stimme erhoben, genau wie morgens im Garten, und erneut dachte Kate, daß er versuchte, nicht zu weinen. Er hatte Angst vor Timothy Gedge.

»Laßt uns hier reingehen, dann zeig ich euch die Badewanne.«

Sie gingen gerade am Hof eines Bauunternehmens vorbei. *A. J. Swines* stand auf dem hohen braunen Tor, das offenstand, so daß die Lastwagen rein- und rausfahren konnten. *Bauunternehmen und Klempnerei* stand darauf.

»Sie steht einfach da. Hinter den Holzschuppen.«

Sie steht nicht da, dachte Kate. Es wäre so, wie wenn sie die Truhe aufmachten und das Hochzeitskleid nicht da wäre. Er würde sie auf den Hof und hinter die Schuppen führen, dann würde er auf irgend etwas deuten und sagen, da steht sie. Das wäre zumindest eine Erklärung, eine Bestätigung seines Wahnsinns. Stephen zögerte und folgte dann den beiden anderen.

Sie gingen an einer Betonmischmaschine vorbei, die von zwei Männern mit Zementstaub auf ihren Kappen und Arbeitshosen bedient wurde. Timothy Gedge lächelte die Männer an und sagte, heute sei ein schöner Tag. Er führte sie hinter ein paar Schuppen, in denen Bauholz gelagert wurde. »Da«, sagte er mit ausgestrecktem Finger. »Was haltet ihr davon?«

Sie war stark angeschlagen und mit Rostflecken überzogen. Timothy Gedge sagte, sie sei aus Blech. Wirklich ganz leicht, erklärte er und hob sie an einem Ende hoch, ganz anders als eine aus Gußeisen. »Ich hab gedacht, ihr würdet sie gerne mal sehen«, sagte er, als sie den Hof verließen. »Gehen wir jetzt zum Haus hoch?«

Sie gaben keine Antwort. Er sagte erneut, es sei toll, mit ihnen befreundet zu sein.

»Wir sind nicht deine Freunde«, entgegnete Stephen heftig. »Geht das nicht in deinen Kopf? Wir können dich nicht leiden.«

»Ich gehe oft da rauf, Stephen. Ich geh rauf zu der Stelle, wo es passiert ist: eigentlich um mich daran zu erinnern, wie es war.«

Sie fragten ihn nicht, was er meinte. Sie waren jetzt in der Fore Street, in der es von Leuten wimmelte, die nachmittags einkauften. Genau wie gestern in Badstoneleigh drängte er sich zwischen ihnen hindurch.

»Ich hab's mitangesehen«, sagte er. »Ich war da oben im Stechginster.«

Sie wußten, worauf er anspielte, und Kate beschloß, es Mrs. Blakey zu erzählen, egal, ob es Stephen gefiel oder nicht. Sie würde ihr jede Einzelheit erzählen, alles, was er über Commander Abigail gesagt hatte, alles über die Badewanne und das Hochzeitskleid und das, was er jetzt darüber sagte, daß er den Unfall mitangesehen habe. Mrs. Blakey würde es auf der Stelle ihrem Mann erzählen, und Mr. Blakey würde auf der Stelle dahin gehen, wo dieser

Junge wohnte, und ihm zu verstehen geben, man werde, wenn er nicht damit aufhöre, die Polizei verständigen. Und damit wäre die Sache erledigt.

Sie bogen in die Lace Street und gingen an der Seite des Queen Victoria Hotel entlang. Als sie zur Promenade kamen, überquerten sie einen Zebrastreifen, bogen nach rechts und ließen den Hafen und den Fischverpackungsbetrieb hinter sich. Vor ihnen lag der Sir-Walter-Raleigh-Park und in der Ferne, als höchster Punkt auf den Klippen, Sea House. Miss Lavant mit ihrem geflochtenen Einkaufskorb machte ihre nachmittägliche Runde auf der Promenade und fiel, in Scharlachrot, unter den anderen Spaziergängern ins Auge. Der Strand, der sich unterhalb der Klippen endlos dehnte, war jetzt nur ein schmales Kieselband, denn die Flut war da.

»Gestürzt«, sagte Timothy Gedge und schien das Wort willkürlich gewählt zu haben.

»Hör mal, wirst du jetzt wohl die Klappe halten?« schrie Stephen. »Wirst du die Klappe halten und weggehen? Wirst du wohl verschwinden?«

»Ich hab's mitangesehen, Stephen. Ich hab gesehen, wie sie von den Klippen gestürzt wurde.«

Stephen blieb stehen und starrte ihn an. Er runzelte die Stirn, unfähig, sofort zu begreifen, was er damit sagen wollte.

»Gestürzt?« wiederholte Kate im nächsten Moment.

»Wie meinst du das, gestürzt?« wollte Stephen wissen, obwohl er nicht vorgehabt hatte, diese Frage zu stellen. »Wovon redest du da?«

Er sagte, die Stadt habe an der Stelle am Kliffpfad einen Drahtzaun errichtet. Nach der Tragödie seien ein paar Männer mit Betonpfählen dort hinaufgegangen: Er habe sie dabei beobachtet. Man habe geglaubt, die Stelle sei gefährlich, weil der Pfad zwischen den Stechginsterbüschen und dem Klippenrand zu schmal sei: Es sei eine einleuchtende Erklärung, daß sie im Wind über etwas gestrauchelt sei. Er steckte sich ein Fruchtgummi in den Mund. In Wahrheit sei all das jedoch ein Haufen Blödsinn. »Eigentlich hat dein Vater sie runtergestürzt.«

Stephen versuchte, den Kopf zu schütteln, aber es fiel ihm schwer. Das sollte wohl ein Scherz sein. Das sollte wohl witzig sein.

»So etwas solltest du nicht sagen«, sagte Kate. Ihre Stimme klang zittrig, ihre Augen waren vor Überraschung rund und glanzlos geworden. Es kam ihr nicht so vor, als würde Timothy Gedge versuchen, Witze zu reißen, doch es war erstaunlich, daß er all das sagte, nur um ihnen heimzuzahlen, daß sie nicht nett zu ihm gewesen waren, oder weil er ein Hochzeitskleid haben wollte, das sie ihm nicht geben würden, oder aus welchem Grunde auch immer.

»Sie hat gerufen, daß deine Mutter eine Dirne ist, Kate. Da hat er sie runtergestürzt, und sie hat aus vollem Halse geschrien. Ich war da oben im Stechginster, Stephen. Ich bin ihnen nachgegangen.«

»Das stimmt nicht«, schrie Kate. »Nichts davon ist wahr.«

»Meine Mutter ist durch einen Unfall umgekommen. Sie war allein. Sie ist allein spazierengegangen.«

»Was du da sagst, ist gemein«, schrie Kate.

»Wir behalten das Geheimnis für uns, Kate. Er hat sie runtergestürzt, weil er bis über beide Ohren in deine Mutter verknallt war und sie deine Mutter als Dirne bezeichnet hat. Es gibt immer einen Grund für einen Mord. Verstehst du, deine Mutter und Stephens Vater hatten was miteinander. Er war wutentbrannt, als sie gesagt hat, deine Mutter ist eine Nutte. Da wärst du auch wütend, Stephen, wenn das jemand über Kate sagen würde.«

Stephen ging wieder weiter. Kate sagte, sie würden es den Blakeys erzählen, und die würden zur Polizei gehen.

»Liest du ab und zu Bücher, Stephen? *Tragödie auf den Klippen* von Todd S. Sturtz?«

In einem plötzlichen Wutanfall drehte Stephen sich um und trat ihm vors Schienbein, aber das tat nicht weh, weil Stephen Gummistiefel trug. Schmerzhafter war, daß Kate ihn mit den Fäusten in den Bauch boxte, ein Schlag nach dem anderen. Sie schlug so wütend auf ihn ein, daß eine Frau mit Kinderwagen ihr sagte, sie solle sich beruhigen.

Kate schenkte der Frau keinerlei Beachtung. »Laß uns in Ruhe«, schrie sie Timothy Gedge an. »Hör bloß auf mit deinen Lügen.«

Ihre Stimme bebte unter den herandrängenden Tränen. Sie blinzelte mit den Augen in dem Versuch, sie zurückzuhalten.

»Wag bloß nicht, uns noch mal anzusprechen«, schrie sie. »Wag das bloß nicht.«

Sie ließen ihn dort stehen, und diesmal folgte er ihnen nicht. Die Frau mit dem Kinderwagen fragte ihn, worum es bei all dem gegangen sei. Er lächelte sie an, obwohl ihm der Bauch weh tat. Er sagte, sie seien halt Kinder. Er sagte, es sei nur Spaß gewesen.

Sie gingen weiter, auf Miss Lavant zu und dann an ihr und auch den anderen Spaziergängern auf der Promenade vorbei. Miss Lavants scharlachroter Mantel war aus feinem Tweed, und ihre Haut sah so porenlos aus wie Porzellan. Sie lächelte, als sie an ihr vorbeigingen, und es wurde sichtbar, was Timothy Gedge behauptet hatte: Ihre Schönheit wurde durch verfärbte Zähne beeinträchtigt.

Stephen stimmte zu, daß sie es Mrs. Blakey erzählen müßten. Wenn sie es Mrs. Blakey nicht erzählten, würde er sie weiter mit seiner Tragetüte verfolgen und auf sie einreden. Man konnte ihn treten und ihm weh tun, man konnte ihm ins Gesicht und auf die Augen schlagen, so daß er nichts sehen könnte, aber er würde es immer noch fertigbringen, einen zu quälen. Er würde nie aufhören, mit einem zu reden. Er würde lächeln und sagen, es sei toll, mit einem befreundet zu sein. Er würde weiter Lügen erzählen.

»Er ist ein furchtbarer Mensch«, schrie Kate, erneut heftig erregt, und blickte hinter sich, als würde sie daran denken, ihre Handgreiflichkeiten fortzusetzen. Er stand noch da, wo sie ihn verlassen hatten, schon ein ganzes Stück hinter ihnen, und starrte ihnen nach. Es war zu weit, um sein Lächeln erkennen zu können, aber sie wußte, daß er lächelte.

»Komm schon, Kate.«

Als sie sich umdrehte, um weiterzugehen, zitterte sie, und es überlief sie ein Schauder, der Ausdruck ihrer Empörung zu sein schien.

»Wir sagen bloß«, sagte Stephen, »daß er uns ständig verfolgt. Wir sagen, daß er Sachen haben will, um sich zu verkleiden. Es ist nicht nötig, ihr alles zu erzählen.«

Kate erklärte sich damit einverstanden. Es war nicht nötig, Mrs. Blakey alles zu erzählen, weil soviel davon einfach keinen Sinn ergab.

Die Männer von Ring's Vergnügungspark bereiteten immer noch die Maschinen im Sir-Walter-Raleigh-Park vor und pfiffen und lärmten dabei. Fünfzig Meter weiter kam ein in Silbertönen gehaltener Bus langsam zum Stillstand. Ein Mann, der anscheinend zufällig mit einer Kamera vorbeiging, machte ein Foto davon.

Das Meer klatschte am Fuß der Promenadenmauer über grüne Felsen. Die Ebbe hatte wieder eingesetzt, und das Wasser zog sich in aller Ruhe zurück, so als wäre es darin geschult. »Schau mal«, hatte seine Mutter gesagt und ihn dazu bewegt, sich mit ihr zusammen anzusehen, wie die Flut sich erschöpfte. Sie hatte es geliebt, das Meer zu beobachten. Sie hatte es geliebt, am Strand entlangzugehen. Sie hatte die Steine geliebt, die das Meer glattschliff,

und seine Wildheit, wenn es sich über die Promenadenmauer stürzte und überall Kiesel und Treibholz verstreu-
te. Als wäre es zornig, hatte sie gesagt.

Ältere Leute stiegen langsam aus dem silbernen Bus,
Frauen in Braun, Creme oder Grau, alte Männer in Män-
teln und Hüten. Sie standen unsicher auf der Promenade,
so als wären sie beunruhigt. Sie redeten miteinander, mur-
melnd, und dann lachten sie, weil der Busfahrer sich aus
dem Fenster lehnte und einen Witz erzählte. Der Mann,
der ein Foto vom Bus gemacht hatte, fragte, ob er auch
die alten Leute fotografieren dürfe, und der Busfahrer
antwortete, er solle einen Augenblick warten. Er legte
eine Zeitung, die er hatte lesen wollen, beiseite und sprang
aus dem Bus. »Kommen Sie alle zu einem Foto für den
Herrn«, rief er und ließ die älteren Leute sich in einer
Reihe seitlich vor dem Bus aufstellen. »Cheese.« Die älteren Leute lachten.

»Das nennt man Belästigung«, sagte Kate. »Man belästigt Leute, wenn man sie nicht in Ruhe läßt. Ich würde
sagen, das ist gesetzwidrig.«

Stephen nickte, ohne zu wissen, ob es gesetzwidrig war
oder nicht, aber das interessierte ihn auch nicht besonders.
Die Kleider von Verstorbenen blieben natürlich zurück;
daran hatte er noch nie gedacht. Er hatte sich nicht gefragt,
wo ihre Kleider waren, als er am Ende jenes Herbsttrime-
sters nach Primrose Cottage zurückgekehrt war. Es waren
noch andere Sachen dagewesen, eine Menge Sachen. Aber
auch wenn er nicht nachgesehen hatte, wußte er, daß ihre
Kleidungsstücke – all ihre Kleider, Mäntel, Strickjacken
und Schuhe – nicht mehr in ihrem Schrank oder in den
Kommoden waren, die sie sich mit seinem Vater in ihrem
Schlafzimmer geteilt hatte.

»Was passiert deiner Meinung nach mit den Kleidern
von Toten?«

Sie sagte, das wisse sie nicht. Sein Vater würde sie nicht

verbrennen. Es wäre unbarmherzig, sie zu verbrennen, da viele Leute Kleider benötigten, Flüchtlinge in Indien oder Afrika. Sein Vater war dafür zu nett und zu wohltätig. Das dachte sie, sprach es aber nicht aus. Sein Vater hätte sie bestimmt der Hungerhilfe oder einem Wohltätigkeitsbasar gegeben.

»Aber doch nicht das Hochzeitskleid?«

»Ein Hochzeitskleid würde man nicht weggeben.«

»Man würde es auch nicht ins Feuer werfen.«

»Es wäre nicht recht, so was zu tun.«

Das Hochzeitskleid war in der ausgeblichenen grünen Truhe, genau wie er es sich in der Nacht vorgestellt hatte. Es war wirklich da, genau wie die Badewanne hinter den Holzschuppen. Sie hatte es dort verwahrt, und sein Vater hatte es gefunden. Der Junge hatte es gesehen, weil er sich immer darum kümmerte, was die Leute taten.

Sie waren fast am Ende der Promenade angelangt. Hinter ihnen bummelten die älteren Leute bedächtig zu zweit oder zu dritt auf dem Betonbelag herum. Noch weiter hinten ging die scharlachrote Gestalt von Miss Lavant an der Vorderseite des Queen Victoria Hotels vorbei, in Richtung Hafen und Fischverpackungsbetrieb. Timothy Gedge war nirgends zu sehen.

Am Ende der Promenade konnten sie über ein paar Stufen zu den Felsen hinuntergehen, die glitschig vom Seetang waren, und darüberklettern, bis sie den Kieselstrand erreichten. Sie konnten dort entlang und schließlich die Klippen hinauf zum elften Grün des Golfplatzes gehen, zu dem Tor in der Gartenmauer. Oder sie konnten nach rechts abbiegen und den Once Hill hinaufgehen, am Pfarrhaus vorbei auf die steile, schmale Straße, die sich über die Hügel nach Badstoneleigh schlängelte und zu der sich die Eingangstore von Sea House öffneten. Sie überlegten gerade, wie sie sich entscheiden sollten, als sie plötzlich Commander Abigail bemerkten.

Er kam die schmale Straße herunter, in seinen vertrauten braunen Mantel geduckt wie ein Krebs. Aber weder war sein Schritt so schwungvoll wie gewohnt noch hatte er sein zusammengerolltes Handtuch und seine Badehose dabei. Er bewegte sich genau wie die älteren Leute aus dem Bus, aber nicht so vorsichtig, denn ein roter Postbus mußte einen Bogen fahren, um ihm auszuweichen. Geduckt stand er einen Augenblick lang auf der Promenade, dann ging er langsam auf eine grüngestrichene Bank zu und setzte sich gemächlich hin.

Sie gingen an ihm vorbei und sahen ihn an, weil sie nicht anders konnten. Aber ihre starren Blicke spielten keine Rolle, weil er sie nicht bemerkte. Sein Gesicht war ausgedörrt. Die Augen sahen leblos aus, so als hätte der Postbus ihn niedergestreckt und getötet. Die Hände waren ineinander verschränkt, als wollten sie sich trösten. Die Lippen und Augenlider sahen kalkig aus. Der kupferrote Schnurrbart leuchtete.

Es stimmt, dachten sie und sahen ihn immer noch an: Er war ein verheirateter Mann, der es überall mit kleinen Jungs trieb, und den der betrunkene Timothy Gedge vor seiner Frau bloßgestellt hatte. All das war jetzt leicht zu glauben, es war leicht, sich Timothy Gedge betrunken vorzustellen und wie ihm die Wahrheit herausgerutscht war, weil es ihm egal war, weil er es unterhaltsam fand, noch besser, als zu einer Beerdigung zu gehen.

Sie verließen die Promenade, und Stephen ging auf der glatten Teerdecke der Straße voran, Kate hinter sich. Er überlegte es sich anders und wollte Mrs. Blakey nichts mehr erzählen. Er sagte, das dürften sie nicht, setzte aber nicht hinzu, daß der Anblick von Commander Abigail auf der grüngestrichenen Bank die Sachlage völlig verändert hatte. Und so wie er zunächst nicht von dem Hochzeitskleid gesprochen hatte, weder letzte Nacht noch bevor sie an diesem Morgen das Wäldchen erreicht hatten, so sprach er jetzt nicht von den Hirngespinsten des Timothy Gedge, die, wie sich herausstellte, gar keine Hirngespinste waren.

Zum Teetrinken saßen sie verlegen in der Küche, Mrs. Blakeys Gesicht strahlte und war vom Schweigen der Kinder ganz verwirrt. Wenn er von Teufeln besessen wäre, dachte Kate, dann ließe sich alles einfach erklären. Während ihres ersten Trimesters in St. Cecilia war dort ein Mädchen gewesen, das die Gabe der Levitation gehabt hatte, ein verhaltensgestörtes Mädchen namens Julie, das imstande war, zweieinhalb Meter über dem Boden zu schweben, und das Miss Scuse schließlich von der Schule nehmen lassen mußte. Mädchen hätten oft solche Gaben, hatte Rosalind Swain damals gesagt, besonders in der Pubertät. Ein Mädchen namens Enid konnte andere mit Hilfe einer silbernen Füllerkappe hypnotisieren. Ein anderes Mädchen konnte in einer Zeitung eine ganze Seite lesen und sie sofort wiedergeben. Rosalind Swain sagte, das könne sie nur noch so lange, bis sie erwachsen sei. Die Pubertät sei geheimnisvoll. Heranwachsende trügen oft Poltergeister in sich.

Mrs. Blakey hörte nicht auf, sie zu fragen, was sie an diesem Tag gemacht hätten. Stephen gab keine Antwort, so als hätte er sie nicht gehört. Kate sagte, sie seien zu der Heeresschau gegangen, und erwähnte die Rationen, die man zu Expeditionen in die Antarktis mitnahm. Wenn er von Teufeln besessen war, konnte man nichts gegen ihn ausrichten: Manche Menschen konnten genausogut von Teufeln besessen sein wie andere Poltergeister in sich trugen oder von Gespenstern heimgesucht wurden. Waren sie wie ein Dunst, der durch ihn hindurchrauschte, waren sie Teufel, die von ihm Besitz ergriffen, ohne daß er es merkte, und ihn zwangen, sein Lächeln zu zeigen? Wußte er, was er tat?

»Ist mit Stephen alles in Ordnung, Liebes?« fragte Mrs. Blakey, als Stephen schon gegangen war und sie die Teller vom Tisch räumten. Kate wies darauf hin, daß Stephen schon immer ein bißchen schweigsam sei.

»Du bist auch schweigsam geworden, Kate.« Mrs. Blakey sprach hastig, mit einem Lachen, und wirkte erleichtert, weil sie so etwas wie eine Antwort erhalten hatte. Wäre sie zusammengebrochen, wenn sie erfahren hätte, daß Stephen schwieg, weil er sich fragte, ob sein Vater seine Mutter ermordet hatte? Sein Vater, der Vögeln gebrochene Flügel einrichtete, seine Mutter, die ihn wegen seiner Sanftheit geliebt hatte? Stimmte es wirklich? Hatte seine Mutter am Klippenrand gerufen und geschrien und ihre eigene Mutter als Dirne bezeichnet? Menschen konnten sich furchtbar streiten. Menschen konnten grausam sein, wie ihr Vater vor der Scheidung, wie Miss Shaw und Miss Rist gegenüber Miss Malabedeely. Doch es stimmte natürlich nicht. Natürlich hatte sie nicht so geschrien.

Im Wohnzimmer des Hauses, das durch Tod und Heirat sein Zuhause geworden war, beobachtete ihn Kate, während er seinerseits das bunte Rechteck des Fernsehschirms betrachtete. Sein starkes Interesse war nur gespielt; er hatte sich ihr gegenüber bereits verschlossen. Das konnte sie regelrecht greifen.

Kugeln prallten an einem Felsblock ab und schlugen Splitter heraus, verfehlten jedoch Kid Curry und Hannibal Hayes alias Smith und Jones. Trübselig dachte sie, daß nichts mehr so sein würde, wie es einmal gewesen war. Nach dieser ganzen ekelhaften Angelegenheit, die sich wie Schleim um sie gelegt hatte, würde er sie hassen, weil sie davon wußte, weil sie dadurch, daß sie in die Sache verwickelt war, zu einem Teil davon geworden war. Sie schloß die Augen und wollte weinen, verkniff es sich aber.

»Sie sind Hannibal Hayes«, brüllte die Stimme eines Sheriffs aus dem Fernseher, und die Stimme eines Cowboys antwortete ruhig und leugnete, daß er der Genannte sei. Als sie die Augen aufschlug, kauerten die Cowboys nicht mehr neben dem Felsblock. Sie saßen rittlings auf einem Pferd, Rücken an Rücken gefesselt, vom Suchtrupp des Sheriffs vor dem Horizont entlanggeführt. Stephen versteckte sich immer noch hinter gespielter Konzentration und starrte auf den Bildschirm, als würde sein Leben davon abhängen.

Geister exorzierte man, da gab es einen speziellen Gottesdienst. Es gab die Teufelsaustreibung, was sich so ähnlich anhörte. Wenn man Timothy Gedge die Teufel austrieb, wäre dann alles wie durch ein Wunder ganz anders? Würden sie und Stephen dann genau wie jetzt dasitzen und sich plötzlich an nichts mehr erinnern können, was passiert war, weil nichts davon wirklich wäre? Wäre das Idyll, von dem sie geträumt hatte, wieder da und nicht in die Brüche gegangen, wie es den Anschein hatte?

Es war in die Brüche gegangen, weil Timothy Gedge sie verfolgt hatte. Timothy Gedge, mit seinen eingefallenen Wangen und seiner Unbeholfenheit, hatte auf ihnen herumgehackt, obwohl er sie gar nicht kannte, obwohl sie ihm nichts getan hatten. Konnte er sie nicht leiden, weil sie in Sea House wohnten, weil es dort den Garten und die Setter gab, weil sie Freunde waren und er selbst keine Freunde hatte? Oder wollte er wirklich bloß ein Hochzeitskleid haben? Hatte sie wirklich so geschrien?

8

Die Sonne sickerte durch die Jalousien in Kates Schlafzimmer und legte sich in schmalen Strahlen über die Mohnblumen auf der Tapete und auf die orange gestrichene Frisierkommode. Als sie erwachte, war es warm im Zimmer, und ein paar Sekunden lang empfand sie freudige Erwartung, bis die Enthüllungen des vorigen Tages auf sie einströmten. In einem wirren Durcheinander drangen sie auf sie ein, ohne Sinn und Verstand. Widerwillig brachte sie alles in eine Ordnung, indem sie mit dem Augenblick begann, als sie und Stephen aus der Verandatür getreten waren, besorgt, weil Timothy Gedge im Garten war. Da war Stephen noch mit ihr befreundet gewesen. Er war auch noch mit ihr befreundet, als sie sich in dem Wäldchen unterhalten hatten, als sie im Bach den Damm gebaut und nach dem Verzehr ihrer Sandwiches in ihren Taschenbüchern gelesen hatten.

Sie stand auf, schlug das Bettzeug zurück und ließ an beiden Fenstern die Jalousien hochschnellen. Das Meer war ruhig. Kein Lüftchen bewegte die Knospen der treibenden Magnolien, die Malven oder die Azaleen, für die der Garten bekannt war. Mr. Blakey stand inmitten seiner Beete mit gestutzten Rosen und dachte über irgend etwas nach. Die Setter lagen würdevoll wie schläfrige Löwen an ihrem morgendlichen Lieblingsplatz, in der warmen Sonne neben der Gartenlaube. In Dynmouth schlug die Uhr von St. Simon and St. Jude acht. Sie zog ihr Nachthemd aus und kleidete sich schnell an.

Dieser Tag, ein Samstag, war schrecklich. Sie verließen das Haus nicht. In Kates Zimmer spielten sie, ohne viel zu reden, Dame, Monopoly und mehrere Kartenspiele. Sie konnte das Schweigen nicht ertragen, war bedrückt davon und am Ende überwältigt. Als sie sich bemühte, fröhlich zu sein, wurde sie schließlich nervös und rot im

Gesicht, überall feucht und klamm. Mittags in der Küche versuchte sie, das Schweigen zu vertuschen, indem sie über alles plapperte, was ihr in den Kopf kam, aber ihr Geplapper machte das Schweigen nur noch offensichtlicher. Stephen sagte kein einziges Wort. Mrs. Blakey begann, sich Sorgen zu machen, das konnte man sehen.

Sie sahen sich einen Samstagnachmittagsfilm im Fernsehen an, *Hölle, wo ist dein Sieg?* Danach lasen sie. Sie spielten noch einmal Monopoly. Aus dem Fenster in Kates Zimmer beobachteten sie, wie Mrs. Blakey in der Ferne für die Setter Treibholz über den Strand warf. Sie beobachteten, wie sie zurückkehrte und durch den Torbogen in der Gartenmauer ging, wie den Settern vor Aufregung und Erschöpfung die Mäuler offenstanden.

Sie standen immer noch am Fenster, als ein paar Minuten später Timothy Gedge erschien. Er lugte durch die weißen Eisenverzierungen des Tores und schaute zu den Fenstern des Hauses hinauf.

So vergingen die Tage, Sonntag, Montag und Dienstag. Am Samstag würden ihre Eltern wieder da sein.

An all diesen Tagen erschien Timothy Gedge am Tor in der Gartenmauer. Am Montag und am Dienstag kam er zur Vorderseite des Hauses und klingelte. »Dieser Gedge ist da und möchte euch sprechen«, sagte Mrs. Blakey jedesmal verdutzt, und jedesmal entgegneten sie, daß sie ihn nicht sehen wollten. Als er erneut erschien, sagte Mrs. Blakey, er solle nicht mehr wiederkommen. Die Kinder hätten sein Taschenmesser nicht gefunden.

Je mehr Zeit verstrich, um so frostiger kam Kate das Schweigen vor, bis es sich anfühlte wie ein eisiges Leichentuch, das sie einhüllte. Für Stephen hatte die Zeit etwas Peinigendes. Gedanken formten sich in seinem Kopf, Bilder kamen ihm in den Sinn. In den Zeitungen hatte etwas über die Frau eines Offiziers in der Armee gestanden, die

verschwunden war, während ihr Mann eine Liebschaft mit
einer Frau aus der Kantine gehabt hatte. Die war die zweite
Frau des Offiziers geworden. Seine erste Frau sei nach
Australien gegangen, hatte er auf der Anklagebank behauptet, aber da hatten Zweifel bestanden. Es gab Fotos
von den Gesichtern dieser Leute in den Zeitungen, aber
Stephen hatte vergessen, wie sie aussahen. Jetzt kamen ihm
Gesichter in den Kopf, mit Zügen, die in ihrer übertriebe-
nen Darstellung von Gut und Böse grotesk waren.

Dann war da noch ein anderes Gesicht, das er sich nicht
erst ausdenken mußte: ein Gesicht mit Schnurrbart, das
vor kurzem ständig in den Fernsehnachrichten zu sehen
war, das Gesicht eines Mannes, der beschuldigt wurde,
das Kindermädchen seiner Kinder erschlagen und das
gleiche bei seiner Frau versucht zu haben. »Ein netter,
großzügiger Mensch«, hatte eine Frau in den Nachrichten
gesagt. »Er hat die Menschen so geliebt, wie sie sind.« Er
wurde vermißt und wegen Mordes gesucht. Sein Wagen
war mit Blutflecken auf dem Lenkrad gefunden worden.
»So was kann er unmöglich getan haben«, hatte sein bester
Freund gesagt. Die Polizei suchte in Frankreich und Süd-
afrika, überall auf der Welt, nach ihm. Hatte auch er
Vögeln gebrochene Flügel eingerichtet?

Sein Vater hatte den gleichen ernsthaft konzentrierten
Blick und die gleiche Statur wie Stephen. Aber er hatte
braune Haare, und sein Lächeln war anders. Sein Lächeln
breitete sich langsam aus, begann in den Mundwinkeln
und kroch übers ganze Gesicht, legte die Wangen in Fält-
chen und ließ die Augen aufleuchten. Stephens Lächeln
kam ruckartig und nervös, trat schnell, blitzartig auf und
verschwand auch wieder schnell. Sein Vater hatte so eine
Art, sich in einer stillen Beschäftigung zu verlieren, nicht
zu hören, wenn ihn jemand ansprach, und sich dann be-
kümmert zu entschuldigen. Er konnte stundenlang das
Treiben der Vögel durch sein Fernglas beobachten, ohne

jemals zu glauben, daß diese Betätigung für andere Leute von Interesse sein könnte, ohne es jemals zum Gesprächsthema zu machen. Seine Unzugänglichkeit in dieser und auch in anderen Angelegenheiten hatte Stephen und seine Mutter einander nähergebracht. Das hatte Stephen ganz natürlich gefunden, so wie es sein sollte: daß sein Vater arbeitete und dann von der Arbeit auftauchte, daß sie alle drei am Strand entlangspazierten, nach Badstoneleigh ins Pavilion gingen, an Stephens Geburtstag im Spinning Wheel Tee tranken oder sich ein Spiel von Somerset anschauten.

Es war unmöglich, sich nicht daran zu erinnern, nach allem, was Timothy Gedge gesagt hatte. Er war oft mit seinen Eltern an den Klippen beim Golfplatz entlanggegangen. Dutzende Male waren sie im Gänsemarsch gegangen, wenn sie an den Engpaß gekommen waren, der wegen des wuchernden Stechginsters so schmal war. »Vorsichtig, Stephen«, hatten sie beide ständig gesagt. Wenn er am Strand vorausgelaufen war, um nach flachen Kieselsteinen zu suchen, die er übers Wasser hüpfen lassen konnte, hatte er oft zurückgeschaut und gesehen, wie sie beim Gehen die Arme umeinandergelegt hatten. »Niemand ist so lieb wie Papa«, hatte seine Mutter einmal gesagt.

Auf diesen Spaziergängen hatte Stephen, als er noch viel kleiner war, von seinem Vater immer Geschichten über eine Maulwurffamilie erzählt bekommen, die er sich ausgedacht hatte, ausführliche Abenteuer, die er meilenlang weiterspann. Am Geburtstag seiner Mutter gingen sie nicht ins Spinning Wheel, sondern ins Queen Victoria zum Mittagessen, weil sein Vater darauf bestand. Dort saß sie auf dem Ehrenplatz, schwarzhaarig und ziemlich schlank, eine Schönheit an ihrem Geburtstag, wie sein Vater immer sagte. Sie lachte viel. Sie streckte die Hand nach ihnen beiden aus, legte sie auf ihre Hände und lächelte mit strahlend weißen Zähnen. Es gefiel ihm immer, wenn sie mit dem Lippenstift einen bestimmten Farbton aufgetragen hatte, korallenrot, nicht kirschrot. Es gefiel ihm damals, wenn sie ihr grünes Kleid und den Gürtel mit der Messingschnalle trug.

Sein Vater bestand darauf, den ganzen Tag ihrem Geburtstag zu widmen, gab sich alle Mühe und brachte sie zum Lachen. »Komisch, Vogelbeobachter zu sein«, hatte einmal ein Junge namens Cosgrave gesagt, und Stephen hatte ihn dazu gebracht, es zurückzunehmen, indem er ihm so lange den Arm umdrehte, bis er darin einwilligte. Einmal, als er mit ihr allein gewesen war, hatte er gesagt, daß es schön wäre, einen Bruder zu haben, aber sie hatte ihm erklärt, das sei nicht möglich. Sie hatte ihn umarmt und gesagt, daß es ihr leid tue. »Liebe Mama!« hatte sein Vater plötzlich im Queen Victoria gesagt, während der Kellner dagestanden und ihnen Erbsen vorgelegt hatte.

Solche Erinnerungen bedrängten ihn. Sie blieben nur kurz, wie Augenblicke, die rasch dahineilten, jeder vom nächsten verdrängt. Aber sie waren scharf wie Splitter, und jeder bohrte sich in die offene Wunde. Er wappnete sich dagegen, spannte sich an, entschlossen, sich nicht überraschen zu lassen. Er wollte schweigen.

»Na, sei nicht albern, Kate«, sagte Mrs. Blakey in bestimmtem Ton, als Kate ihr half, Zitronenbaiser zu machen. »Der Junge benimmt sich nicht ohne Grund wie im Tran. Ihr benehmt euch beide seltsam. Hältst du mich etwa für dumm oder was?«

»Das ist nicht unsre Absicht, Mrs. Blakey.«

»Wenn ihr was angestellt habt, sagt's mir. Wenn ihr was kaputtgemacht habt ...«

»Wir haben nichts kaputtgemacht.«

»Das kann ich nicht wissen, wenn du's mir nicht erzählst, Kate.«

»Da ist nichts zu erzählen.«

Mrs. Blakey preßte die Lippen zusammen. Sie sagte kühl, daß sie jetzt allein in der Küche zurechtkomme.

»Es macht mir nichts aus zu helfen.«

»Nun geh mal schön.« Man hatte ihr eine Telefonnummer in Frankreich gegeben: Cassis 08.79.30, Les Roches Blanches, ein Hotel. Man hatte sie ihr für den Fall gegeben, daß ein Notfall einträte, aber es kam Mrs. Blakey nicht so vor, daß man die Atmosphäre, die sich entwickelt hatte, als Notfall bezeichnen konnte. Sie wüßte sowieso nicht, wie sie es ausdrücken sollte, sie wäre nicht in der Lage, die Sache zu erklären, da alles so schwer einzuordnen war. Und es würde Besorgnis auslösen, wenn sie so in Frankreich anriefe. Zunächst einmal würde es ein Vermögen kosten.

»Stephen«, rief Kate vor der verschlossenen Tür seines Schlafzimmers, aber er gab keine Antwort.

Er blieb wach, und nach Mitternacht ging er in das Zimmer, das Kates Mutter für seinen Vater reserviert hatte, damit er darin über Vögel schreiben konnte. Es lag im Erdgeschoß, im hinteren Teil des Hauses. Das einzige Fenster mit Blick auf den Garten reichte fast bis zum Boden. Vor einer ausgeblichenen Tapete, die rosarot gestreift war, standen Schaukästen mit Schmetterlingen und Nachtfaltern. In der Ecke neben der Tür befand sich eine kleine Standuhr; vom Kaminsims, unter einer Glasglocke hervor, starrte ihn eine Eule an. Die vier Mahagoniaktenschränke seines Vaters aus Primrose Cottage waren da, standen paarweise zwischen Bücherschränken mit Glasfront, die schon immer im Zimmer ihren Platz hatten. Auf seinem Mahagonischreibtisch standen eine Lampe mit grünem Schirm und eine kleine weiße Olympia Schreibmaschine. Dort befanden sich auch eine Schreibunterlage mit blauem Löschpapier und eine Holzschale mit Bleistiften, Büroklammern und einem Füller darin.

Stephen zog die Jalousie herunter, setzte sich an den Schreibtisch seines Vaters und öffnete eine Schublade nach der anderen. Er entdeckte Notizen zur Uferschwalbe, zur Rötelgrundammer, zum Isabellsteinschmätzer und zur Weißbartseeschwalbe. Ein Professor an der University of Pennsylvania hatte ihm geschrieben, um ihn nach der Verteilung des Wiedehopfes in Großbritannien zu fragen. Da waren die Rechnung einer Möbelspedition, Messrs. Hatchers Worldwide, die letzte Telefonrechnung von Primrose Cottage und die letzte Stromrechnung, einschließlich der Gebühr fürs Abschalten. Da waren Briefe von Anwälten und Versicherungsvertretern, und auf dem Boden einer Schublade lagen, mit einer Schnur zusammengebunden, Kondolenzbriefe.

Es waren noch andere Briefe da, ebenfalls zusammengeschnürt, alte Briefe, die seine Mutter 1954 geschrieben hatte, und in einem fleckigen gelbbraunen Umschlag waren ein paar, die sein Vater ihr geschrieben hatte. Sie waren voller Liebe und Versprechungen und Anspielungen auf die Zukunft. Stephen las Teile daraus und legte sie dann zurück.

In einer anderen Schublade, separat aufbewahrt, fand er andere Briefe, die voller Liebesversprechen waren. Auch die bezogen sich auf die Zukunft, darauf, daß sie schließlich zusammenkommen und glücklich sein würden. Es waren weniger, und sie waren kürzer als die seiner Mutter, und keiner davon war datiert, außer daß der Wochentag angegeben war. *Es ist hart, warten zu müssen*, beteuerte er in einem. *Nichts ergibt einen Sinn ohne Dich*, stand in einem anderen. Auch die ließ er so zurück, wie er sie vorgefunden hatte.

Das Licht der Schreibtischlampe fiel auf seine Hände, die auf dem blauen Löschpapier ausgebreitet waren, schmale Hände mit schmalen Fingern, erst halb so groß, wie sie einmal werden würden. Sein Gesicht wirkte im

Dunkel außerhalb des Lichtscheins blaß unter dem glatten schwarzen Haar, seine Augen konzentriert und doch ausdruckslos. Er stand vom Schreibtisch auf und schaltete eine andere Lampe im Zimmer ein. Da war ein Buch, das immer in Primrose Cottage gestanden hatte, ein dickes Buch mit einem zerrissenen grünen Schutzumschlag. *Fünfzig berühmte Kriminalfälle* stand auf dem Umschlag. Er hatte weder seine Mutter noch seinen Vater je darin lesen sehen, aber er selbst hatte es einmal aufgeschlagen. Er wußte, um welche Art von Kriminalfällen es sich handelte.

All die Leute, von denen Timothy Gedge gesprochen hatte, standen darin: Freddie Bywaters und Edith Thompson, Mrs. Fulham, die schöne Mrs. Maybrick, Christie, Haigh und Heath, George Joseph Smith. Da war Irene Munro, die ihren Teint mit Icilma Creme verschönert hatte, bevor sie am Strand wegen ihrer Handtasche totgeschlagen wurde. Da war eine Frau namens Constance Kent, die gestanden hatte, ihren kleinen Bruder vor fünfzig Jahren in einem Haus unweit von Dynmouth ermordet zu haben. Am 2. August 1951 wurde die achtundvierzigjährige Mrs. Mabel Tattershaw von dem Mann neben ihr im Roxy Kino in Nottingham angesprochen. »Ich bin«, sagte der Mörder später, »richtig stolz auf das, was ich vollbracht habe.« Owen Lloyd, ein neunjähriger Junge, ertränkte einen vierjährigen Freund. »Ich werd's nicht wieder tun«, versprach er in seiner Gerichtsverhandlung. Ein Mann namens Wilson ermordete eine gewisse Mrs. Henrichson, weil sie sich geweigert hatte, ihm ein Zimmer zu vermieten. Charlie Peace beschwerte sich über die schlechte Qualität des Specks bei seiner Henkersmahlzeit. Ein Hühnerzüchter namens Edmund James Thorne verfütterte das Fleisch seiner Frau an seine Hühner. In Brighton wurde 1934 der Torso einer Frau in einer Sperrholzkiste entdeckt, die in braunes Papier eingeschlagen und mit einer Jalousienschnur zugebunden war. Ihr Mörder wurde nie ausfindig gemacht. In Earl's Colne ging Linda Smith am 20. Januar 1961 los, um eine Zeitung zu kaufen, und wurde später achtzehn Meilen entfernt erdrosselt auf einem Feld neben einer Weißdornhecke aufgefunden. Auch ihr Mörder wurde nie gefunden.

Morde wurden begangen, um Leute zum Schweigen zu bringen, aus Eifersucht, Rache, Wut oder einfach um ihrer selbst willen. Es gab Morde unter Eheleuten, weil er oder sie sich ein anderes Leben wünschten und es aus irgendeinem Grund nicht anders zuwege brachten. Es wurde gemordet, um sich zu bereichern, aus den geringfügigsten und sinnlosesten Gründen, oft auch ohne ersichtlichen Grund. Zwei junge Mädchen in Neuseeland hatten die Mutter von einer der beiden mit einem Backstein erschlagen, nur weil sie Lust dazu hatten. Ein Kind von acht Jahren hatte für Bonbons getötet. In Hull hatte ein Mann seine Frau vergiftet, weil sie sich geweigert hatte, ihm Knöpfe an die Kleider zu nähen.

Stephen schaltete das große Licht aus und kehrte an den Schreibtisch seines Vaters zurück. Er setzte sich vor die weiße Schreibmaschine und lauschte dem Ticken der Uhr in der Ecke am Fenster. Der Füller in der Holzschale war blau, ein kleiner, schmaler Füller, der ihr gehört hatte. Er erinnerte sich daran, wie sie ihn benutzt, Weihnachtskarten und Einkaufslisten damit geschrieben hatte.

Sie schien tatsächlich im Zimmer zu sein. Er konnte sie ganz in seiner Nähe spüren, so als würde ihr Geist erscheinen, aber er hatte keine Angst davor. Er berührte den Füller, nahm ihn dann in die Hand. Er kam ihm warm vor, wie der Griff eines Löffels oder einer Gabel, die sie ihm gereicht hatte, nachdem sie damit irgend etwas für ihn auf seinem Teller zerdrückt hatte, als er noch kleiner war.

Er versuchte, sich zu erinnern, ob seine Eltern sich in

den Ferien vor dem Tod seiner Mutter gestritten hatten, aber es fiel ihm nichts dergleichen ein. Es war ein schöner Sommer gewesen. Sein Vater war damit beschäftigt, über Ohrenlerchen zu schreiben. Sie hatten sich das Spiel von Somerset gegen Essex angeschaut, Virgin siebzig nicht aus.

Je mehr er über jenen Sommer nachdachte, um so angenehmer kam er ihm vor. Er erinnerte sich daran, wie er eines Donnerstag morgens mit seiner Mutter von Primrose Cottage zu einem Ort namens Blackedge Top, einem alten Steinbruch auf einem Berg, gewandert war. Sie waren noch zu einem anderen Berg gegangen, auf dem ein römisches Kastell gestanden hatte, das jetzt von Farn bedeckt war. Er erinnerte sich daran, wie sie im Garten von Primrose Cottage zu Abend gegessen hatten und seine Eltern sich anscheinend gern gehabt und sich nicht gestritten oder auch nur eine Meinungsverschiedenheit gehabt hatten. Sie hatten stundenlang dagesessen, zumindest bis neun Uhr, bis die Schatten der Abenddämmerung auf den kleinen Garten fielen. Es hatte nach Rosen und Kaffee geduftet. Es hatte rosafarbenen Wein gegeben, auf dessen Etikett Rosé Anjou 1969 gestanden hatte, um die Fertigstellung der ersten Hälfte des Buches über die Ohrenlerche zu feiern. Er selbst hatte Ribena mit Eis getrunken, und er konnte sich jetzt ganz deutlich erinnern, daß er gedacht hatte, wie schrecklich es für Kate sein mußte, weder einen Vater noch je so einen Anlaß zum Feiern zu haben.

Und doch mußte es die ganze Zeit über anders gewesen sein. Sein Vater hatte sich gewünscht, daß alles anders wäre, genau wie Edith Thompson, die in Freddie Bywaters verliebt gewesen war, genau wie Mrs. Maybrick und Mrs. Fulham. Nachdem er in jener Nacht ins Bett gegangen war, hatten sie dagesessen, und ihr Gesichtsausdruck hatte sich verändert. Sie hatten aufgehört zu lächeln, weil es nicht mehr nötig war, sich etwas vorzumachen. Sie hatten dagesessen und sich gehaßt, hatten sich mit scharfen Stimmen gestritten und wollten einander nicht anschauen. Als er darüber nachdachte und die Szene so gestaltete, wie sie sich abgespielt haben mußte, schrie sein Vater sie an, sie sei unnütz und dumm. Sein Vater war ganz anders als sonst. Nichts, was sie jemals getan habe, habe irgendeinen Nutzen gehabt, sagte er. Die Erdbeermarmelade, die sie gemacht habe, sei nicht fest geworden, sie könne nicht einmal eine telefonische Nachricht entgegennehmen. Es höre sich blöd an, wie sie unaufhörlich davon rede, daß sie das Meer liebe. Es sei sinnlos, sich etwas vorzumachen, sagte sein Vater, es sei sinnlos, Geburtstagsfeiern im Queen Victoria Hotel zu veranstalten, nur damit Stephen nichts merke.

Er verließ das Zimmer und weinte in seinem Bett mit einer Heftigkeit, wie er sie noch nie erlebt hatte, ein Weinkrampf folgte dem anderen. Es war so, als wäre sie noch einmal gestorben, nur schlimmer, und er hatte ein schlechtes Gewissen, weil er nicht richtig geweint hatte, als sie wirklich gestorben war. Er hatte das Gefühl, daß all das irgendwie nicht passiert wäre, wenn er das getan hätte. Er drückte das Gesicht ins Kissen, um das Geräusch des Schluchzens zu verbergen, das er nicht unter Kontrolle halten konnte. Er wünschte, er könnte sich umbringen, so wie sie umgebracht worden war. Er wünschte, er würde sterben. Mit diesem Wunsch schlief er ein.

Er träumte von der frommen Constance Kent, wie sie in einem ruhigen Landhaus unweit von Dynmouth ihrem kleinen Bruder die Kehle durchschnitt. Und von der schönen Mrs. Maybrick, wie sie das Arsen von Fliegenfängern filterte, um ihren Mann zu vergiften. Und von Irene Munro, wie sie ihren Teint mit Icilma Creme verschönerte, und von dem Torso in der Sperrholzkiste. Seine Mutter schlief in einem Liegestuhl in der Nähe einer Fuchsienhecke, ihr schwarzes Haar wie poliertes Ebenholz in der Sonne. Ein Bündel flog im Wind, ein rostfarbenes Kopftuch, ihr rostfarbener Mantel. Schreie drangen aus dem Bündel, während es fiel und sich zweimal vor dem graubraunen Kliff in der Luft drehte. Das Meer spülte über sie hinweg und wirbelte das Kopftuch in die Gischt, die bereits blutrot war. Ihre Gesichtshaut war starr: straffes, eiskaltes Fleisch, das niemand berühren würde. Die Setter stürmten aufs Meer zu und blieben dann abrupt stehen und bellten die Wellen an. »Hierher, hierher«, rief er, aber sie schenkten ihm keine Beachtung. Die Sonne ging unter und färbte die Hunde rosa wie den rosafarbenen Wein, der auf dem Tisch gestanden hatte.

Die Setter rannten davon und schnupperten aufgeregt in der Luft. Weit in der Ferne blieben sie stehen und schnupperten wieder, an einer rosafarbenen Masse im Sand. Das war nicht sie, das war Commander Abigail in seiner Badehose. Seine Lippen waren zu einem schmerzverzerrten Gesicht gebleckt, seine dünnen weißen Beine sahen aus wie die eines tiefgefrorenen Hähnchens.

»Sie liegt hier drüben«, rief eine Stimme von den Klippen herunter. Er blickte auf. Sein Vater deutete auf die Felsen hinunter. Das Meer habe sich zurückgezogen, rief sein Vater, aber es habe sie nicht mit hinausgetragen, weil sie es nicht gewollt habe. »Sie wollte eben da sterben«, sagte sein Vater und begann zu lachen. Sie sei selber schuld.

Und dann stand Mr. Blakey inmitten seiner Rosenbeete, von seiner Rosenschere tropfte Blut, und ihr Kopf lag auf der Erde. Ihr Körper ging ohne Kopf aufs Haus zu, wankte von einer Seite zur anderen, und es floß Blut aus dem Stumpf, der einmal ihr Hals gewesen war.

Sie sei selber schuld: Das sagte sie auch selbst, als sie in ihrem Liegestuhl aufwachte. Sie sei dumm gewesen, sich am Rand der Klippen auf einen Streit einzulassen und dabei das Falsche zu sagen. Aber Stephen sagte, das spiele

keine Rolle, es spiele nicht die geringste Rolle, daß ihre
Erdbeermarmelade nicht fest geworden sei, egal, was sein
Vater dazu sage. In seinem Traum empfand er Erleichte-
rung, weil sie nicht gestorben war, weil das alles ein anderer Traum gewesen war, weil sie im Sonnenschein lächelte.

Kate saß mit den Settern neben der Gartenlaube, umarmte
sie und flüsterte ihnen etwas zu, sie wirkte klein neben
ihnen. Sie bürstete sie mit einer Bürste, die in der Gartenlaube aufbewahrt wurde, und brachte sie dazu, mit erho-
benen Köpfen stillzustehen. Sie wünschte, die Menschen
wären wie Hunde, sagte sie zu ihnen, und sie sahen sie
mit ihren großen, müden Augen verständig an. Sie setzte
sich zwischen sie auf die Stufen der Gartenlaube, und sie
legten ihr das Kinn auf die Knie und wärmten sie durch
die Hitze ihrer Körper. Es wäre schön, Hunde zu züchten,
dachte sie, und stellte sich vor, daß überall im Garten
Setter herumliefen, wie die Dalmatiner in *101 Dalmatiner*.
Sie stellte sich vor, ganz alt zu sein und allein in Sea House
zu leben. Sie stellte sich Welpen in der Eingangshalle und
eine Reihe Hundehütten an der Seite des Hauses vor, und
Leute, die an der Haustür klingelten, weil sie aus einem
Wurf einen kaufen wollten. Sie wäre nicht verheiratet,
weil sie Stephen nicht heiraten konnte. Vielleicht wäre sie
sogar wie Miss Lavant. Die Leute würden anderen Leuten
die Geschichte der Frau in Sea House erzählen, die allein
mit ihren Hunden lebte. Sie würden von einer Tragödie
auf den Klippen erzählen, einem Todesfall, der sich anders
zugetragen hatte, als es den Anschein gehabt hatte. Man
könne Stephen keinen Vorwurf dafür machen, daß ihm
Dynmouth zuwider sei, würden die Leute sagen, dafür,
daß er aus der Stadt und von all den schrecklichen Erinnerungen weggegangen sei.
    Aber später, in einer anderen Stimmung, klopfte sie

wieder an seine Tür. Die Zukunft, die sie sich ausgemalt hatte, Welpen, eine Reihe Hundehütten und ein Leben allein, war albern. Vermutlich war das ganz annehmbar. Aber es war kein Happy-End.

Sie konnte ihn im Zimmer hören, doch er gab keine Antwort. Etwas fiel zu Boden, das Rascheln von Papier war zu hören. Er verursachte diese Geräusche absichtlich, damit sie wußte, daß er da war, damit sie wußte, daß er nicht mit ihr reden wollte. Sein Gesicht war kalt und hart geworden, wie ein Gesicht, das nicht lächeln konnte und es auch nie getan hatte.

Sie klopfte erneut, aber er gab immer noch keine Antwort.

Stephen wünschte, sie wäre nicht ständig da. Er wünschte, sie würde nicht ständig an die Tür des Zimmers klopfen, das ihm gehören sollte, und nicht nach ihm rufen, wenn er nicht antwortete. Jeden Morgen war sie da, sobald er das Zimmer verließ, auf der Treppe oder in der Eingangshalle. Ständig setzte sie einen rührseligen Blick auf. Er tat ihr leid.

»Na, was wollt ihr zwei heute machen?« Mrs. Blakey hatte eine Art zu reden, die Stephen aufregte, weil sie wie selbstverständlich davon ausging, daß sie alles gemeinsam tun mußten. Das fragte sie am Mittwoch jener Woche in der Küche und blickte sich vom Aga um, wo sie Speck anbriet. Sie legte den Speck auf die zwei angewärmten Teller und stellte die Teller vor sie. Erneut fragte sie, was sie vorhätten.

»Spielen wir Monopoly?« schlug Kate vor, so als wollte sie ihm eine Freude bereiten.

»Na, wollt ihr denn nicht rausgehen?« rief Mrs. Blakey. »Warum geht ihr nicht auf eine eurer Wanderungen? Macht euch Sandwiches, ihr Lieben.«

»Wollen wir?« fragte Kate und schaute ihn an.

Er wollte sagen, daß sie sich Sandwiches machen und das, was Mrs. Blakey als Wanderung bezeichnete, allein unternehmen solle. Nichts hielt sie davon ab. Wenn sie so dumm war, nicht zu begreifen, daß Timothy Gedge auf sie warten würde, dann war das ganz allein ihre Sache. Er erwiderte ihren Blick, ohne all das zu sagen. Er wünschte, er könnte allein sein, versuchte er mit seinem eigenen Blick zu sagen.

»Schaut her, es sind Bananen für die Sandwiches da.« Mrs. Blakey eilte bereits geschäftig hin und her, stellte die Butter aus dem Kühlschrank an den Rand des Aga, damit sie weich wurde, und holte einen in Scheiben geschnittenen Laib Brot aus dem Brotkasten. »Hähnchen-Schinkenpaste, Stephen? Leber in Speck? Sardinen? Tomaten? Aprikosenmarmelade?«

Er wollte irgend etwas vom Frühstückstisch nehmen und auf den Boden werfen, den Teller, von dem Mr. Blakey seine Eier mit Speck gegessen hatte, die Aprikosenmarmelade, die Teekanne, den Haufen Messer und Gabeln, die Kate eingesammelt und auf den Stapel grüner Müslischalen gelegt hatte. Warum sammelte sie die Messer und Gabeln ein und räumte den Tisch ab? Sie hatte keine Lust dazu, kein einigermaßen vernünftiger Mensch hätte Lust dazu: Sie tat es, weil es etwas war, was ihre Mutter gewöhnlich tat. Seine Wut steigerte sich, würgte ihn im Hals. Sie schaute ihn nicht mehr an. Sie brachte die Müslischalen und die Messer und Gabeln zum Spülbecken. Sie hatte vor, alles abzuwaschen.

»Nein, laß nur, Liebes«, sagte Mrs. Blakey. »Macht eure Sandwiches. Und nehmt euch Äpfel. Von den Granny Smiths in der Vorratskammer, Stephen.«

»Ich glaube nicht, daß Stephen rausgehen will.«

»O Stephie, warum denn nicht?« rief Mrs. Blakey.

Er verließ die Küche, ohne etwas zu erwidern. Er ging durch den Flur mit dem grünen Linoleum in die Eingangshalle. Dort roch es nach Politur, und dort standen Schalen mit Osterglocken. Man hatte das Kaminfeuer noch nicht angezündet, aber das würde bald geschehen. Die Flammen würden auf dem Glas der Bilder in den Messingrahmen flackern, die Theatergestalten beseelen und eine gemütliche Atmosphäre verbreiten.

Er ging in sein Zimmer und machte die Tür zu. Er sah nach, ob ein Schlüssel im Schloß steckte, wußte aber, daß keiner da war, weil er schon einmal nachgesehen hatte.

»Essoldo Kino, guten Morgen, Madam«, sagte eine Frauenstimme.

»Guten Morgen«, sagte Mrs. Blakey ins Telefon. »Wer spricht da, bitte?«

»Kinokasse Essoldo hier. Wir würden gern mit den Kindern sprechen, Madam.«

»Spricht dort Timothy Gedge?«

»Essoldo Kino, Madam. Die Kinder waren auf die Programmvorschau gespannt. Es ist bloß, daß wir anrufen sollen ...«

»Du sollst nirgends anrufen. Hältst du mich für blöd oder was? Was willst du von ihnen?«

»Die Programmvorschau, um die sie gestern vormittag gebeten haben. Könnten Sie die Kinder bitte holen? Es ist bloß so, daß die Leute hier schon Schlange stehen.«

Mrs. Blakey legte den Hörer auf. Sie stand in der Eingangshalle von Sea House neben dem Telefon und schaute es an. Sie war ganz zittrig. Das war schon zweimal vorgekommen, letzten Abend und gestern morgen. Da hatte sie noch nicht gemerkt, daß die Frauenstimme Timothy Gedge gehörte. Sie war die Kinder suchen gegangen, und die hatten sich geweigert, ans Telefon zu kommen, was sie überrascht hatte. Die Anrufe waren aus einer Telefonzelle, das Signal vor dem Einwerfen des Geldes war ertönt. Und doch war ihr gestern nicht in den Sinn gekommen, daß da etwas nicht stimmen konnte, wenn so ein Ton aus der Kasse des Essoldo Kinos drang.

Während sie in der Eingangshalle stand, kam Mrs. Blakey die Erinnerung an die hohe Stimme beinahe unheimlich vor; genauso verhielt es sich mit dem Umstand, daß sie nicht über das Telefonzellensignal nachgedacht hatte. Das war völlig absurd. Es war absurd, daß sie es nicht sofort gemerkt hatte, und es war auch absurd, daß er irgendwo in einer Telefonzelle stehen und davon sprechen sollte, daß die Leute Schlange stünden. Aber in die Absurdität war noch etwas anderes verwoben, eine Art Wirklichkeit, so etwas Ähnliches wie ein Sinn. Denn es war Timothy Gedge, der durch sein Herumlungern und seine Anrufe das Schweigen im Haus bewirkt hatte. Sie hatte etwas gespürt, als er zum ersten Mal bei den Kindern im Garten stand; sie hatte es gespürt, als sie ihm die Haustür aufgemacht hatte.

»Dieser Junge jagt einem eine Gänsehaut ein«, sagte sie, immer noch zittrig, in dem Gewächshaus, in dem ihr Mann seine Arbeit verrichtete.

Mr. Blakey hob neben seinen Setzkästen den Kopf. Mit schmutzverkrusteten Fingern zog er ein Taschentuch aus der Tasche und putzte sich die Nase. Er sagte nichts davon, daß der Junge vor einer Woche mitten in der Nacht unter der Schuppentanne gestanden und zu den Fenstern des Hauses hinaufgeblickt hatte. Das würde sie nur noch mehr beunruhigen. Sie hatte etwas zu hohen Blutdruck: Es war nicht nötig, das noch zu verschlimmern. Er sagte, vermutlich sei irgendein Spiel zwischen den Kindern und Timothy Gedge im Gange. »Das ist nicht der Rede wert, Kinder sind halt so.«

»Das ist kein Spiel nicht«, sagte Mrs. Blakey grammatikalisch falsch, was ihr immer unterlief, wenn sie besorgt war. Sie wollte in der erdigen Wärme des Gewächshauses bleiben und ihrem Mann dabei zusehen, wie er Stecklinge setzte. Sie wollte nicht zu den Lügen zurückgehen, die Kate ihr auftischte, sobald sie sie fragte, was los sei, nicht zum Klingeln des Telefons und der seltsamen hohen Stimme, die darauf beharrte, am anderen Ende der Leitung sei die Kasse des Essoldo Kinos.

»Essoldo Kino, guten Morgen«, sagte die Stimme wieder, sobald sie in der Eingangshalle den Hörer abgenommen hatte.

Stephen ging in seinem Zimmer auf und ab und dachte über das Haus nach, in dem er sich aufhielt, über den Garten und die Backsteinmauer, die ihn umgab, über das weiße Eisentor in dem Torbogen, über die Setter und die Gartenlaube. Er haßte das alles. Er haßte das Zimmer, das er bekommen hatte, mit dem Bild von Tony Greig, das jemand aus seinem Zimmer in Primrose Cottage mitgenommen und an die Wand geheftet hatte, und den Bildern von Greg Chappell, der einmal für Somerset gespielt hatte, und Brian Close. Er haßte die Küche, die elegant geschwungene Treppe und die ägyptischen Teppiche auf dem Steinfußboden der Eingangshalle. Er haßte das große Wohnzimmer mit seiner Verandatür. Er wollte, daß die Tage verstrichen, damit er wieder in der Ravenswood Schule sein konnte, in der Sicherheit des Speisesaals und seines Klassenzimmers. Er wollte in seinem Schlafsaal im Bett liegen, in dem Bett zwischen dem von Appleby und dem von Jordan.

»Wir können nicht ewig drin bleiben, Stephen. Es ist unmöglich, daß wir nie mehr an den Strand oder in das Wäldchen gehen.«

Akbars Grabmal in Sikandra, las er, *wurde 1613 fertiggestellt und ist eines der bedeutendsten Monumente seiner Art in Indien.*

»Geh doch. Mach, was du willst.« Er sprach, ohne den

Blick von der Schrift zu wenden. *Das Mausoleum vereinigt auf bemerkenswerte Weise hinduistische und moslemische Kunstformen*, las er auf seinem Bett liegend.

Am Abend zuvor hatte sich die Tragetüte am Fuß der Schuppentanne befunden, so an den Stamm gelehnt, daß sie vom Haus aus zu sehen war. Sie war dort hingestellt worden, nachdem Mr. Blakey mit seiner Gartenarbeit fertig gewesen war. Stephen hatte sie vom Fenster seines Zimmers gesehen, und die rote, weiße und blaue Farbe hatte in der Dämmerung geleuchtet.

»Wenn wir es den Blakeys erzählen würden«, begann Kate, »wenn wir einfach sagen würden ...«

»Bist du wahnsinnig oder was?« Er schrie und starrte sie plötzlich wütend an. Er war ganz rot im Gesicht und sah aus, als würde er sie verabscheuen. »Warum sagst du das dauernd?«

»Weil wir nicht einfach hierbleiben können. Weil es albern ist, sich in ein Haus einzuschließen, bloß weil man Angst vor jemandem hat.« Sie war selbst ärgerlich. Sie warf das Kinn nach oben und starrte ihn ebenfalls wütend an.

»Ich hab keine Angst vor ihm«, sagte er.

»Doch. Er ist ein schrecklicher Mensch ...«

»Ach, Herrgott noch mal, hör auf zu sagen, daß er ein schrecklicher Mensch ist!«

»Das sag ich, solange es mir gefällt, Stephen.«

»Na ja, dann sag's woanders. Das hier ist mein Zimmer. Hier will ich meine Ruhe haben.«

»Du brauchst nicht gleich Streit anzufangen.«

»Was meinst du, wie das für mich ist? Im Haus eingesperrt ...«

»Du bist nicht eingesperrt. Du brauchst dich nicht einzuschließen.«

»Mit Leuten in einem Haus eingesperrt, die ich nicht einmal leiden kann.«

»Du kannst uns leiden, Stephen.«

»Ich kann weder dich noch deine Mutter leiden. Alles war völlig in Ordnung, bis deine Mutter aufgetaucht ist.«

»Sie ist nicht aufgetaucht. Meine Mutter ist die ganze Zeit dagewesen ...«

»Sie ist aufgetaucht, und schon hat der Ärger angefangen. Ich will nicht mit dir darüber reden.«

»Wir müssen darüber reden, Stephen. Wir können es nicht einfach so in der Schwebe lassen.«

»Nichts ist in der Schwebe. Ich will nicht mit dir reden.«

»Es ist unmöglich, einfach nicht mit mir zu reden.«

»Ich kann verdammt noch mal machen, was ich will. Das hier ist mein Zimmer. Darin lese ich gerade ein Buch.«

»Du liest kein Buch. Du liegst da und tust so, als ob.«

»Ich lese ein Buch. Sikandra ist fünf Meilen entfernt von Agra, falls du das wissen willst. Der Eingang zu Akbars Grabmal ist aus rotem Sandstein, mit Marmor verziert.«

»Ach, Stephen!«

»Ich will, daß du mich allein läßt. Ich kann dich nicht leiden. Ich kann nicht ausstehen, daß du so verdammt albern bist.«

Sie wollte gerade noch etwas sagen, überlegte es sich dann aber anders. Schließlich sagte sie:

»Laß dich davon nicht aus der Fassung bringen.«

»Mich bringt nichts aus der Fassung.«

»Du weißt, was ich meine.«

»Ich weiß nicht, was du meinst, und will es auch gar nicht wissen. Wir müssen nicht alles gemeinsam tun. Ich hab die Nase voll davon, daß Mrs. Blakey von Granny Smiths spricht. Ich hab von allem die Nase voll.«

»Deshalb mußt du mich nicht hassen.«

»Ich hasse dich, solange ich will.«

»Aber du tust es doch nicht, und ich hasse dich auch nicht ...«

»Ist mir egal, ob du mich haßt.«

Sie sah ihn an, wie er da auf seinem Bett lag und so tat, als ob er läse. Sie wollte weinen, und sie stellte sich vor, wie die Tränen ihr über die Wangen flossen und auf ihren Pullover tropften und daß er vermutlich sagen würde, sie solle woanders hingehen, um zu weinen. Wie sie so dastand, kam sie sich albern vor. Sie wünschte, sie wäre erwachsen, energisch und imstande, mit allem fertigzuwerden.

»Ist dir nicht egal, ob ich dich hasse«, sagte sie.

Er tat weiter so, als ob er läse, und dann sah er plötzlich auf, starrte sie an und betrachtete sie. Sein Gesicht sah kühl aus, dasselbe ernste Gesicht, schmal und verhärmt, die dunklen Augen gefühllos, so als wagte er nicht, ihnen etwas anderes zuzugestehen.

»Du wirst dauernd rot. Wegen jeder Kleinigkeit. Du wirst so fett wie Mrs. Blakey.«

»Ich kann nichts dazu, daß ich rot werde ...«

»Du bist häßlich; selbst wenn du nicht rot bist, bist du häßlich. Du siehst langweilig aus. Es ist einfach albern zu glauben, daß du als Erwachsene hübsch sein wirst.«

»Glaub ich gar nicht.«

»Hast du aber gesagt. Du hast gesagt, du willst einmal hübsch sein. Ist mir egal, ob du hübsch sein willst. Ich weiß nicht, warum du mir das erzählst.«

»Ich hab gesagt, ich wär's gerne. Das ist nicht dasselbe ...«

»Natürlich ist es dasselbe. Wenn du's gern wärst, heißt das, du willst es sein. Es ist doof zu sagen, das stimmt nicht.«

»So hab ich's nicht gemeint.«

»Warum sagst du dann nicht, was du meinst?«

»Ich sag ja, was ich meine«, schrie sie plötzlich vor Wut. »Warum bist du so furchtbar zu mir? Warum gehst du mir aus dem Weg? Warum kannst du nicht mal mit mir reden?«

»Das hab ich dir doch gesagt.«

»Ich hab dir nichts getan.«

»Du bist langweilig.«

Er wandte sich wieder seinem Lexikon zu. Sie mußte innehalten, bevor sie etwas sagen konnte, weil sie kurz davor war zu weinen und ihre Stimme tränenerstickt sein würde. Blinzelnd unterdrückte sie die Tränen, merkte, wie sie sich tatsächlich zurückzogen. Es war furchtbar, als langweilig bezeichnet zu werden. Sie sagte:

»Ich geh runter an den Strand.«

»Das mußt du mir nicht sagen.«

»Stephen ...«

»Ist mir egal, wo du hingehst.«

Sie ging davon, und nach ein oder zwei Minuten stand er von seinem Bett auf und ging zum Fenster. Sie war mit den angeleinten Settern im Garten. Er beobachtete, wie sie sich dem Tor in der Mauer näherte, wie sie hindurchging und dann seinem Blick entschwand. Zehn Minuten später tauchte sie weit entfernt am Strand auf. Während er sie beobachtete, dachte er plötzlich, wie kindisch es war, sich einzubilden, er könnte als Nummer 3 bei Somerset spielen, bloß weil er einmal gegen die mittelmäßigen Bowls von Philpott, A. J. siebzehn Läufe in einem Over geschafft hatte.

Er holte die Tragetüte aus einer Schublade. Er machte die Tür auf, blieb einen Augenblick lang stehen und lauschte auf Geräusche von Mrs. Blakey. Er durchquerte den Flur und stieg die schmale Treppe zum Speicher hinauf. Als er die ausgeblichene grüne Truhe öffnete, war das Hochzeitskleid da, am Boden, unter Kleidungsstücken, die ihm vertraut waren.

Am Strand warf Kate für die Hunde zwei Bälle, den roten und den blauen. Sie wollte immer noch weinen, genau wie bei Stephen, wie so oft, seit Timothy Gedge in ihr Leben getreten war. Die Hunde sprangen um sie herum und wedelten wild mit dem Schwanz. Erneut – und diesmal heftiger als vorher – hatte sie das Gefühl, daß Timothy Gedge besessen war.

»Es hat mir gefehlt, dich zu sehen«, sagte er, nachdem er unvermittelt aufgetaucht war.

Da erzählte sie es ihm, weil sie nicht anders konnte: Er sei von Teufeln besessen. Er schwelge in seinen Gedanken an Morde, er wolle die Gewalttätigkeit von Morden am Ostersamstag in einem Festzelt verherrlichen. Er wolle, daß die Leute applaudierten, weil harmlose Frauen umgebracht worden seien. Es bereite ihm Vergnügen, Witze zu erzählen, die nicht komisch seien, während er das Hochzeitskleid einer Frau anhabe, die seiner Behauptung nach ebenfalls umgebracht worden sei. Er gehe auf Beerdigungen, weil er gern an Leute denke, die tot in ihren Särgen lagen. An ihm sei einfach alles widerlich.

»Teufel?« fragte er.

»Du weißt nicht, was du tust. Du weißt nicht, was für ein Elend du heraufbeschwörst.«

Er schüttelte den Kopf. Er lächelte nicht, wie sie es eigentlich erwartet hatte. Er sagte, er habe nur die Wahrheit gesagt. Er folgte ihr, als sie auf die Klippen zuging und den Pfad hinaufzusteigen begann, der sich das Kliff entlangschlängelte. Sie forderte ihn auf, ihr nicht zu folgen, aber er schenkte ihr keine Beachtung. Er sagte:

»An einem Donnerstag morgen um halb zwölf bei Madame Tussaud ist mir die Idee gekommen.«

Er redete Unsinn. Er verstellte sich und machte andere Leute nach, obwohl er nicht mehr grinste. Seine Nummer mit den Bräuten in der Badewanne war nur ein Vorwand. Daß er das Hochzeitskleid haben wollte, war nur ein Vorwand dafür, all das zu sagen, was er gesagt hatte. Bei ihm war nichts so, wie es zu sein schien.

»Teufel?« fragte er erneut. »Glaubst du, ich hab Teufel in mir, Kate?«

Sie gab keine Antwort. Die Setter trotteten gemächlich auf dem Kliffpfad, neben dem elften Grün. Die verwitterten Backsteine in der Gartenmauer vor ihnen, an der sich hier und da wilder Wein emporrankte, sahen in der Morgensonne warm aus.

»Teufel«, murmelte er, so als würde ihm der Klang des Wortes gefallen. Er habe gedacht, er würde selber sterben, sagte er, als sie an das weiße Eisentor kamen, er habe gedacht, er würde sterben, als er den Schrei der Frau gehört habe, messerscharf und lauter als das Heulen des Windes und der Regen. Kinder sollten vor so was geschützt werden, sagte er. Es stehe in allen Zeitungen: Einen Mord mitanzusehen könne einen für den Rest des Lebens zugrunde richten.

9

Die Karwoche, die für die Kinder in Sea House so hart verlaufen war, war in Dynmouth selbst nicht so schrecklich gewesen. Quentin Featherston hatte die Heiligenfeste notiert, die Tage von St. Walter, St. Hugh, St. Bademus. Der von St. Leo dem Großen fiel in diesem Jahr auf Gründonnerstag.

Die Stadt hat sich seit Ostern letztes Jahr verändert, schrieb Miss Lavant in ihr Tagebuch, *doch nur in ganz geringem, nicht erwähnenswertem Ausmaß. Als ich heute morgen draußen spazierenging, bemerkte ich Dr. Greenslade auf seiner Runde. Mrs. Slewy hat Ärger bekommen, weil sie bei Mock's die Büchse der Krebshilfe vom Tresen genommen hat.*

Die Waisenkinder aus dem Down-Manor-Waisenhaus gingen in dieser Woche jeden Tag in Zweierreihen von Down Manor zum Strand. Die Nonnen aus dem Kloster gingen paarweise auf der Promenade spazieren. Old Ape erhielt im Pfarrhaus sein donnerstägliches Almosen. Nachts randalierten die Dynmouth Hards, in der Leaflands Siedlung tauschte man die Partner, die alte Miss Trimm wurde beerdigt. Eine Nichte kaufte Miss Vine einen neuen Wellensittich.

In dem Haus, in dem ihnen ihr Sohn vorgeworfen hatte, daß sie es langweiligerweise Sweetlea genannt hatten, führten die Dasses weiter das Leben, das er ebenfalls als langweilig bezeichnet hatte. Mrs. Dass las zwei weitere Romane von Dennis Wheatley und wußte nichts von dem, was Timothy Gedge zu ihrem Mann gesagt hatte. Ihr Mann war darüber beunruhigt. Es bestürzte ihn, so wie es auch seine Frau bestürzt hätte, zu wissen, daß der Junge bei dieser streng vertraulichen Familienangelegenheit heimlich gelauscht hatte. Diese Sache nagte an ihm und quälte ihn, während er das Wohnzimmer saubermachte, Tee kochte oder mit dem Electrolux staubsaugte. Es ging stets eine bildliche Vorstellung damit einher: wie Nevil im Eßzimmer stand und sagte, was er gesagt hatte, und wie der Junge hereinlugte und horchte. Im Laufe der Zeit war manche Härte von damals gelindert worden. Doch die nur mühsam heilende Wunde war ohne ersichtlichen Grund mutwillig aufgerissen worden.

Aber es steckte eine Absicht dahinter, und er wurde daran erinnert, eine Absicht, die Mr. Dass so unbedeutend vorkam, daß er sie anfangs nicht hatte ernst nehmen können. Dann hatte ihn eines Morgens, als er in der Fore Street eingekauft hatte, Timothy Gedge angesprochen, hatte ihn angelächelt, als wäre nichts Ungehöriges zwischen ihnen vorgefallen, und gefragt, ob er zu einer Entscheidung darüber gekommen sei, die Vorhänge zu stiften. Der Junge war vom Postamt bis zu Lipton's neben ihm hergegangen, hatte von dem Geheimnis gesprochen, das zwischen ihnen gut aufgehoben sei, und ihn bis in den Laden verfolgt. »Mein Gott!« hatte Mr. Dass gerufen und dabei die Augen verdreht, als versuchte er, dem Jungen ins Hirn zu schauen. Er hatte einen Drahtkorb in der linken Hand gehabt, in den er zwei Dosen mit Ananasstücken gelegt hatte. Der Pfeifenkopf stand aus der oberen Tasche seiner Tweedjacke. »Geht das dann in Ordnung, Mr. Dass?« hatte der Junge gefragt und war endlich weggegangen.

Mr. Dass konnte nicht verstehen, wie ein Paar Vorhänge für die Bühne beim Fest am Ostersamstag einen Jungen so weit treiben konnte. Dennoch suchte er eines Nachmittags, während seine Frau schlief, in Pappkartons auf dem Dachboden nach Verdunkelungsvorhängen aus dem Krieg, an die er sich erinnerte. »Ja, ich hab welche gefunden«, sagte er am nächsten Morgen, als der Junge ihn erneut ansprach, was er hatte kommen sehen. Er sei im Kokskeller unter der Kirche gewesen, wo die Bühne lagere, und mit Hilfe von Mr. Peniket habe er ausprobiert, ob die Vorhänge groß genug seien. Er habe sie zu Courtesy Cleaners gebracht: Sie würden rechtzeitig zum Ostersamstag fertig sein.

»Es macht Ihnen doch nichts aus, daß ich davon gesprochen hab, Mr. Dass?« sagte der Junge und lächelte ihn an. Mr. Dass erwiderte nichts, weil er das Gefühl hatte, daß es nichts gab, was er hätte sagen können. In den Augen dieses Jungen wirkten er und seine Frau vermutlich lächerlich, sie im Liegestuhl, er alt und ohne Verbindung zur Welt. Vermutlich kamen sie dem Jungen gleichermaßen lächerlich vor, wie sie Nevil langweilig vorgekommen waren, der damit recht gehabt hatte zu sagen, sie hätten ihm mit ihrer Nachsicht geschadet, und den sie jetzt gerne um Verzeihung gebeten hätten. Aber Timothy Gedge hatten sie nichts getan, und wenn sie ihm lächerlich vorkamen, dann konnten sie wirklich nichts dazu. Mr. Dass haßte den Jungen schließlich, und auch dazu konnte er nichts.

In der High Park Avenue begann alles wieder, seinen Gang zu gehen. Während der ersten Tage der Karwoche hatte Mrs. Abigail immer noch geglaubt, sie könnte keine solche Farce einer Ehe ertragen und sie könnte es auch nicht mehr ertragen, in Dynmouth zu wohnen. Aber im Laufe der Zeit wurde es leichter, mit der Wahrheit zu leben, als sie befürchtet hatte, und sie wußte, sie würde ihren Mann nie verlassen, weil sie ebenfalls schuld war. Die Wahrheit war bald von einer solchen Logik und Normalität, daß ihr schließlich ihre frühere Blindheit in dieser Sache ganz unbegreiflich wurde. Sie fragte sich in zunehmendem Maße, ob sie sich nicht seit den ersten Wochen ihrer Ehe unbewußt naiv gestellt hatte, ob sie nicht – durch ihre ungezügelte Selbstlosigkeit – zugelassen hatte, daß das Häutchen stärker wurde, statt es durchbohren zu lassen. Verheiratet oder nicht, er hätte nicht den Mut aufgebracht, zu seiner Veranlagung zu stehen: Er brauchte die Heuchelei, zu der es gekommen war, weil Heuchelei ihm alles bedeutete.

Selbst in den paar Tagen der Karwoche nahmen weitere kleine Heucheleien ihren Anfang. Der Commander hörte nicht auf, die Anschuldigungen von Timothy Gedge zu leugnen, obwohl er sich gleichzeitig auf eine unbestimmte Art darum bemühte, daß seine Frau ihm verzieh. Sie erkannte, daß er es nicht über sich brachte, alles offen einzugestehen, daß er sich das jedoch wünschte, um erklären zu können, er habe sich gebessert. Zwischen ihnen bestand eine unausgesprochene Übereinkunft: Er würde ein anderer werden, und auch ihre Beziehung würde sich ändern. Aber sie wußte, er würde unter der oberflächlichen Entschlossenheit zu seinem alten Ich zurückkehren und die Scham seiner heimlichen Gewohnheiten wieder genießen. Er erholte sich während der Karwoche, Stück für Stück, Stunde um Stunde. Er nahm wieder die Gewohnheit an, täglich schwimmen zu gehen, und eines Nachmittags, als er im Meer badete, stattete Timothy Gedge dem Bungalow einen Besuch ab.

»Fünfzehn Pence«, sagte der Junge und erklärte, das sei der Betrag, der seit dem Abend ausstehe, an dem er den Backofen saubergemacht und den Kochtopf mit der Tapioka zum Einweichen stehengelassen habe.

Sie ließ ihn in der Diele stehen, während sie ihr Portemonnaie holte. Als sie mit dem Geld zurückkehrte, sprach er die Sache mit dem Anzug an. Er fragte, ob sie Zeit gehabt habe, darüber nachzudenken. Er wies darauf hin, daß ihn der Commander nie trage. Er lächelte sie an, aber die Teilnahme, die sie einmal für ihn empfunden hatte, war völlig verschwunden. »Für das Fest«, sagte er. »Das hab ich schon gesagt.«

Sie war einmal bei diesem Fest gewesen. Sie hatte ein Glas Himbeermarmelade gekauft, das sich als schimmlig

erwiesen hatte. Der Talentwettbewerb hatte in einem Festzelt stattgefunden. *Entdecken Sie das Talent!* hatte auf
einem Plakat gestanden, aber sie hatte lieber darauf ver-
zichtet.

»Alles in Ordnung?« fragte er und lächelte wieder, den
Kopf leicht zur Seite geneigt, eine Haltung, die er als
kleiner Junge oft eingenommen hatte. »Ist okay, ich kriege
den Anzug, oder?«

»Natürlich nicht, Timothy.« Aber noch während sie
das sagte, überlegte sie es sich anders. Es kam ihr ganz
plötzlich passend vor, daß der Anzug ihres Mannes jemanden kleiden sollte, der seine Bräute ermordet hatte:
Darin lag irgendwie ein Schimmer von Bedeutung. Es war
ihr gleichgültig, daß Timothy Gedge vorhatte, gräßliche
Szenen im Garten eines Pfarrhauses aufzuführen. Früher
hätte das einmal eine Rolle gespielt, früher hätte sie versucht, ihn davon abzuhalten: ihm zuliebe, hätte sie gesagt.
Statt dessen bat sie ihren Besucher erneut zu warten.

Die Marineuniform ihres Mannes, die er aus Stolz behalten hatte, hing ordentlich in seinem Kleiderschrank aus
unechtem Mahagoni. Daneben hing ein Anzug in schlich-
tem grauen Kammgarn, dann ein senffarbener, ein brauner Nadelstreifenanzug und der mit dem Fischgrätenmuster. Sie konnte sich bei jedem einzelnen daran erinnern,
wie sie ihn gekauft hatten, wie sie bei Dunne's oder Bur-
ton's herumgestanden hatte und wie sie von einer Filiale
zur nächsten gegangen waren. Sie erinnerte sich an seine
Reizbarkeit gegenüber den Verkäufern, die vermutlich
nur gespielt war. Höchstwahrscheinlich hatten ihm dieser
Umgang mit jungen Männern, das ständige Anprobieren
von Hosen und Jacketts in mit Vorhängen versehenen
Kabinen Spaß gemacht. »Oh, das können wir ändern, Sir«,
hatte ein junger Mann in freundlichem Ton versprochen.
»Netter junger Bursche«, hatte er später in der Oxford
Street oder sonstwo beiläufig gesagt.

Auf dem Boden des Kleiderschranks fand sie eine flache Pappschachtel und legte den Anzug mit dem Fischgrätenmuster hinein. Sie versuchte nicht, die Lücke, die er hinterließ, zu verbergen, indem sie die anderen Anzüge zusammenschob. Er würde es bemerken und nicht ansprechen, weil sonst alles wieder ans Licht gezerrt würde. Er würde wissen, was aus dem Anzug geworden war, und das kam ihr richtig vor: Zumindest dieser kleine Tribut an die Wahrheit, die enthüllt worden war, schien ihr zuzustehen. Sie ließ die Tür des Kleiderschranks offen.

»Komm nie mehr her«, sagte sie in der Diele.

Der Junge hatte ihr die Fakten geliefert. Sie hätte ihm dankbar sein sollen. Und doch hoffte sie, nie mehr ein Wort mit ihm wechseln zu müssen. Sie machte die Haustür zu, während er noch dastand, und sperrte ihn für immer aus ihrem Leben aus.

Im Pfarrhaus erreichte Lavinia Featherstons Gereiztheit ganz neue Ausmaße.

»Der jagt mir eine Gänsehaut ein«, schrie sie wütend und brauste genau wie Mrs. Blakey über Timothy Gedge auf. Sie war zufällig dazugekommen, wie die Zwillinge, am Garagentor gelehnt, Beifall geklatscht und vor Vergnügen gekreischt hatten über sein Geplapper in einer Frauenstimme. Sie hatte sie weggerissen, so als wären sie in Gefahr, und war danach in Quentins Arbeitszimmer gestürmt, um ihm eine Szene zu machen. Sie starrte ihn vorwurfsvoll an und gab ihm die ganze Schuld dafür, daß Timothy Gedge sich im Garten aufhielt. Wütend sprach sie erneut davon, wie Old Ape mit seinem roten Plastikeimer komme und gehe, davon, daß Mrs. Slewy leugne, jemals im Leben eine Büchse der Krebshilfe angerührt zu haben, sprach von Miss Poraway, Mrs. Stead-Carter und der alten Miss Trimm, die jetzt glücklicherweise tot sei. Von denen habe wenigstens nie jemand die Kinder belästigt. »Er soll bloß nicht wiederkommen«, fauchte sie und schlug die Tür des Arbeitszimmers zu.

»Wir sind der Meinung, daß du zu alt bist«, sagte Quentin, »um mit den Zwillingen zu spielen, Timothy.«

10

Er sei von Teufeln besessen, sagte Kate und weinte dann, weil sie die Tränen nicht mehr zurückhalten konnte. Wenn man glaubt, daß er besessen ist, flüsterte sie schluchzend, dann läßt sich alles erklären.

In der Küche tröstete Mrs. Blakey sie, und Mr. Blakey saß an dem geschrubbten Tisch und rührte Zucker in eine Tasse Tee. Von Teufeln besessen weckte in ihm Erinnerungen an einen Fall in Nordengland: Einem Mann war es schlimmer als je zuvor gegangen, nachdem sich Geistliche zweier Konfessionen offenbar an einer Teufelsaustreibung versucht hatten. Er hatte einmal eine Teufelsaustreibung im Fernsehen gesehen, und der Geistliche hatte, schwitzend und mit zerzaustem Haar, die Hände auf dem Kopf des Besessenen, krampfhaft gezuckt. Später hatte der Geistliche gesagt, er habe spüren können, wie die Teufel den Körper des Besessenen verlassen hätten, anscheinend wie elektrischer Strom. Und dann sei das Böse in seinen eigenen Körper geströmt, wo es keinen Schaden anrichten könne, weil Gott da sei. Eine Menge Hokuspokus, hatte Mr. Blakey sich gedacht; Geistliche im Fernsehen, die bekannt werden wollten. Der Mann in Nordengland war eindeutig ein Spinner gewesen. Es war äußerst schädlich, sich so an ihm zu schaffen zu machen.

Kates Schluchzen ließ nach und hörte ganz auf. Sie trank etwas von dem Kakao, den Mrs. Blakey ihr gemacht hatte. Sie sagte, sie wolle, daß Timothy Gedge aufhöre, zu den Fenstern des Hauses heraufzuschauen. Sie sei mit den Hunden zum Strand hinuntergegangen, da sei er auch gewesen und ihr gefolgt. Er sei ein furchtbarer Mensch.

»Sagt schlimme Sachen, was?« fragte Mrs. Blakey so beiläufig wie möglich und schob Kate ein Päckchen Waffeln hin.

»Er sagt schreckliche Sachen.«

Sie aß eine Waffel und trank noch etwas Kakao; Mrs. Blakey fragte, was für Sachen, und sie sagte, einfach schreckliche Sachen, Sachen über Leute, die Geheimnisse hätten. Er beobachte die Leute durchs Fenster, zum Beispiel Miss Lavant. Er gehe den Leuten nach. Er belausche ihre Gespräche. Er belästige die Leute mit Witzen, die nicht komisch seien.

Sie ging nicht auf Einzelheiten ein, obwohl Mrs. Blakey sie drängte. »Wenn du es uns nicht erklärst, Liebes«, begann Mrs. Blakey. »Wenn du nicht sagen kannst ...«

»Er ist besessen, er ist nicht normal: Das kann man sehen, wenn man mit ihm zusammen ist.« Sie erzählte ihnen von dem verhaltensgestörten Mädchen in St. Cecilia, dem Mädchen namens Julie, das Levitationskunststücke vorführte, von dem Mädchen, das eine Seite in einer Zeitung lesen und sich alles merken konnte, und von Enid, die andere mit einer Füllerkappe hypnotisieren konnte. Sie wiederholte, was Rosalind Swain über seltsame Dinge gesagt hatte, die in der Pubertät passierten, über Heranwachsende, die Poltergeister in sich trugen. Teufel könnten in Kinder fahren, weil Kinder schwach seien und nicht wüßten, was mit ihnen geschehe. Es habe früher Fälle von Mädchen gegeben, die Hexen gewesen seien.

Mrs. Blakey, die diesem Gesprächsthema fast genauso skeptisch gegenüberstand wie ihr Mann, entsann sich dennoch, wie sehr es sie mitgenommen hatte, als Timothy Gedge sich mit einer Frauenstimme am Telefon gemeldet hatte, und wie verwirrt sie gewesen war, als das Schweigen im Haus begonnen hatte. Doch es war schwer zu glauben, daß die Erklärung für all das darin lag, daß ein Schuljunge Teufeln in die Hände gefallen war. Hypnose, Levitation und Poltergeister waren schön und gut, genau wie das Memorieren einer Zeitungsseite, aber was in aller Welt bedeuteten Teufel? Vor hundert Jahren hatte das vielleicht einen Sinn ergeben, aufgrund mangelnder Bildung: Wie das Kind gesagt hatte, es hatte Gerede über Hexen gegeben. In Afrika glaubte man wohl heute noch daran, wegen des Trommelns und so. Wenn sie darüber nachdachte, sah sie Teufel als kleine Wesen mit Hufen und einem Schwanz, gehörnt und zweibeinig und doch zugleich Kaulquappen ähnelnd. Es war äußerst schwierig, sich eine Verbindung zwischen solchen Wesen und einem Jungen aus Dynmouth vorzustellen.

Und doch verspürte Mrs. Blakey weiter das Unbehagen, das ihr am Telefon bewußt geworden war und das sie erstmals verspürt hatte, als sie aus dem Flurfenster geschaut und den Jungen zusammen mit den Kindern im Garten gesehen hatte. Der Junge hatte ihr zugewinkt. Rückblickend war ihr seine gelbe Kleidung damals einen Augenblick lang wie das äußere Anzeichen für irgendeine Störung vorgekommen.

»Es hatte nichts mit einem Taschenmesser zu tun, oder, Kate?«

»Taschenmesser?«

»Du hast gesagt, er hätte sein Taschenmesser verloren.«

Kate schüttelte den Kopf. Mrs. Blakey lächelte ermutigend. Es wäre hilfreich gewesen zu wissen, auf welche Art genau er die Leute verleumdete, aber das Mädchen schwieg weiter wie ein Grab, eine Hand zur Faust geballt, in der anderen den Becher Kakao. »Sagen Sie es Stephen nicht«, war alles, was sie sagte. »Sagen Sie ihm nicht, daß ich es Ihnen erzählt habe.«

»Stephen ist mit einer Tragetüte weggegangen, Liebes.«

»Ja, ich weiß.«

»Hat die was mit Timothy Gedge zu tun? Die Tragetüte, Kate?«

Kate schüttelte erneut den Kopf und sagte, das wisse sie nicht, und Mrs. Blakey merkte, daß sie nicht die Wahrheit sagte. Man erkannte immer, wenn ein Kind log, an dem Licht in seinen Augen, wie sie vor siebenundzwanzig Jahren bei ihrem Winnie herausgefunden hatte.

Kate trank ihren Kakao aus und hörte zu, wie Mr. Blakey atmete, während er neben ihr seinen Tee trank. Sie bedauerte nicht, ihnen das alles erzählt zu haben. »Es hat mir gefehlt, dich zu sehen«, sagte die Stimme von Timothy Gedge wieder, genau wie am Strand. Sie hatte noch nachgehallt, nachdem sie ihn schon stehengelassen hatte, als sie sich dem Torbogen in der Mauer zugewandt hatte, zwischen den Azaleensträuchern, Magnolien und Malven hindurch und dann durchs Wohnzimmer und die Eingangshalle gegangen war. »Es hat mir gefehlt, dich zu sehen«, hatte sie weiter gesagt, so wie sie es auch jetzt sagte.

»Mr. Blakey wird mit ihm reden«, sagte Mrs. Blakey. »Mr. Blakey wird ihm die Leviten lesen, wenn er sich noch mal hier blicken läßt.«

Kate nickte, ließ sich dadurch aber nicht beruhigen. Was nützte es, ihm die Leviten zu lesen? Was konnte man einem Besessenen schon sagen, da Besessenheit ein Rätsel war? Über einen Besessenen konnte man nicht das geringste wissen. Alles, was man hatte, war die Stimme, die redete wie ein Maschinengewehr, verwirrend und quälend.

Da sei noch ein Geheimnis, sagte Mrs. Blakey, sie behielten etwas für sich. »Willst du's uns nicht sagen?« bat sie, aber Kate sagte, sie dürfe nicht darüber reden.

In jener Nacht im Bett erinnerte sie sich, da sie nicht schlafen konnte, daran, wie sie einmal an die Tür von Miss Malabedeely geklopft hatte und, als diese nicht geantwortet hatte, einfach ins Zimmer gegangen war. Miss Malabedeely hatte neben einem Stuhl gekniet und gebetet, und Kate hatte sofort gedacht, daß sie Gott bat, Miss Shaw und Miss Rist davon abzuhalten, so unfreundlich zu ihr zu sein. Miss Malabedeely hatte verlegen ausgesehen, weil jemand sie so auf Knien vorfand, aber das hatte wegen ihres hübschen Aussehens keine Rolle gespielt.

An all das erinnerte sich Kate, und dann sagte sie sich, daß sie sich hatte daran erinnern sollen. Sie begann selbst zu Gott zu beten und sah Gott ganz deutlich vor sich, wie immer, wenn sie betete, eine langhaarige, bärtige Gestalt in langem Gewand, teilweise von Wolken verdeckt. Bisher hatte sie nicht daran gedacht zu beten. Die ganze Woche, in der Timothy Gedge sie gequält hatte, war es ihr nicht einmal in den Sinn gekommen, was sie überraschte, als sie jetzt betete. Sie begann, die ganze Sache in ihrem Gebet durchzugehen, und dann wurde ihr klar, daß Gott natürlich sowieso davon wußte, also fragte sie nur, ob es möglich sei, daß Timothy Gedge von Teufeln besessen sei. Das bärtige Gesicht starrte sie weiter an, ohne mit den Augen zu zwinkern oder die Lippen zu bewegen. Aber Kate wußte, daß ihr gesagt wurde, sie habe recht, Timothy Gedge sei von Teufeln besessen, und bevor irgendwas anderes geschehen könne, müßten ihm die Teufel ausgetrieben werden. Alles wäre anders, wenn ihm die Teufel ausgetrieben würden, weil Gott allmächtig war. Er konnte Wunder wirken. Er konnte das, was passiert war, in einen Traum verwandeln. Sie konnte aufwachen und feststellen, daß es immer noch der Abend am Hochzeitstag ihrer Eltern war, daß sie und Stephen erst an diesem Nachmittag im Zug gesessen hatten. Sie konnte daliegen, an einen sehr unangenehmen Alptraum denken und Gott danken, daß er nicht Wirklichkeit war.

Sie schloß die Augen und nahm erneut mit der Gestalt Verbindung auf. Sie versprach, Timothy Gedge würden die Teufel ausgetrieben werden, so wie es in der Bibel stand. Als sie sich konzentrierte und eindringlich um eine Antwort bat, war sie sich sicher, daß ihr gesagt wurde, aufgrund ihres Versprechens würden die tatsächlichen Geschehnisse der letzten Woche verändert, ja, natürlich sei ein Wunder möglich.

Er lächelte, als Stephen zu ihm kam. Er nickte und lächelte, streckte die Hand aber nicht nach der Tragetüte aus,
sondern wartete darauf, daß Stephen sie ihm hinhielt. Er
lutschte an einem Fruchtgummi. Sein scharfgeschnittenes
Gesicht strahlte vor Freude.

»Ich werd ihn nie vergessen«, sagte er, »den Schrei
deiner Mutter bei ihrem Sturz von den Klippen, Stephen.«

11

Am Karfreitag waren die meisten Läden in Dynmouth geschlossen. In der Fore Street und in der East Street war es ruhig, die Pretty Street und die Lace Street waren menschenleer. Auf den Straßen und Alleen am Stadtrand war niemand unterwegs.

Im Sir-Walter-Raleigh-Park jedoch erreichte die Betriebsamkeit in Ring's Vergnügungspark ihren Höhepunkt: Morgen nachmittag um Viertel vor zwei würden die Buden, Stände und Karussells die Öffentlichkeit willkommen heißen. Das Geschrei der Männer mit den dunklen Gesichtern war lauter, ihr Treiben geschäftiger, die auseinandergenommenen Maschinen größtenteils wieder an ihrem Platz. Etwa ein Dutzend zusätzliche Männer waren im Sir-Walter-Raleigh-Park erschienen, mit Frauen und Kindern, die jetzt bei den Vorbereitungen halfen. Wäscheleinen hingen zwischen den Wohnwagen, Transistorradios liefen laut. Es roch nach Gebratenem.

Das Queen Victoria Hotel und das Marine, das Duke's Head und das Swan hatten mehr Gäste als sonst. Das Queen Victoria war übers Osterwochenende ausgebucht, die anderen beinahe. Einige von den Gästen schlenderten die Promenade entlang; ein paar drangen zum Strand vor; keiner wagte sich auf die Klippen. Kinder starrten das geschlossene Essoldo an; eine Handvoll Golfspieler schritt flott über den Golfplatz. Quentin Featherston mähte erneut den Rasen ums Pfarrhaus. Das Gras war nicht viel gewachsen, seit er vor einer Woche gemäht hatte, aber er wollte, daß der Rasen wegen des Fests wie rasiert aussah.

Während er den Suffolk Punch schob, ließ er müßig die Gedanken in seiner ganzen Gemeinde umherschweifen, zu der Armut in der Bough's Lane, den verdorbenen Kindern von Mrs. Slewy. Er war an diesem Morgen um Viertel nach vier aufgewacht und hatte Lavinia wach neben sich vorgefunden, was jetzt oft mitten in der Nacht vorkam. Sie hatte gesagt, es tue ihr leid, daß sie wegen Timothy Gedge so böse gewesen sei. Sie mache sich Sorgen um die Zwillinge. Sie seien aus dem Garten des Pfarrhauses spaziert und zwanzig Minuten lang weggewesen. Sie hätten in ihrem Zimmer mit Streichhölzern herumgespielt und ein Feuer im Garten ihres Puppenhauses angezündet. Alle Kinder, hatte er begonnen, aber sie hatte ihm das Wort abgeschnitten. Und noch etwas, sie habe das Gefühl, sie leite den Kindergarten nicht mehr gut. Voll Empörung sagte er ihr, was für ein Unsinn das sei. Für ihren Kindergarten gebe es eine meilenlange Warteliste. Alle sagten, er sei besser als der Ring-o-Roses, wo keinerlei Disziplin herrsche. Und die Spielgruppe, die der Women's Royal Voluntary Service betreibe, sei langweilig. Schließlich hatte er ihre frühmorgendliche Schwermut zu seiner eigenen Überraschung ziemlich erfolgreich besänftigt, und sie war wieder eingeschlafen, ohne auch nur einmal das Kind erwähnt zu haben, das sie verloren hatte.

Während er hinter dem Rasenmäher herging, den er nicht ausstehen konnte, erinnerte er sich an das erste Mal, als er sie gesehen hatte. Er war ihr am Strand begegnet, als sie mit einem Hund spazierengegangen war, einem Drahthaarterrier namens Dolly, der auf ihn zugelaufen war und an ihm geschnuppert hatte. Er hatte ihr erzählt, er sei nach Dynmouth gekommen, um dem alten Kanonikus Flewett zu helfen. Er hatte sich auf der Stelle, ohne einen Augenblick zu zögern, in sie verliebt.

Er liebte sie noch immer, mit derselben Leidenschaft. »Ihr müßt lieb zu Mami sein«, hatte er nach dem Frühstück von den Zwillingen verlangt. »Habt ihr mich verstanden?« Er hatte sie ernst angesehen, so grimmig wie möglich. Falls es an diesem Tag irgendwelche Schwierigkeiten gäbe, sei es, daß sie ein Feuer anzündeten oder den Garten des Pfarrhauses auch nur einen einzigen Augenblick lang verließen, dann dürften sie nicht zum Fest. Dann würde man sie in zwei getrennte Zimmer stecken, bei zugezogenen Vorhängen. Kleinlaut hatten sie versprochen, brav zu sein.

Er leerte die Grasbox aus und ließ das abgemähte Gras in einer Ecke liegen. Er sagte sich, es sei schon in Ordnung, am Karfreitag Rasen zu mähen. Es hatten diese Woche in St. Simon and St. Jude an jedem Tag Gottesdienste stattgefunden. An diesem Morgen um acht hatte man das Heilige Abendmahl gefeiert, und nachmittags hatte man gebetet. Später wäre der Abendgottesdienst. Doch der eine oder andere seiner älteren Gemeindemitglieder könnte es, wenn er an der Mauer des Pfarrhauses vorbeikäme und den Motor des Suffolk Punch hörte, seltsam finden, daß ein Pfarrer am Tag der Kreuzigung den Rasen mähte. Mr. Peniket würde es bestimmt seltsam finden, und er würde sich wieder die Tage des alten Kanonikus Flewett ins Gedächtnis rufen. Nie würde jemand etwas sagen, aber man würde diese Betätigung als Teil des Niedergangs der Geistlichkeit ansehen. Das würde Mr. Peniket und die älteren Gemeindemitglieder traurig stimmen, und der Gedanke daran stimmte Quentin traurig, aber er sah keinen Sinn darin, den ganzen Tag in einem Sessel zu sitzen und zu meditieren.

Jemand rief seinen Namen, und er drehte den Kopf und sah, wie Lavinia ihm vom Vorbau her zuwinkte. Neben ihr stand ein Kind, und es war keine von den Zwillingen. Er stellte den Motor des Rasenmähers ab, winkte zurück und ging auf sie zu.

Das Kind war ein Mädchen, das Cordjeans und einen roten Pullover trug. Lavinia trug einen Rock mit Schottenkaro, eine grüne Bluse und eine Strickjacke. Er entschuldigte sich, als er nahe genug war, weil er annahm, daß er bei dem Lärm des Suffolk Punch nicht imstande gewesen war zu hören, wie Lavinia ihn gerufen hatte. Das

Kind hatte braunes Haar, das sich um ein rundes Gesicht schmiegte, und Augen, die ebenfalls rund waren.

»Kate will mit dir sprechen«, sagte Lavinia.

Sie mußte früher einmal hier im Kindergarten gewesen sein. Er sah sie näher an und erinnerte sich: Es war das Mädchen aus Sea House, ihre Eltern waren geschieden. Sie kam weder in die Kirche noch in die Sonntagsschule. Er erinnerte sich schwach daran, wie Lavinia einmal gesagt hatte, nächstes Jahr komme das kleine Mädchen aus Sea House in den Kindergarten. Das war vor der Geburt der Zwillinge gewesen, vor sieben oder acht Jahren, in der Anfangszeit des Kindergartens.

»Nun, Kate?« sagte er in seinem Arbeitszimmer, einem kleinen Raum mit einem Kreuz über dem Kaminsims. Er war allein mit dem Kind, weil Lavinia nie dablieb, wenn ein Besucher ihn sprechen wollte. »Es geht um diesen Jungen, Timothy Gedge«, hatte Lavinia gesagt und dann nach den Zwillingen gerufen, die oben irgendwo nach ihr schrien. »Ich bin hier in der Diele«, hatte sie gerufen, als Quentin die Tür des Arbeitszimmers zugemacht hatte.

Es war eine verworrene Rede, ein konfuser Wortschwall, dem man nicht leicht folgen konnte, und der dennoch alarmierend klang. Timothy Gedge habe durch das Fenster von Miss Lavants Einzimmerwohnung gespäht und gesehen, wie sie so getan habe, als ob sie ein Essen für Dr. Greenslade gäbe. Timothy Gedge sei mitten in der Nacht dem nur halbbekleideten Mr. Plant begegnet. Timothy Gedge habe sich im Bungalow der Abigails betrunken. Er habe die Dasses belästigt. Er habe zu Mrs. Abigail gesagt, daß ihr Mann es mit jedem treibe. Die Nummer, die er sich für den Ostersamstag ausgedacht habe, sei eine schwarze Messe. Timothy Gedge sei besessen.

»Besessen?« Er setzte sich hinter seinen Schreibtisch. Neben ihm hing ein Kalender mit einem viereckigen roten

Rähmchen um das gestrige Datum. Er verschob das rote Rähmchen und spürte, wie seine magnetische Unterseite wieder auf dem Kalenderblatt Halt fand. »Besessen?« wiederholte er so gelassen wie möglich.

Sie gab keine Antwort. Sie saß auf dem Eßzimmerstuhl, der extra für Besucher mit Problemen dort stand, und sah ihn über seinen Schreibtisch hinweg an. Sie sagte, daß die Nummer, die Timothy Gedge sich ausgedacht habe, etwas mit den Bräuten in der Badewanne zu tun habe. Er habe vor, sich der Reihe nach als jede einzelne Braut und auch als ihr Mörder zu verkleiden. Das sei alles nur ein Vorwand. Es liege daran, daß ihm der Gedanke an den Tod gefalle, daß er darüber reden wolle. Er habe gesagt, der beste Platz für die Leute von Dynmouth sei der Sarg.

Das Kind hatte angefangen zu weinen. Er ging zu ihr, beugte sich über sie und gab ihr ein Taschentuch. Er legte ihr einen Arm um die Schulter und ließ ihn einen Augenblick lang dort liegen. Dann kehrte er zu seinem Schreibtisch zurück und setzte sich dahinter. Er dachte an die Beerdigungen, auf denen Timothy Gedge sich herumtrieb. »Richtig gut«, hatte er nach der Beerdigung von Miss Trimm wieder in der Sakristei gesagt. Das Kind sagte, er behaupte, einen Mord mitangesehen zu haben, und das habe ihn stark mitgenommen. Stephens Mutter sei nicht bei einer Windböe vom Kliffpfad gestürzt: Sie sei von Stephens Vater gestoßen worden.

»Ich liebe Stephen«, sagte sie, und dann wiederholte sie es und brach erneut in Tränen aus. »Ich kann es nicht ertragen, Stephen so verängstigt zu sehen.«

Er wußte, wer Stephen war. Er erinnerte sich von der Beerdigung seiner Mutter an ihn. Er erinnerte sich daran, mit ihm gesprochen und ihm gesagt zu haben, er sei tapfer gewesen. Die Eltern dieser Kinder waren jetzt miteinander verheiratet. Der Mann war Ornithologe.

»Niemand braucht Angst zu haben, Kate.«

Sie sagte, sie habe gebetet, weil es für einen Menschen unmöglich sei, in so einem Haus zu leben, in dem alles voller Lügen sein mußte. Aus Verzweiflung habe sie gebetet. Sie sagte:

»Sie müssen die Teufel exorzieren. Könnten Sie die Teufel in Timothy Gedge exorzieren?«

Er war überrascht und noch verwirrter als einen Moment zuvor. Er schüttelte kurz den Kopf und machte damit klar, daß er nicht vorhatte, Teufel zu exorzieren.

»Als ich gebetet habe«, sagte sie, »hab ich's versprochen. Ich hab gesagt, wenn es nicht stimmt, dann würden die Teufel exorziert werden. Ich hab's Gott versprochen.«

»Gott will solche Versprechen nicht. Er läßt nicht mit sich handeln. Ich kann nicht jemanden exorzieren, bloß weil er eine Lüge erzählt.«

»Lüge?«

»Stephens Vater war an dem Tag, an dem der Unfall passiert ist, gar nicht in Dynmouth. Er ist aus London zurückgekommen, und jemand mußte es ihm am Bahnhof erzählen. Er hat nämlich im Zug gesessen, als es passiert ist.«

Sie blickte ihn an, und ihre Augen wurden immer größer. Auf einer ihrer Wangen glitzerten immer noch Tränen. Ihre Lippen öffneten sich und schlossen sich wieder. Schließlich sagte sie:

»Ich habe gebetet, und Er hat alles verändert.«

»Nein, Kate. Nichts hat sich geändert. Bevor du gebetet hast, hat es auch schon gestimmt, daß Stephens Vater an diesem Tag nicht hier war.«

»Sie müssen Timothy Gedge exorzieren, Mr. Featherston.«

Er versuchte, es zu erklären. Er glaube nicht daran, daß Menschen von Teufeln besessen seien, weil es ihm so vorkomme, als sei das nur der Versuch, die Welt in Ordnung zu bringen, indem man alles in Schubladen stecke.

Es gebe gute Menschen und solche, die nicht gut seien: Das habe nichts mit Teufeln zu tun. Er versuchte zu erklären, daß von Teufeln besessen sein bloß eine Redensart sei.

»Ich hab ihm gesagt, er hat Teufel in sich«, sagte sie.

»Das hättest du nicht tun sollen, Kate.«

»Ich hab's Gott versprochen. Gott will es so, Mr. Featherston.«

Sie schrie auf, ihre Augen schwammen erneut in Tränen, und sie war rot im Gesicht. Das braune Haar, das sich an ihren Wangen nach innen wölbte, wirkte plötzlich unordentlich.

»Ich hab's Gott versprochen«, schrie sie erneut.

Sie saß immer noch auf dem Stuhl, beugte sich vor und funkelte ihn mit ihren runden Augen an. Es war so, als wäre er mit Miss Trimm im Zimmer, und die würde ihm mal wieder anvertrauen, sie habe einen neuen Jesus Christus zur Welt gebracht. Miss Trimm hatte von ihrem Sohn als kleinem Kind gesprochen, davon, wie er am Pier von Dynmouth die Fischer gesegnet habe, wie er ohne Schmerzen aus ihrem Schoß hervorgekommen sei. In der Zeit, als sie noch Lehrerin gewesen war, war sie für ihre schnelle Auffassungsgabe und ihre klaren Gedanken bekannt. Aber während ihrer Alterseinsamkeit war ihr überspannter Glaube daran, daß das Leben auf der Welt ohne die Nähe zu Gott unmöglich geworden sei, unerschütterlich geworden. Dieses Kind schien in seiner Verzweiflung etwas Ähnliches entdeckt zu haben.

Dennoch konnte er ihr nicht helfen, konnte sich nicht einmal richtig mit ihr unterhalten. Die Welt Gottes sei kein angenehmer Ort, hätte er sagen können. Die Welt Gottes sei grausam, die Natur des Menschen nehme üble Formen an. Es sei nicht Gott, der Maiglöckchen ziehe, Dynmouth mit Spitze und Teestuben herausputze oder das Leben von Jesus Christus zu einer empfindsamen

Reise mache. Aber wie konnte er das bloß sagen, wo er es doch auch Miss Trimm nicht hatte sagen können? Wie konnte er sagen, daß Gott die Menschen nur beharrlich auf seine Regeln hinweise, obwohl Er selbst sich an keine halte, daß man seine Beanstandungen erkennen und ihnen Folge leisten solle? Wie konnte er sagen, daß Gott nur aus vagen Versprechungen und dem Kleingedruckten auf Garantiescheinen bestehe, wovon niemand wisse, ob Er es je einhalten würde? Es war entsetzlich, daß Timothy Gedge diesen Kindern fürchterliche Angst eingejagt hatte, und doch war es zugelassen worden, genauso wie Überschwemmungen oder Hungersnöte.

»Er wird was Schreckliches anstellen«, sagte sie und vergoß jetzt Ströme von Tränen. »Es sind solche Leute, die schreckliche Dinge anrichten.«

»Ich werde mit ihm reden, Kate.«

Sie schüttelte leicht den Kopf. Sie kauerte auf ihrem Stuhl, die kleinen Hände zu Fäusten geballt und an den Bauch gepreßt, als hätte ein Teil von ihr Schmerzen, das Gesicht fleckig. Sie tat ihm ausgesprochen leid, und er kam sich nutzlos vor.

»Es macht ihm Spaß, anderen Leuten weh zu tun.« Die Leute hätten ihm nichts getan, weder die Dasses noch die Abigails. Er lache, wenn er den Namen des Hauses der Dasses erwähne. »Mrs. Abigail hat das von ihrem Mann nicht gewußt. Er ist hingegangen und hat's ihr erzählt. Er hat sich mit Bier und Sherry betrunken ...«

»Das hast du schon gesagt, Kate.«

»Er findet das lustig.«

»Ja.«

»Er findet es lustig, so eine Nummer aufzuführen.«

»Wir werden seine Nummer nicht zulassen.«

»Er hat uns eingeredet, daß ein Mord begangen wurde. Wir haben es beide geglaubt. Verstehen Sie nicht?« schrie sie. »Wir haben es beide geglaubt.«

»Ich verstehe, Kate.«

»Früher hätte man einen Pfahl durch ihn getrieben. Man hätte seine Knochen verbrannt, bis nur noch Asche übriggeblieben wäre.«

»Wir sind heute zivilisierter.«

»Das kann nicht sein. Er wäre nicht am Leben, wenn wir zivilisierter wären.«

»Kate ...«

»Er dürfte nicht am Leben sein. Das ist es, was nicht zugelassen werden dürfte.« Sie schrie ihm die Worte zu. Er ließ Schweigen eintreten. Dann sagte er:

»Das darfst du nicht sagen, Kate.«

»Ich sage Ihnen die Wahrheit.«

Erneut trat Schweigen ein, das nur von ihrem Schluchzen unterbrochen wurde. Sie wischte sich das Gesicht mit seinem Taschentuch ab, hielt dann das Taschentuch fest und zerknüllte es in ihren Fäusten. Er sagte, es gebe ein Muster aus Graustufen, Halbtönen und Schatten. Die Menschen bewegten sich in dem grauen Bereich und machten Helden oder Schurken aus sich, aber in Wahrheit gebe es weder Helden noch Schurken. Eine hochdramatische Teufelsaustreibung würde Timothy Gedge zu einem Ungeheuer stempeln, was für alle anderen schön wäre, weil Ungeheuer eine eigene Spezies seien. Aber Timothy Gedge könne man nicht so leicht abtun. Sie habe recht gehabt zu sagen, es seien solche Leute, die schreckliche Dinge anrichteten, und wenn sich das mit Timothy Gedge so verhalte, dann nicht, weil er anders oder fremdartig sei, sondern weil er von dem Verlangen besessen sei, so zu werden. Timothy Gedge sei genauso normal wie alle anderen, aber unglückliche Umstände oder die Natur machten normale Leute absonderlich und verliehen ihnen in dem Grau Farbe. Und die Farbe sei ein Schutz, weil ein Unglück seine Opfer schwäche und verletzlich mache.

Während er sprach, sah er, wie sich der Gesichtsausdruck des Kindes veränderte. Was er über Grautöne sagte, gefiel Kate nicht, genausowenig wie die These, daß Schurken und Helden abstrakte Kategorien seien. Das widersprach ihrer kindlichen Welt. Es brachte weitere Verwicklungen, von denen sie nichts wissen wollte. Er beobachtete, wie ihr das durch den Kopf ging, während er sprach, und dann sah er, wie sie alles, was er gesagt hatte, ohne viel Federlesen abtat. Sie schüttelte den Kopf.

Sie sprach von einem Idyll und sagte, daß Gott es jetzt nicht zulassen werde. Sie würde nach Sea House zurückgehen und Stephen erzählen, sein Vater habe während des Todes seiner Mutter im Zug gesessen. Der Alptraum war vorbei, aber nichts hatte seinen Platz eingenommen. Sie würden wieder Freunde sein, aber es wäre nicht mehr dasselbe.

»Ich kann's nicht erklären«, sagte sie und hatte sich jetzt wieder von ihrer leidenschaftlichen Erregung und ihren Tränen erholt.

Sie meinte, er würde es nicht verstehen. Sie meinte, es nütze nichts, nur zu reden und unter einem Kreuz zu sitzen, das an der Wand hing. Sie meinte, er hätte wenigstens versprechen können, den Versuch zu unternehmen, die Teufel herauszuschütteln, selbst wenn er nicht recht an sie glaube; er hätte es wenigstens versuchen können. Kein Wunder, daß die Leute von Pfarrern keine hohe Meinung hatten. All das stand ihr im Gesicht geschrieben.

Sie ging weg vom Pfarrhaus, den Once Hill hinauf und dann auf die schmale Straße, die sich schließlich bis Badstoneleigh schlängelte. Wenn sie es vor einer Woche den Blakeys erzählt hätten, hätten die das gleiche gesagt wie der Pfarrer: daß Stephens Vater nicht schuld sein konnte. Sie mußte ständig daran denken, wie sie es Mrs. Blakey in der Küche erzählten und wie Mrs. Blakey den Kopf zurückwarf und lachte. Sie hätten alle gelacht, selbst Mr.

Blakey, und dann hätte Mrs. Blakey ganz unvermittelt gesagt, daß Timothy Gedge eine Tracht Prügel verdient habe.

»Möchten Sie ein Täßchen, Mr. Feather?«

Quentin lehnte das Angebot ab. Der Junge war allein in der Wohnung in Cornerways. Er hatte erklärt, seine Schwester zapfe bei der Smiling Service Filling Station Benzin, obwohl Karfreitag sei. Seine Mutter sei heute drüben in Badstoneleigh, um ihre Schwester, die Damenschneiderin, zu besuchen. Er führte den Pfarrer in ein Zimmer, in dem die Vorhänge zugezogen waren. Auf dem Fernsehschirm sang Deanna Durbin.

»Ich wollte mal mit dir reden«, sagte Quentin.

»Geht's um den Wettbewerb, Mr. Feather?«

»In gewisser Hinsicht schon. Das kleine Mädchen aus Sea House war bei mir. Kate.«

Timothy lachte. Quentin ärgerte sich, weil ihm der belanglose Umstand einfiel, daß der Film im Fernsehen *Three Smart Girls* hieß, den er vor ungefähr fünfunddreißig Jahren, als er selbst noch ein Kind war, schon einmal gesehen hatte.

»Macht es dir etwas aus, den Fernseher auszuschalten, Timothy?«

»Ist eigentlich ein Haufen Müll, Sir. Fernsehen bringt's nicht, Mr. Feather.« Er schaltete ihn aus. Er setzte sich hin, ohne die Vorhänge aufzuziehen. Im Dunkeln war er kaum zu sehen, nur das Schimmern seiner Zähne, wenn er lächelte, sein helles Haar und seine hellen Kleider.

»Du hast die Leute in Aufregung versetzt, Timothy.«

»Was für Leute meinen Sie, Mr. Feather?«

»Ich glaube, das weißt du.«

»Manche Leute regen sich schnell auf, Sir. Zum Beispiel Grace Rumblebow in der Gesamtschule ...«

»Ich rede nicht von Grace Rumblebow.«

»Ich hab sie mit einer Nadel gestochen. Man hätte meinen können, ich hab ihr den Fuß abgeschnitten. Kennen Sie Grace Rumblebow, Mr. Feather?«

»Ja, aber es ist nicht Grace Rumblebow ...«

»Krankhaft ist das, wie dick die ist. Sie verdrückt dauernd Doughnuts, haben Sie das gewußt? Vierzig bis fünfzig Stück am Tag, zehn Liter Bier, irgendwann fällt sie tot um ...«

»Warum hast du mit diesem Schlamassel angefangen, Timothy?«

»Mit welchem Schlamassel, Mr. Feather?«

»Die beiden Kinder.«

»Das sind prima Kinder, Sir. Freunde von mir.«

»Timothy ...«

»Wir drei sind nach Badstoneleigh in den Kintopp gegangen. James-Bond-Streifen, eigentlich ein Haufen Mist. Ich hab den Kindern Cola gekauft, Mr. Feather, soviel sie trinken konnten. Ich hab ihnen die Nummer erklärt, die ich mir ausgedacht hab.«

»Man hat mir von deiner Nummer erzählt. Ich fürchte, sie ist für den Wettbewerb nicht geeignet, Timothy.«

»Sie haben die Nummer doch gar nicht gesehen, Sir.«

»Ich habe davon gehört.«

»Das Mädchen weiß nicht, wovon es redet, Sir. Das ist reine Routine, Sir, es wird Lachstürme entfesseln. Haben Sie schon mal Benny Hill gesehen, Mr. Feather?«

»Was mit diesen drei Frauen passiert ist, ist nicht komisch.«

»Das ist lange her, Mr. Feather.«

»Ich möchte, daß du mir das Hochzeitskleid gibst, das du von den Kindern bekommen hast.«

»Was für ein Hochzeitskleid, Sir?«

»Du weißt, was ich meine. Du hast diesen Kindern fürchterliche Angst eingejagt, du hast sie so drangsaliert, daß sie dir ein Hochzeitskleid besorgt haben.«

228

»Ich hab vom Commander einen Anzug gekriegt. Dass hat die Vorhänge beschafft, sie sind bei Courtesy Cleaners. Ich lass von Plant eine Badewanne herbeischaffen.«

»Du hast Lügen erzählt.«

»Ich hab ganz bestimmt die Wahrheit gesagt, Mr. Feather. Der Commander ist ein schwuler Molch, der Sohn vom alten Dass ist reingegangen und hat ihnen gesagt, daß sie ihm zum Hals raushängen. Ich hab das Dass bloß in Erinnerung gerufen, Sir. Ich hab bloß erklärt, daß ich das damals mit angehört hab. Ich hab mir nichts aus den Fingern gesogen.«

»Der Junge hat sich eingebildet, daß sein Vater ein Mörder ist. Das hast du ihm eingeredet. Du hast ihm ohne ersichtlichen Grund eine ungeheuerliche Lüge aufgetischt.«

»Ich würde nicht sagen, daß es eine Lüge war, Mr. Feather. George Joseph Smith ...«

»Das hat nichts mit George Joseph Smith zu tun. Der Vater des Jungen hat im Zug gesessen. Er hat sich nicht in der Nähe der Klippen aufgehalten, als seine Frau umgekommen ist. Und du auch nicht, Timothy.«

»Ich war oft im Stechginster, Mr. Feather. Ich geh den Leuten gern nach.«

»Aber da warst du nicht im Stechginster. Und es hat kein Mord stattgefunden.«

»Ich hab gehört, wie sie Krach miteinander hatten, Mr. Feather. Das war ein anderes Mal, wenn Sie verstehen. Sie hat die Mutter des Mädchens als Dirne bezeichnet. Ich hab sie gehört, Sir: Warum wirfst du mich nicht runter? hat sie gefragt. Er hat ihr gesagt, sie soll nicht albern sein.«

»Timothy ...«

»Ich würde das Mord nennen, Mr. Feather. Und selbst wenn der Mann in zweitausend Zügen gesessen hätte, würde ich es immer noch Mord nennen.«

»Sie ist von den Klippen gestürzt.«

»Sie ist die Klippen runtergefallen, weil er was mit der anderen Frau hatte. Er hatte vor, sich seiner ersten Frau vor dem Scheidungsrichter zu entledigen. Ich bin eines Nachts oben am Sea House gewesen und hab durchs Fenster geguckt ...«

»Ich will gar nicht wissen, was du getan hast«, schrie Quentin wütend. Er sprang aus dem Sessel auf, in dem er saß, und warf irgend etwas auf den Fußboden, etwas, was auf der Armlehne gestanden haben mußte.

»Sie haben einen Aschenbecher umgeworfen, Mr. Feather.«

»Schau mal, Timothy. Du hast den Kindern fürchterliche Lügen erzählt ...«

»Bloß, daß ich das nicht als Lügen bezeichnen würde, Sir. Ich hab Angst, daß sie sich was antut, hat der Mann gesagt, als ich durchs Fenster geguckt hab, und dann ist die andere Frau zu ihm gegangen und hat angefangen, mit ihm rumzuschmusen. Sie hat ihm mit den Fingern das Gesicht gestreichelt, obwohl er verheiratet war, und als nächstes ...«

»Das geht uns nichts an, Timothy.«

»Als nächstes war ich wieder da oben im Stechginster, Sir. Sie hat im Wind gejammert und geweint, Sir, ganz allein da oben, und alle haben sich einen Teufel um sie geschert. Als eine Windböe gekommen ist, ist sie die Klippen runtergefallen.«

»Timothy ...«

»Sie haben sie runtergestoßen, Mr. Feather. Verstehen Sie, was ich meine? Sie hatte die Nase voll von dem Theater.«

»Das weißt du doch gar nicht, Timothy. Du stellst bloß Vermutungen an.«

Timothy Gedge schüttelte den Kopf. Damals habe ihn das völlig mitgenommen, aber man müsse über solche Sachen hinwegkommen, sonst gehe man daran zugrunde.

Er lächelte. Man müsse fröhlich bleiben, sagte er, trotz allem.

»Dieses Hochzeitskleid muß zurückgegeben werden. Deswegen bin ich gekommen, Timothy.«

»Ich hab gedacht, daß Hughie Green vielleicht in Dynmouth sein würde, Mr. Feather. Es ist bloß, daß ich schon seltsamere Sachen gehört hab. Ich hab gedacht, vielleicht kommt er ins Festzelt ...«

»Das ist Unsinn, und das weißt du auch. Deine Nummer ist nur ein Vorwand gewesen, um Leute zu quälen. Du hast kein Recht gehabt, dich gegenüber den Kindern so zu benehmen.«

»Ich kann eine Frauenstimme nachmachen, Mr. Feather, in der Gesamtschule haben sie sich über mich schiefgelacht. Ihre eigenen beiden Kinder haben sich auch darüber schiefgelacht.« Er lachte. »*Charrada* des Clowns, Mr. Feather, falls Sie je davon gehört haben.«

Quentin setzte sich wieder. Er sagte Timothy, daß er in einer Phantasiewelt lebe. Er habe sich seine Nummer ausgedacht, sagte er erneut, um die Leute zu schockieren und aus der Fassung zu bringen. Zu seiner Überraschung sah er, wie Timothy ihm durch das Halbdunkel hindurch zunickte, bevor er ausgeredet hatte.

»In Wirklichkeit hat's die Nummer nicht gebracht, Sir.«

Es trat Schweigen ein. Dann setzte er hinzu:

»Ich hab mir oft gedacht, daß sie's vielleicht nicht bringt. Die einzigen Leute, denen sie gefallen hat, waren Ihre Kinder.«

»Weißt du, ich würde dir gern helfen.«

»Ich bin quietschvergnügt, Mr. Feather.«

»Ich glaube nicht, daß das stimmt.«

»Ich hab mir viele Gedanken über die Nummer gemacht. Ich bin immer in der Gegend rumgelaufen und hab drüber nachgedacht. Und die ganze Zeit über war sie ein

Haufen Mist. Kinderkram, Mr. Feather.« Er nickte. Er erklärte, wie schon allen anderen gegenüber, wie es zu seiner Nummer gekommen war: Miss Wilkinsons Scharaden, der Besuch bei Madame Tussaud. Er erklärte, daß ihm Brehon O'Hennessys Philosophie im Gedächtnis geblieben sei, obwohl Brehon O'Hennessy damals allen wie ein Spinner vorgekommen sei.

»Das Mädchen hat gesagt, ich hätte Teufel in mir.« Er lachte. »Glauben Sie, daß ich Teufel in mir hab, Mr. Feather?«

»Nein, Timothy.«

»Die Idee von den Teufeln hat es mir angetan.«

»Ja.«

»Der Küster hat nicht viel für Sie übrig, was, Mr. Feather? Dieser Mr. Peniket?«

»Da hab ich leider keine Ahnung.«

»Findet er Sie lächerlich, Mr. Feather?«

Quentin gab keine Antwort. Timothy sagte:

»Wenn Sie das Hochzeitskleid haben wollen, können Sie's haben, Sir.«

»Ich möchte es haben.«

Der Junge verließ das Zimmer und schaltete auf dem Weg das Licht an. Er kehrte mit einem alten, eingerissenen Koffer und einer flachen Pappschachtel zurück. Er öffnete den Koffer und holte die Tragetüte mit dem Union Jack daraus hervor. Er reichte sie Quentin. Das Hochzeitskleid sei noch drin, sagte er, er habe es nicht einmal rausgenommen. »Und dann das hier«, sagte er und hielt ihm die Pappschachtel hin. »Abigails Anzug.« Er äußerte die Ansicht, daß Quentin den Anzug vielleicht gern zu dem Bungalow in der High Park Avenue zurückbringen würde, da er auch das Hochzeitskleid zurückgebe. In dem Koffer befänden sich noch andere Sachen, erklärte er, aber die hätten nichts mit seiner Nummer zu tun. Sobald ihm der Junge die Tragetüte ausgehändigt habe, habe er gewußt, daß er die Nummer nicht aufführen würde. Als er mit der Tüte davongegangen sei, habe er sich gesagt, daß die Nummer die ganze Zeit über ein Haufen Mist gewesen sei.

»Du mußt diese Kinder jetzt in Ruhe lassen.«

»Mit denen kann ich nichts mehr anfangen, Mr. Feather.« Er lachte. »Mir wird sich keine Gelegenheit bieten, Sir. Ich werde in der Sandpapierfabrik arbeiten. Vielleicht leb ich auch von Sozialhilfe. Mein Vater hat sich aus dem Staub gemacht. Wie der Sohn von Dass.« Er lachte, und Quentin begriff, daß der Sohn der Dasses einer von den Leuten war, mit denen sich Timothy auf den Straßen von Dynmouth unterhalten hatte. Er rief sich die ungesunde Erscheinung von Nevil Dass ins Gedächtnis, ein angespannter Jugendlicher, der zu sehr verwöhnt worden war.

»Ich hab ihn auf die Idee gebracht«, sagte Timothy, »als ich ihm von meinem Vater erzählt hab. Du gehst einfach, hab ich ihm gesagt. Und kommst nie wieder. Er war zwei Stunden lang im Queen Victoria Hotel und hat sich mit Double Diamond Mut angetrunken.«

»Timothy ...«

»Da ist bloß noch die Sache mit der Anmeldegebühr, Sir. Fünfzig Pence hab ich Dass gegeben.«

Quentin gab ihm die Münze und entschuldigte sich dafür, daß er das vergessen habe. Timothy sagte, das mache nichts. Er fing wieder davon an, wie Stephen ihm das Hochzeitskleid ausgehändigt habe, wie er damit weggegangen sei, sich dann auf der Promenade auf eine Bank gesetzt habe und seine Nummer nicht mehr habe aufführen wollen. Da sei Miss Lavant vorbeigegangen und habe ihn angelächelt.

»Sie hat mir mal, als ich noch klein war, ein Bonbon geschenkt, sie hatte eine Tüte Quality Street. Sie hatte immer ein Lächeln für mich übrig, Mr. Feather.«

Quentin nickte und verkniff sich zu sagen, daß Miss

Lavants Bonbons und ihr Lächeln nichts mit der Sache zu tun hätten.

»Bis gestern ist mir das noch nie in den Sinn gekommen, Sir. Sie hat sein Baby zur Welt gebracht.«

»Ich würde dir gern helfen«, sagte Quentin erneut, und Timothy lachte wieder.

»Haben Sie je davon gehört, Sir, daß Miss Lavant und Dr. Greenslade ...«

»Timothy, bitte.«

»Es ist bloß, daß sie sein Baby zur Welt gebracht hat, Sir.«

»Das stimmt nicht, Timothy.«

»Ich würde sagen, doch, Sir. Sie hat's zur Welt gebracht, sie konnte das Kind bloß nicht bei sich behalten, wegen dem, was die Leute von Dynmouth dazu sagen würden. Für die Geburt hat sie die Stadt verlassen. Der Doktor ist mitgefahren und hat gesagt, er war in einer medizinischen Angelegenheit in Yorkshire. Als nächstes haben sie das Kind bei einer Frau in Dynmouth untergebracht, damit sie sehen können, wie es aufwächst. Verstehen Sie, Mr. Feather?«

»Das ist die reinste Phantasie, Timothy.«

»Aber begreifen Sie? Vierzig oder fünfzig pro Woche kriegt die Frau in Dynmouth bezahlt.«

»Ach, jetzt sei aber nicht albern. Du weißt genausogut wie ich, daß Miss Lavant nie ein Kind zur Welt gebracht hat. Dr. Greenslade ist glücklich verheiratet ...«

»Es ist mir nie in den Sinn gekommen, Mr. Feather, bis gestern, als ich auf der Bank gesessen hab und sie mich angelächelt hat. Sie hat Todesängste ausgestanden, als ich mal auf der Promenadenmauer entlanggegangen bin. Komm bitte runter, hat sie in ihrem speziellen Tonfall gesagt und mir die Tüte Quality Street hingehalten. Das ist wie im Fernsehen, *Crossroads* vielleicht, *General Hospital* oder das mit den Frauen im Gefängnis.«

»Du redest Unsinn, Timothy.«

»Der Mann kommt ins Zimmer, Mr. Feather, und da liegt das Baby auf dem Tisch. Er wirft einen Blick drauf, und als nächstes schreit er rum. Das ist nicht mein Baby, sagt er, und deins genausowenig. Er macht nicht dabei mit, so zu tun, als wäre das ihr Baby, wenn er nicht einen Teil des Geldes abkriegt, das ist ja völlig lächerlich. Sie geht zu ihm und sagt ihm, daß er sie mal kann, und in Null Komma nix rast er mit dem alten Lastwagen die Straße nach London rauf. War's nicht so, Mr. Feather? Stimmt das nicht?«

»Natürlich stimmt das nicht.«

»Wenn Sie die Augen zumachen, können Sie's sehen, wie die beiden in diesem Zimmer stehen, grobes Volk. Sie ist wirklich eine abscheuliche Frau.«

»Das reicht jetzt, Timothy. Und wenn du Miss Lavant belästigst ...«

»Das bleibt ein Geheimnis zwischen uns, Sir. Ich würde das keiner Seele erzählen. Ich würde eher verbrennen, als es Miss Lavant gegenüber ansprechen. Ich würde sie nie damit in Verlegenheit bringen.«

»Du guckst zuviel Fernsehen, Timothy.«

»Im Fernsehen kommen gute Sachen. Gucken Sie selber manchmal? Schaltet Mrs. Feather überhaupt mal ein? Es ist bloß, daß nachmittags Sendungen für Frauen laufen, Kochtips, wie man einen Fuchspelz behandelt, alles, was Sie sich vorstellen können. Es gibt das Schulprogramm, nicht daß Mrs. Feather noch etwas lernen müßte. Es ist bloß, daß gute Sachen für Ungebildete laufen. Sie wissen, was ich meine, Sir?«

»Vergiß die Geschichte, die du dir über Miss Lavant zurechtgesponnen hast, Timothy. Weißt du, das ist kindisch.«

»Als sie mich gestern angelächelt hat, konnte ich eine Ähnlichkeit feststellen. Sind Ihnen jemals die Backenknochen des Doktors aufgefallen? Ich könnte Ihnen jemand mit ebensolchen Backenknochen nennen, der nicht gerade Lichtjahre von hier entfernt ist.«

»Bitte, Timothy.«

»Wenn Sie mir sagen, ich soll's vergessen, dann mach ich das, Mr. Feather. Ich schlag's mir aus dem Kopf. Das versprech ich Ihnen, Sir.«

»Danke.«

»Nichts leichter als das, Sir. Ist sonst alles in Ordnung, Mr. Feather?« Er ging zum Fernseher. Er wartete höflich, mit der Hand auf einem Knopf.

»Ich bin immer da«, sagte Quentin, und Timothy lachte. Er schaltete das Licht aus, als der Pfarrer das Zimmer verließ.

Er befestigte die flache Pappschachtel auf dem Gepäckträger seines Fahrrads, mit einem Stück Seil, das zu solchem Zweck dort festgebunden war. Die Tüte mit dem Union Jack darauf hängte er an die Lenkstange.

Er radelte zur High Park Avenue und klingelte bei Nummer Elf. Als Mrs. Abigail die Tür aufmachte, gab er ihr die Schachtel und sagte, er glaube, die gehöre ihr. Es tue ihm leid, sagte er, weil ihm nichts Besseres einfiel. Es tue ihm leid, daß Timothy Gedge so eine Nervensäge gewesen sei. Etwas widerwillig nahm Mrs. Abigail ihm die Schachtel ab. Das mit Timothy Gedge mache nichts, sagte sie, solange er nur nie wieder zu ihrem Bungalow komme.

Er radelte nach Sweetlea und sagte auch dort, es tue ihm leid, daß Timothy Gedge so eine Nervensäge gewesen sei. Es sei sehr nett, daß sie Vorhänge für die Bühne besorgt hätten. »Vorhänge?« rief Mrs. Dass leise aus ihrem Liegestuhl im Erkerfenster, und ihr Mann gestand, daß er ein Paar alte Verdunkelungsvorhänge gefunden habe, die ungefähr die richtige Größe hätten.

Es sei nicht mehr nötig, sagte Quentin zu Mr. Plant, die Badewanne von Swines' Hof zum Garten des Pfarrhauses zu transportieren: Die Nummer von Timothy Gedge werde bei dem Talentwettbewerb nicht aufgeführt, da sie ungeeignet sei. Mr. Plant sah skeptisch aus, als er das hörte. Er habe es dem Jungen versprochen, sagte er, er breche nicht gern ein Versprechen. »Ich habe mit dem Jungen gesprochen«, sagte Quentin. »Tut mir leid, daß er so eine Nervensäge war, Mr. Plant.« Aber Mr. Plant bestritt, daß Timothy Gedge in irgendeiner Hinsicht eine Nervensäge gewesen sei. Er trage gern seinen Teil bei, sagte er, zu dem Fest oder zu jeder anderen guten Sache. Wenn eine Badewanne transportiert werden müsse, dann sei er sofort dazu bereit; und wenn sie bleiben solle, wo sie sei, dann sei das auch kein Problem.

»Ich glaube, das gehört dir«, sagte Quentin in Sea House und gab Stephen die Tüte mit dem Hochzeitskleid.

Er kam sich bei all dem dumm vor. Er sah sich selbst vor sich: ein erfolgloser Pfarrer auf einem Fahrrad, schlaksig und grauhaarig, ein vertrauter Anblick, wie er alles in Ordnung brachte. Er erinnerte sich an das Gesicht des Mädchens, als er versucht hatte, ihr die Sache mit den Teufeln zu erklären. Timothy Gedge hatte ihn dazu benutzt, ein Hirngespinst an ihm auszuprobieren.

»Allmächtiger Gott, wir flehen Dich an, gnädig auf diese Deine Familie herabzuschauen«, sagte er in der Kirche und murmelte die Worte in Anwesenheit einer kleinen Gemeinde. Es roch nach Gebetbüchern und Kerzenwachs, was er gern hatte. »Für die unser Herr Jesus Christus sich verraten und in die Hände der Gottlosen liefern ließ und den Tod am Kreuz erlitt.«

Es stimmte, er hatte das Gefühl, daß es die Wahrheit war: Die Frau war nicht einfach von den Klippen gefallen. Doch was nützte es zu wissen, daß eine Frau sich umgebracht hatte?

Die Kinder, die ein Trauma erlitten hatten, würden darüber hinwegkommen, und es würden nur Narben und ein kleiner Knacks zurückbleiben. Sie würden nie vergessen, wie sie sich eine Woche lang eingebildet hatten, es sei ein Mord begangen worden. Sie würden ihre Eltern nie mehr genauso sehen, und paradoxerweise war das auch richtig so, weil Timothy Gedge nicht ausschließlich gelogen hatte. Die grauen Schatten verschwammen und gingen ineinander über. Die Wahrheit war heimtückisch, nie offensichtlich, bestand nie bloß aus Fakten.

»Gott sei uns gnädig«, sagte er, »und segne uns: und lasse sein Angesicht über uns leuchten.«

Der Junge würde mit seinem Lächeln in Gerichtssälen stehen. Er würde in den tristen Büros von Sozialarbeitern sitzen. Er würde in den Zellen verschiedener Gefängnisse eingesperrt sein. Wenn man ihn jetzt anschaute, konnte man diese Zukunft spüren, und seine Augen erinnerten einen daran, daß er nicht darum gebeten hatte, auf die Welt zu kommen. Was für ein Verbrechen würde es sein? Wie würde seine größere Rache aussehen? Das Mädchen hatte recht, wenn es sagte, es seien solche Leute, die schreckliche Dinge anrichteten.

Die Kirche war wegen der Fastenzeit nicht mit Blumen geschmückt. Old Ape stand hinten im Schatten, Mrs. Stead-Carter vorn schaute ungeduldig drein.

»Der Friede Gottes«, sagte er, »der höher ist als alle Vernunft, sei mit euch und bleibe bei euch, heute und immerdar.«

Sie hatten die Köpfe zum Gebet gebeugt, und dann hoben sie sie langsam wieder. Sie schlurften davon, Mrs. Stead-Carter flotter als die anderen, und Miss Poraway wartete, um auf Wiedersehen zu sagen. Mr. Peniket sammelte die Gebetbücher ein und strich die Betkissen glatt.

Quentin hielt mehrmals inne, während er sich in der Sakristei umzog, und blickte zu der geschlossenen Tür, als erwartete er, daß der Junge mit seinem Lächeln auftauchte. Er dachte, das sei möglich, weil das Abendgebet am Karfreitag in gewisser Hinsicht ein Trauergottesdienst war. Aber der Junge kam nicht. Quentin nahm seinen schwarzen Regenmantel vom Haken und zog ihn an.

In der leeren Kirche wurde noch eine Wahrheit spürbar und ließ ihm keine Ruhe. Sie gehörte nicht in die Kategorie Mord, sexuelles Vorstadtdrama oder Zurückweisung der Eltern. Doch sie kam ihm noch schrecklicher vor, ein Schrecken, der noch größer war als die Ehe der Abigails oder wie die Dasses von ihrem Sohn behandelt worden waren, sogar noch größer als der Tod von Stephens Mutter, weil Stephens Mutter Frieden gesucht und diesen zumindest gefunden hatte. Sie beherrschte seine Gedanken und glitt mit ihm durch die abendlichen Straßen von Dynmouth, als er mit dem Fahrrad zu seinem efeubewachsenen Pfarrhaus zurückfuhr. Sie leistete ihm am Once Hill Gesellschaft und auch als er das Fahrrad in die Garage schob und gegen den Suffolk Punch lehnte.

Im Wohnzimmer hörte Lavinia ihm zu.

»Schrecken?« fragte sie, verwundert über den Gefühlsausbruch ihres Mannes. Er stand mit dem Rücken zur Wohnzimmertür und lehnte sich an den Türrahmen. Er hatte immer noch die Fahrradklammern an den Knöcheln. »Schrecken?« fragte sie erneut.

Zwei Menschen hatten einen Moment der Lust aus der Zeugung des Jungen gezogen. Seine Mutter konnte man überall in der Stadt sehen, wie sie durch die Straßen von Dynmouth eilte, eine Frau mit messingfarbenem Haar, die in einem Geschäft Kleider verkaufte. Der Vater war nicht bekannt. Er war mit seiner Frau vermutlich nicht glücklich gewesen; vermutlich hatte er irgendwo eine andere Familie gegründet. Der Junge war so geworden, wie er war, während sich niemand um ihn gekümmert hatte. Das Leben des Jungen war der Schrecken, von dem er sprach.

Lavinia wollte sagen, daß Timothy Gedge ihr leid tue, aber sie ließ es bleiben, weil es nicht zu stimmen schien. Vor ihr schwebte ein Bild von Timothy Gedge, der auf seine aufreizende Art lächelte. Sie wußte, was das Mädchen gemeint hatte, als es gesagt hatte, er habe Teufel in sich. Sie erinnerte sich daran, wie er ihr eine Gänsehaut eingejagt hatte.

»Ich hätte heute morgen zu dem Mädchen ehrlich sein sollen.«

»Natürlich warst du ehrlich, Quentin.«

Er schüttelte den Kopf. Er sagte, er hätte an diesem Morgen sagen sollen, daß man Dynmouth, wenn man es auf die eine Art betrachtete, schön finde, mit seinen Teestuben und seiner Spitze; und daß, wenn man es auf eine andere Art betrachtete, da Timothy Gedge sei. Man könne sogar die weniger angenehmen Seiten von Dynmouth in Schönheit hüllen, Sharon Lines an ihrer künstlichen Niere, die Welt von Old Ape und Mrs. Slewys verdorbenen Kindern und die Liebe, die das Leben von Miss Lavant zerstört habe. Man könne all das in einem milderen Licht sehen, indem man sich den Mut von Sharon Lines, die offensichtliche Zufriedenheit von Old Ape, die Zigarette, die Mrs. Slewy lustig aus dem Mundwinkel hervorschaue, und die Art, wie Miss Lavant gelernt habe, mit ihrer Leidenschaft zu leben, in Erinnerung rufe. Aber Timothy Gedge könne man nicht in Schönheit hüllen. Er habe einen Panzer um sich aufgebaut, weil er einen Panzer nötig habe. Seine Augen würden für immer ihre schlichte Behauptung aufstellen. Seine Augen seien die Augen eines Mißhandelten, nur daß kein Mensch Timothy Gedge je mißhandelt habe.

»Aber bestimmt«, sagte Lavinia und begann leicht zu protestieren, sprach dann aber nicht weiter. »Komm und setz dich«, drängte sie ihn statt dessen.

Das Leben habe ihn mißhandelt, sagte er und blieb, wo

er war, da er sie nicht gehört zu haben schien: Da sei einmal ein anderes Kind gewesen. Er hielt inne und schüttelte erneut den Kopf. Welchen Nutzen hatten Gottesdienste, die an die Kreuzigung erinnerten, wo doch Timothy Gedge überall herumzog, eine viel bessere Mahnung an Verfall und Zerstörung? Was hatte es bloß für einen Sinn, Geld für die Rettung eines Kirchturms zu sammeln, der nicht einmal schön war? Er sei eine lächerliche Figur, wenn er mit seinem Stehkragen die Kranken besuche und alles in Ordnung bringe.

»Du bist nicht lächerlich, Quentin.«

»Ich kann für diesen Jungen nichts tun.«

Er zog seinen schwarzen Regenmantel aus und streifte die Fahrradklammern ab. Er kam und setzte sich neben sie und sagte, die Geschichte von Timothy Gedge sei anscheinend dazu da, ihn zu verhöhnen. Die Geschichte sei nicht gerecht. Man könne sie nicht verstehen, und wie zum Hohn sehe es so aus, als ob man das auch gar nicht solle: Es sei alles einfach passiert, eine Katastrophe in kleinem Rahmen, ganz gewöhnlich, obwohl es nicht so aussehe. War es nicht genauso elegant wie unwahrscheinlich, den Eltern die Schuld zu geben, wie davon zu reden, er sei von Teufeln besessen? Waren die Eltern in ihren Sünden so fürchterlich? Schien es nicht wirklich bloß Pech zu sein?

Sie verstand nicht. »Pech?« fragte sie.

»Auf die Welt zu kommen, um mißhandelt zu werden. Sharon Lines oder Timothy Gedge zu sein.«

»Aber bestimmt ...«

»Gott läßt Zufälle geschehen.«

Lavinia schaute ihren Mann an, schaute ihm in die Augen, in denen die Müdigkeit lag, die seine Worte andeuteten. Es war nicht leicht für ihn, hinnehmen zu müssen, daß Gott Zufälle geschehen ließ, genausowenig wie es leicht war, in einer Zeit Pfarrer zu sein, in der Pfarrer anscheinend überflüssig waren. Er würde für Timothy Gedge beten, und das Gefühl haben, daß in einer vom Zufall bestimmten Welt ein Gebet nicht ausreichte.

»Das ist deprimierend«, sagte er und hatte, noch während er sprach, das Gefühl, er sollte lieber im Fischverpackungsbetrieb arbeiten als einer Kirche vorzustehen. Sein heiliges Kartenhaus war durch sein eigenes Ungeschick eingestürzt. Die Anschauung des Mädchens heute morgen und die von Timothy Gedge entsprachen denen der meisten Leute von Dynmouth: Es gab Spuren eines herkömmlichen Respekts vor seiner Berufung, dann aber auch Unduldsamkeit und gelegentlich Geringschätzung.

Es war schwierig, ihn zu trösten. Es geschähen furchtbare Dinge, sagte sie, und hatte das Gefühl, nicht besonders überzeugend zu klingen; und doch müsse man weitermachen. Es sei unmöglich, die Wahrheit über Timothy Gedge zu kennen, warum er so sei, wie er sei; das wisse niemand mit Sicherheit. Das Fest morgen würde stattfinden. Sie würden auf schönes Wetter hoffen. Er habe um halb elf eine Hochzeit, und um zwölf noch eine. Er solle ins Bett gehen, sagte sie.

»Er behauptet, der Sohn von Miss Lavant zu sein.«

»Miss Lavant? Aber Miss Lavant ...«

»Von Miss Lavant und Dr. Greenslade. Ein Kind, das sie Mrs. Gedge gegeben haben, um es aufzuziehen.«

»Aber wo hat er diese Idee bloß her?«

»Sie ersetzt sein Hirngespinst von der Fernsehshow.«

»Aber das kann er doch nicht glauben.«

»Doch. Und er wird immer fester daran glauben.«

Einen Augenblick lang herrschte Schweigen im Wohnzimmer, und dann sagte Lavinia erneut, er solle ins Bett gehen.

Er nickte, ohne sich von der Stelle zu rühren oder sie anzusehen.

»Du bist müde«, sagte sie und setzte hinzu, es bringe

nichts, Trübsal zu blasen, weil das alles nur noch schlimmer mache. Es gebe auch Gutes, erinnerte sie ihn. Es gebe Kinder, die geliebt würden und liebenswert seien. Es gebe ihre eigenen beiden Kinder und Tausende andere, in Dynmouth und anderswo. Es seien nur einzelne, die wie Timothy Gedge einen Panzer um sich aufbauten.

Er nickte erneut und drehte sich um, um sie anzusehen.

»Tut mir leid, daß ich in letzter Zeit so trübselig war«, sagte sie. »Tut mir leid.«

»Du bist nie trübselig, Lavinia.«

Sie gingen ins Bett, und als Lavinia in dieser Nacht aufwachte, dachte sie an Timothy Gedge und nicht an ihr verlorenes Kind. War es wirklich unmöglich, die Wahrheit über ihn zu kennen? Sie fragte sich, wie er jetzt wohl wäre, wenn er im Down-Manor-Waisenhaus großgezogen worden wäre. Sie fragte sich, wie er wohl wäre, wenn sein Vater nicht weggegangen wäre oder seine Mutter ihm mehr Zuneigung entgegengebracht hätte. Wie wäre er, wenn sie selbst an einem dieser Samstagvormittage, an denen er sich beim Pfarrhaus herumgetrieben hatte, die Verbitterung unter seinem Grinsen erkannt hätte?

Sie konnte nicht glauben, daß an der Tragödie von Timothy Gedge nicht irgendwie auch andere Leute und die Umstände, die sie geschaffen hatten, schuld waren. Sie sagte sich, daß Quentin unrecht hatte. Sie war sich sicher, daß er unrecht hatte, daß es sich nicht bloß um Pech in einer vom Zufall bestimmten Welt handelte; aber sie beabsichtigte nicht, sich mit ihm zu streiten. Und da sie ihrem Mann in diesem Punkt keinen Glauben schenkte, fragte sie sich auch, ob die Zukunftsaussichten für Timothy Gedge so trübe waren, wie er es vorausgesagt hatte. Sie dachte darüber nach, ohne eine Antwort zu finden, und dann dachte sie über die Zukunft der Kinder aus ihrem Kindergarten und anderer Kinder aus Dynmouth nach. Was für Männer würden ihre eigenen beiden

Kinder heiraten, falls sie überhaupt heirateten? Würden sie glücklich werden? Würden die Kinder aus Sea House glücklich werden? Würde Stephen jemals herausfinden, daß Timothy Gedge nicht ausschließlich gelogen hatte? Sie stellte sich Kate nicht so vor, wie Kate selbst es getan hatte, allein in Sea House, eine Frau wie Miss Lavant. Quentin hatte gesagt, daß Kate ihn einen Augenblick lang an Miss Trimm erinnert habe, und Lavinia stellte sich das kurz vor: Kate mit zweiundachtzig, leidenschaftlich in Kontakt mit Gott. Das konnte so, aber auch anders sein. Kate und auch Stephen mußten in der Schwebe gelassen werden, weil das bei Kindern, mit noch so viel Zeit vor sich, von Natur aus so sein mußte. Sie dachte an den kleinen Mikey Hatch, der ebenfalls in der Schwebe war, daran, wie er im Kindergarten die Arme ins Wasser tauchte, wie Jennifer Droppy traurig dreinschaute, wie Joseph Wright jemanden schubste, wie Johnny Pyke lachte, wie Tracy Waye die anderen herumkommandierte und Thomas Braine ihr ins Wort fiel, an den braven Andrew Cartboy und daran, wie Mandy Goff ihr Lied sang. Gesichter glitten durch ihre Gedanken, runde Gesichter und lange Gesichter, schmale, dicke, lächelnde, düstere. Eine ganze Reihe von Gesichtern kam und ging, von Kindern, die jetzt bei ihr im Kindergarten waren, und von Kindern, die früher einmal dort gewesen waren. Würde der kleine Mikey Hatch, genau wie sein Vater, Metzger werden? Würde Mandy Goff in ganz Dynmouth die Herzen der Männer brechen, wie man es ihrer Mutter nachsagte? Würde Joseph Wright mit der Zeit ein Mr. Peniket werden, Johnny Pyke ein Commander Abigail, oder Jennifer Droppy eine Miss Poraway? Würde Thomas Braine, der schon jetzt von seinen Eltern verhätschelt wurde, sich eines Tages, genau wie der Sohn der Dasses, von ihnen abwenden? Würde Andrew Cartboy, so klein und blaß, sich den Dynmouth Hards anschließen? Würde Tracy

Wayes Rechthaberei sich in die Rechthaberei einer Mrs. Stead-Carter verwandeln?

Die Zukunft war von Bedeutung, weil in der Zukunft ihre Geschichten erzählt werden würden, glückliche oder unglückliche, normale oder seltsame. Und doch war es irgendwie traurig zu sehen, wie sie sich dorthin aufmachten und so unbekümmert ihre Unschuld verloren. Die Zukunft glich der Dunkelheit, die sie umgab, in der es nicht einmal Schatten gab. Sie starrte in die Dunkelheit, und die Gesichter, Arme und Beine von Kindern, die ihrer eigenen und die von anderen, glitten erneut durch ihre Gedanken. Und Timothy Gedge lächelte sie an und beanspruchte sie für sich, oder zumindest sah es so aus. Sein Gesicht blieb, als die anderen schon verschwunden waren, scharf geschnitten und raubtierhaft, mit hungrigen Augen und einem Lächeln, das ihr immer noch eine Gänsehaut einjagte.

12

Am Ostersamstag morgen traf das Festzelt, das Mrs. Stead-
Carter ausgeliehen hatte, im Garten des Pfarrhauses ein
und wurde wie immer von den Männern aufgestellt, die es
gebracht hatten. Die Zwillinge sahen dabei zu. Sie konnten
sich an das Fest vom letzten Jahr erinnern. Es war herrlich
gewesen.

Um halb elf traf Mr. Peniket ein, mit der Bühne für den
Talentwettbewerb auf einem Anhänger hinter seinem Auto, den Holzbrettern, den Betonblocks und den Schweizer
Alpen auf Preßspan. Dann traf Mr. Dass mit der Beleuchtung und den Verdunkelungsvorhängen ein, die bei Courtesy Cleaners gereinigt worden waren.

Stühle, Bänke und Klapptische wurden gebracht, ausgeliehen von einer anderen Firma durch die Vermittlung
von Mrs. Stead-Carter. Mrs. Keble kam, um ihre Tombola
vorzubereiten, und Mrs. Stead-Carter mit Torten für ihren
Kuchenstand. Miss Poraway sagte den Männern, die die
Klapptische abluden, sie benötige einen guten, weil sie wie
immer für den Bücherstand zuständig sei. Sie hätten letztes
Jahr fünfunddreißig Pence verdient, sagte sie, was man als
gut angesehen habe. Mrs. Trotter richtete ihren Schmuck-
stand ein, und Quentin und Mr. Goff bauten das Ringwer-
fen, die Wurfbude, die Schatzsuche und das Mohrenkopf-
werfen auf. In der Küche des Pfarrhauses schmierten
Lavinia, Mrs. Blackham und Mrs. Goff Butterbrötchen,
schnitten Rührkuchen, Ingwerkuchen und Englischen
Kuchen auf und legten Hafermehlplätzchen auf Teller.
Die Molkerei von Dynmouth lieferte vierzig Halbliterflaschen Milch.

Es kamen Leute mit Schmuck für Mrs. Trotter, Torten
für Mrs. Stead-Carter und Preisen für die Tombola. Es
kamen Leute mit Büchern für Miss Poraway, zerfledderte
Penguin-Bändchen mit grünem Rücken, *Polizei am Grab*

von Margery Allingham, *Tod im Lift* von Ngaio Marsh, die Hälfte von *Ein Schritt ins Leere*, der größte Teil von *Der Tod und der tanzende Diener*. Irgend jemand brachte ein altes Programm für Europareisen von Cook's und die *VAT News Nr. 4* und *Nr. 5* mit. Jemand anders brachte zweiundfünfzig Exemplare der *Sunday Times*-Farbbeilage.

»Susannah hilft bei Büchern«, sagte Susannah. »Susannah kann das.«

»Deborah kann das«, sagte Deborah.

»Ach, wie lieb ihr seid!« rief Miss Poraway, und die Zwillinge holten einen Band nach dem anderen aus dem Karton, den Mrs. Stead-Carter aus ihrem Auto hergebracht hatte. »Wir verkaufen jedes für einen Penny«, erklärte Miss Poraway. »Es sind ein paar richtige Schnäppchen dabei.« *Viehhaltung in Indien*«, las sie vom Rücken eines Buches vor, das unter Feuchtigkeit gelitten hatte. Beurteile nie ein Buch nach seinem Einband, warnte sie die Zwillinge. »*Angewandte Taxidermie*«, las sie vom Rücken eines anderen Buches vor.

In der Küche sahen Mrs. Blackham und Lavinia etwas müde aus, und Lavinia sagte, sie sei auch etwas müde. Die Aufregung um Timothy Gedge hatte sie ermüdet, aber sie war froh, sich aufgeregt zu haben, weil das einen Sinn ergab im Gegensatz dazu, daß sie über ein Baby, das nicht zur Welt kommen konnte, Trübsal geblasen hatte.

An diesem Nachmittag sang Petula Clark über die Lautsprecheranlage von Ring's Vergnügungspark »Downtown«. Sie war in ganz Dynmouth zu hören, weil man besonders laut aufgedreht hatte, der erste Hinweis darauf, daß Ring's wieder auf und bereit war.

Am hellichten Tag brannten die bunten Glühbirnen an den Girlanden im Sir-Walter-Raleigh-Park. Die Stimmen der Standinhaber versuchten einander zu übertönen, auf-

fordernd und einladend, anders als die Stimmen der Standinhaber beim Fest im Pfarrgarten. Die »Geisterbahn« rat-
terte, im »Spukhaus« kamen elektrisch verstärkte Schreie
und im »Saal der tausend Spiegel« elektrisch verstärktes
Gelächter vom Band. Gelbe Plastikenten drehten sich unaufhörlich im Kreis und luden dazu ein, Ringe über sie zu
werfen. Auch Pferde, Känguruhs und Hühner aus Holz
drehten sich unaufhörlich im Kreis, ein paar von ihnen mit
Kindern auf dem Rücken. Und auch Autos und Eisen-
bahnen aus Holz drehten sich unaufhörlich im Kreis, nur
langsamer. Leere Sitze mit Gurten flogen hoch über den
Köpfen der Leute stürmisch durch die Luft. Die Motoren
von Motorrädern heulten in der Arena der »Todeskurve«
auf. »Just listen to the music of the traffic in the city«, sang
Petula Clark. »Linger on the sidewalks where the neon-
signs are pretty.«

Mrs. Blakey hörte die Stimme von Petula Clark als ein
schwaches Wispern in der Küche von Sea House. Die
Atmosphäre im Haus hatte sich verändert. Am Mittag
waren die Kinder wieder normal gewesen, Stephen still,
aber nicht mehr verhärmt, und Kate hatte von der Rück-
kehr ihrer Eltern geschwatzt. Sie würde nichts sagen, beschloß Mrs. Blakey, während sie die Zutaten für einen
Eintopf mit Fleisch und Nieren zum Abendessen zusam-
mensammelte. Sie würde den Jungen, der den ganzen
Ärger gemacht hatte, nicht erwähnen, wenn man sie nicht
zufällig aus irgendeinem Grund auf ihn ansprach, und sie
hatte das Gefühl, daß es dazu nicht käme. Sie summte
wieder ganz glücklich, und ihre Wangen strahlten die alte
Fröhlichkeit aus.

Kate und Stephen fuhren Autoskooter und kauften sich
dann Zuckerwatte. Sie sahen dabei zu, wie die Dynmouth
Hards sich an der Schießbude versuchten und ihre
schwarzbefransten Mädchen, anscheinend gelangweilt,
neben ihnen herumlungerten. Sie sahen sich Alfonso und

248

Annabella in der »Todeskurve« an. Sie liefen durch das
»Spukhaus«. Sie betrachteten sich im »Saal der tausend
Spiegel«. Sie fuhren mit der »Geisterbahn«.

Sie verließen den Sir-Walter-Raleigh-Park und gingen
zum Garten des Pfarrhauses. Stephen gewann eine Ko-
kosnuß. Kate kaufte zwei Lose für Mrs. Kebles Tombola.
Sie zahlten den Eintritt fürs Festzelt, um sich den Talentwettbewerb anzusehen. Der sollte um vier Uhr anfangen,
begann aber wegen einer Panne erst um zwanzig nach.
Die Jahrmarktskönigin vom letzten Jahr sang »Tie a Yellow Ribbon round the Old Oak Tree«. Die füllige Mrs.
Muller sang in ihrer Nationaltracht. Die Dynmouth-
Night-Lifers sangen zu ihren elektrischen Gitarren. Der
Mann namens Pratt, der auf einem Motorrad zum Haus
der Dasses gekommen war, imitierte Hunde. Mr. Swayles
führte seine Zauberkunststücke vor. Der Direktor der
Ziegelei spielte Mundharmonika. Miss Wilkinson trug
»The Lady of Shalott« vor. Mrs. Dass kam in einem flau-
schigen magentaroten Kleid auf die Bühne und verlieh
der letztjährigen Jahrmarktskönigin den ersten Preis, Mr.
Swayles den zweiten und Mrs. Muller den dritten.

Die Kinder verließen das Festzelt. Sie sahen Miss Lavant in einem Kostüm mit aufgedruckten Butterblumen,
wie sie mit gesenktem Blick zwischen den Ständen her-
umschlenderte und hin und wieder aufschaute. Aber Dr.
Greenslade war nicht beim Fest. Sie sahen, wie Commander Abigail, sein zusammengerolltes Handtuch und seine
Badehose unterm Arm, bei Mrs. Stead-Carter Kuchen
kaufte. Rose-Ann, die Schwester von Timothy Gedge,
war mit ihrem Freund Len da. Seine Mutter, das Haar
frisch frisiert, war auch da und eilte mit ihrer Schwester,
der Damenschneiderin, deren Haar ebenfalls schick aussah, um die Stände herum. Mr. Plant war mit Frau und
Kindern da, aber als er Mrs. Gedge in der Nähe des
Ringwerfens begegnete, gingen sie aneinander vorbei, so

als würden sie sich nicht kennen. Mrs. Slewy ließ eine Flasche Sherry, dritter Preis bei der Tombola, in eine Reisetasche aus Plastik gleiten.

Das Fest bringe es nicht, sagte Timothy Gedge. Der Talentwettbewerb sei mal wieder ein Haufen Mist. Als er sprach, konnte Kate die Teufel spüren. Sie konnte spüren, wie sie ihr aus seinen Augen und seinem Lächeln entgegenblickten, aber sie waren jetzt anders, ruhiger, triumphierend. Er hatte einen Sieg errungen. Gott hatte die Dinge geändert, aber Gott war besiegt worden: Das würde sie immer glauben, sie würde es sich und jedem, der es hören wollte, immer wieder sagen. Ein Wunder war geschehen, aber das Wunder war mißglückt, weil es heutzutage keine Wunder mehr geben konnte, weil niemand sich darum kümmerte, nicht einmal ein Pfarrer. »Bis bald«, sagte Timothy Gedge, aber sie erkannten an seinem Tonfall, daß er nichts mehr mit ihnen anzufangen wußte. »Tschüß«, sagte er, ohne ihnen zu folgen, als sie davongingen.

Sie sahen sich Miss Poraways Bücher an. *Angewandte Taxidermie* hatte noch niemand gekauft. »So ein herrliches Fest!« sagte Miss Poraway. Susannah reichte Stephen ein Buch über Bridge und grinste ihn an. Deborah gab Kate *Viehhaltung in Indien*. »Bloß einen Penny!« rief Miss Poraway, aber Kate erklärte, daß indische Viehhaltung sie nicht besonders interessiere.

Sie verließen das Fest und überlegten einen Augenblick lang, ob sie zu Ring's zurückkehren sollten. Während sie so am Once Hill standen, näherte sich Mr. Blakey im Wolseley, unterwegs zum Bahnhof von Dynmouth, um ihre Eltern abzuholen. Er hielt an, als er sie sah, und fragte, ob sie mitkommen wollten. Sie stiegen in den Fond des Wagens.

Er fuhr langsam, mit altmodischer Umsicht, und lenkte den Wolseley behutsam durch die samstäglichen Käufer im Stadtzentrum. Zwei Nonnen hoben Kartons mit Lebensmitteln hinten in ihren neuen Fiat-Lieferwagen. Die Waisenkinder aus Down Manor plapperten in Zweierreihen in der Lace Street, unterwegs zum Fest und dem Vergnügungspark. Ein Kellner kam vom Parkplatz des Queen Victoria Hotels. Vor dem Essoldo Kino standen Leute herum und betrachteten die Fotos, die *Der Zauberer von Oz* ankündigten. Old Ape wühlte in den Mülltonnen vor Phyl's Phries herum.

In der Küche des Pfarrhauses spülten Lavinia und Mrs. Goff rasch Tassen und Untertassen, die sofort wieder benutzt wurden. Jetzt, da der Talentwettbewerb vorbei war, wurde im Festzelt Tee serviert. Mrs. Stead-Carter hatte ihren Kuchen verkauft und eilte zwischen der Küche und den Teetischen hin und her. Genau wie Mrs. Keble, die mit der Tombola etwa acht Pfund eingenommen hatte. Mrs. Blackham schmierte noch mehr Butterbrötchen.

Er würde jetzt regelmäßig zum Pfarrhaus kommen, dachte Lavinia. Nicht, um mit den Zwillingen zu spielen, nicht wegen Trost oder Essensresten oder um sich über den Mann vom Sozialamt zu beklagen, sondern einfach, um eine Nervensäge zu sein, da das seine Art war: um erneut zu sagen, er sei der Sohn von Miss Lavant. Er würde den Platz der Besucherin einnehmen, die gestorben war, den der verrückten Miss Trimm, und den Platz des Kindes, das nicht zur Welt gekommen war. Nachdem sie in der Nacht so lange wach gelegen hatte, gab es vor diesem Gedanken, vor der Idee von einem Schema kein Entrinnen mehr: Der Sohn, den sie nicht zur Welt gebracht hatte, war dennoch für sie da. Da Lavinia immer noch glaubte, daß die Tragödie durch andere Leute und deren Handlungen bedingt war, da sie daran genauso fest glaubte, wie Kate glaubte, daß sie von Teufeln ausgelöst war, und Quentin, daß sie ein Teil des göttlichen Rätsels war, sah sie Licht im Dunkel. Anscheinend war sie es, und nicht Quentin, die irgendwie Hoffnung in die Hoffnungslosigkeit bringen konnte. Sie war es, die eines Tages, im Pfarrhaus oder im Garten, den Panzer durchdringen konnte, der ihm notgedrungen gewachsen war. Während sie frisches Wasser in ihre Spülschüssel laufen ließ, ergriff das Gefühl, daß es ein Schema gab, immer mehr von ihr Besitz, das Gefühl, daß sich Dinge ereigneten und miteinander verknüpft waren, das Gefühl, daß bei ihren schlaflosen Nächten und der Reizbarkeit wegen ihres verlorenen Kindes doch etwas herausgekommen war. Mitgefühl zu zeigen fiel ihr nicht so leicht wie ihrem Mann. Sie konnte sich in keiner Hinsicht darüber freuen, daß Timothy Gedge regelmäßig zum Pfarrhaus kommen würde: Die Aussicht darauf war trostlos. Und doch konnte sie nicht umhin, eine gewisse irrationale Fröhlichkeit zu verspüren, so als wäre ein Ende und zugleich ein Anfang gemacht. Ein Teil ihrer weiblichen Intuition sagte ihr, daß man nicht ohne Hoffnung leben konnte: Solange es noch eine Zukunft gab, durfte man das nicht.

Als Quentin in die Küche kam, sah er diese Gedanken im Gesicht seiner Frau und sagte sich, daß, egal was sich in letzter Zeit sonst noch in Dynmouth zugetragen hatte, Lavinia wenigstens ihre Unzufriedenheit überwunden hatte. Sein Glaube hatte seine eigene Unzufriedenheit bis zu einem gewissen Grad verschwinden lassen und ihn mit etwas neuer Kraft erfüllt. Es war eine größere Aufgabe, unter den gegebenen Umständen so zu sein, wie er war, als unter gottesfürchtigen Menschen: In dieser Tatsache selbst lag schon der Drang zur Entschlossenheit und ein Hauch von Trost. Von der anderen Seite der Küche lächelte Lavinia ihn an, so als wollte sie ihn beruhigen, als würde sie erneut erklären, daß er nicht lächerlich wirke. Er schüttelte leicht den Kopf, in der Hoffnung, damit zu verstehen zu geben, es sei nicht wichtig, wie er wirke.

»Haben wir noch Butter, Mrs. Featherston?« erkundigte sich Mrs. Blackham, und Lavinia sagte, es lägen noch
Stücke in der Kühlschranktür.

Über die Lautsprecher von Ring's Vergnügungspark sang
Petula Clark erneut ihr Lied. Alles warte auf einen, be-
tonte sie, und alles werde in Ordnung kommen.

»Dynmouth kommt in Schwung«, bemerkte Timothy
Gedge, fiel den Down Hill hinunter mit einem Rentner
in Gleichschritt, lächelte und lachte. Es komme immer
alles in Schwung, fuhr er fort, wenn Ring's aufmache; alles
werde für die Saison vorbereitet. Die Besucher an Pfing-
sten würden auf die an Ostern folgen; im Handumdrehen
würden die Hotels proppenvoll sein. Er erzählte dem
Rentner zwei Witze. Er verriet, daß er vorgehabt habe,
beim heutigen Fest eine Nummer aufzuführen, die Sache
aber fallengelassen habe, weil er zu der Ansicht gekommen sei, das alles sei ein Haufen Mist. Er fragte den alten
Mann, ob er je in der Sandpapierfabrik gearbeitet habe,
und setzte hinzu, er werde wahrscheinlich auch dort anfangen, wenn er mit der Gesamtschule fertig sei. Aber er
sei sich noch nicht sicher, man wisse ja nie. Er fragte den
alten Mann, ob er Miss Lavant kenne, ob er sie beim Fest
gesehen habe, in Kleidern mit Butterblumen drauf.

Sein Begleiter, der schon vorher versucht hatte, ihn zu
unterbrechen, hatte jetzt damit Erfolg: Der Versuch, sich
mit ihm zu unterhalten, sei sinnlos, weil sein Hörgerät
kaputtgegangen sei.

Timothy Gedge nickte verständnisvoll. Das sei eine
schöne Geschichte, sagte er, die Geschichte von Miss
Lavant und Dr. Greenslade. Es sei schön, daß zwei Menschen sich während all dieser Jahre liebten, daß Dr.
Greenslade zu sehr Ehrenmann sei, um seine Frau und
seine Familie zu verlassen, daß Miss Lavant ein Kind zur
Welt gebracht und man das Kind einer Frau aus Dyn-

mouth gegeben habe. Es sei schön, daß sie festgelegt hätten, das Kind solle in Dynmouth aufgezogen werden, damit sie es immer überall sehen könnten. Miss Lavant sehe in all den verschiedenen Kleidern, die sie habe, toll aus, in ihren scharlachroten Kleidern, in den grünen und blauen, in den schönen Butterblumensachen, die sie heute trage. Vor fünfzehn Jahren hätten sie beschlossen, Umsicht walten zu lassen, und hätten ihre Liebschaft beendet, weil das Kind zur Welt gekommen sei. Dr. Greenslade sei ein eleganter Mann, ein gutaussehender Mann in einem grauen Anzug und mit glattem grauen Haar, überhaupt nicht in die Breite gegangen, fast wie Cary Grant. Wenn man die Augen zumache, könne man sie sich zusammen auf der Promenade vorstellen, Arm in Arm, wie es sein sollte, der Doktor mit einem Stock mit silbernem Knauf, wie sie einander in der Öffentlichkeit ihre Liebe zeigten.

Er sprach lauter, obwohl der alte Mann ihm weiter bedeutete, daß er ihn nicht hören könne. Es würde immer ein Geheimnis bleiben: Selbst wenn die Frau des Doktors stürbe und der Doktor Miss Lavant heiratete, würde die Sache mit dem Kind, das zur Welt gekommen sei, ein Geheimnis bleiben, weil sie aus Respekt vor der Toten nicht wollten, daß es bekannt würde. Es wäre ein wohlgehütetes Geheimnis, nie erwähnt von den Menschen, die es betreffe. Es wäre einfach da, wie ein leichter Nebel. Er habe dem Pfarrer gesagt, ihm werde sich keine Gelegenheit bieten, aber man wisse ja nie, und man dürfe den Mut einfach nicht verlieren, sonst gehe man zugrunde. Im einen Moment entdecke man, daß man in einer Fistelstimme sprechen könne, und im nächsten, daß es einen Grund dafür gebe, warum eine Frau einem ein Bonbon geschenkt habe. Alles warte auf einen; fürs erste könne man Geld kriegen, das einem vererbt worden sei. Er lächelte den Rentner an und wackelte mit dem Kopf. »Wirklich gut«, sagte er und bezog sich damit auf die Stimme von Petula Clark.

Der Rentner konnte sie nicht hören, aber alle anderen vernahmen weiter ihr Versprechen, und ihre Botschaft trieb dröhnend auf der Brise, die sanft vom Meer herüberwehte, über Dynmouth.

»How can you lose?« sang Petula Clark. »Things will be great.«

bei Rotbuch

William Trevor

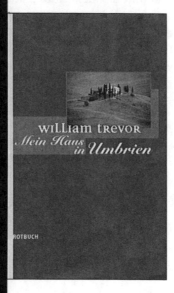

William Trevor

Mein Haus in Umbrien

210 Seiten
DM 36,-/sFr 33,-/öS 262,-
ISBN 3-88022-483-8
Aus dem Englischen von
Thomas Gunkel
Gebunden mit Schutzumschlag

Roman

ROTBUCH *Verlag*
Parkallee 2
20144 Hamburg
Tel. 040/450194-0
Fax 040/450194-55

bei Rotbuch

William Trevor

William Trevor
Felicias Reise

270 Seiten
DM/sFr 39,80/öS 295,-
ISBN 3-88022-471-4
Aus dem Englischen von
Thomas Gunkel
Gebunden mit Schutzumschlag

Roman

ROTBUCH *Verlag*
Parkallee 2
20144 Hamburg
Tel. 040/450194-0
Fax 040/450194-55

bei Rotbuch

Patrick McCabe

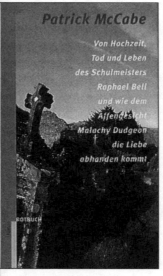

Patrick McCabe

**Von Hochzeit, Tod
und Leben des Schulmeisters
Raphael Bell und wie
dem Affengesicht Malachy
Dudgeon die
Liebe abhanden kommt**

320 Seiten
DM/sFr 39,80/öS 295,-
ISBN 3-88022-499-4
Aus dem Englischen von
Hans-Christian Oeser
Gebunden mit Schutzumschlag

ROTBUCH *Verlag*

Parkallee 2
20144 Hamburg
Tel. 040/450194-0
Fax 040/450194-55

bei Rotbuch

Patrick McCabe

Patrick McCabe

Der Schlächterbursche

260 Seiten
DM 38,-/sFr 39,-/öS 297,-
ISBN 3-88022-813-2
Aus dem Englischen von
Hans-Christian Oeser
Gebunden mit Schutzumschlag

Roman

ROTBUCH *Verlag*

Parkallee 2
20144 Hamburg
Tel. 040/450194-0
Fax 040/450194-55